UN PÈRE IDÉAL

Paul Cleave

UN PÈRE IDÉAL

Traduit de l'anglais (Nouvelle-Zélande)
par Fabrice Pointeau

Directeur de collection : Arnaud Hofmarcher
Coordination éditoriale : Hubert Robin

Titre original : *Blood Men*
Éditeur original : Random House New Zealand
© Paul Cleave, 2010

© Sonatine, 2011 pour la traduction française
Sonatine Éditions
21, rue Weber
75116 Paris
www.sonatine-editions.fr

PROLOGUE

Ma photo est parue pour la première fois dans la presse quand j'avais 9 ans. Chaque journal local du pays l'a publiée, dans la plupart des cas en première page. J'ai même fait la presse internationale. C'était une photo noir et blanc, un peu floue, mon visage était tourné vers le torse de mon père, il y avait des gens autour de nous. Après ça, on m'a vu à la télé, dans des magazines, dans d'autres journaux encore, toujours la même photo. Je n'avais jamais voulu ça, j'essayais de l'éviter, mais je ne pouvais rien y faire.

Mon père, eh bien, lui aussi il s'est retrouvé dans la presse. Lui aussi en première page. Mais il y avait plus de photos de lui que de moi, parce que c'était lui qui se faisait arrêter. Moi, j'étais juste là par accident, tentant de repousser les policiers qui voulaient l'embarquer. Je ne savais pas quoi faire d'autre. J'étais en larmes quand ma mère m'a éloigné de lui. Les flics l'ont menotté, et je ne l'ai plus jamais revu jusqu'à cette semaine. C'était mon père, bien sûr, mais cesser de l'aimer n'a pas été difficile quand il s'est avéré qu'il n'avait jamais été l'homme que nous croyions. Mon père s'est fait arrêter parce qu'il avait des penchants que les autres n'approuvaient pas trop – pas même les gens de Christchurch.

Ma mère est morte un an plus tard. Elle se gavait de poisons et de cachets pour fuir la haine et les accusations du public. Les médecins et les psychiatres ont alors commencé à se pencher sur mon cas. Ils s'interrogeaient à mon sujet. Tout le monde s'interrogeait. Mon père avait le goût du sang. Il avait assassiné onze prostituées sur une période de vingt-cinq ans, et certaines bonnes âmes de Christchurch se demandaient si je suivrais la même voie que lui. Il était si discret que personne ne s'était rendu compte qu'il y avait un tueur en série en ville. Il ne faisait pas parler de lui, se contentait de commettre ses crimes, en silence, proprement. Parfois on retrouvait ses victimes, parfois non, et celles qu'on n'a jamais retrouvées n'ont jamais été portées disparues. C'était un père de famille aimant qui aurait fait n'importe quoi pour nous. Il n'a jamais levé la main ni sur ma mère, ni sur ma sœur, ni sur moi. Il travaillait dur pour nous nourrir, pour nous offrir tout ce qu'il pouvait afin de rendre notre enfance plus agréable que la sienne. Le monstre qui l'habitait ne se manifestait jamais à la maison, il restait tapi dans les ténèbres avec le sang et la chair de ses victimes, mais parfois – au moins onze fois, de ses propres aveux – papa sortait le soir et allait retrouver ce monstre. Il n'était alors plus mon père, il était autre chose. Je n'ai jamais demandé quoi, exactement. Au début, je ne pouvais pas, car je n'étais pas autorisé à le voir. Puis quand j'ai été en âge de prendre mes propres décisions, c'est moi qui ne voulais plus le voir.

J'avais 10 ans quand le procès a commencé. C'était un cirque. Ma mère était toujours en vie, mais ma sœur et moi en bavions. Ma mère passait son temps à nous hurler dessus quand elle était sobre et, quand elle était soûle, elle pleurait, et, dans un cas comme dans l'autre, nous n'étions pas à la fête. Les cachets et l'alcool n'ont pas tardé à la déglinguer, mais pas assez vite à son goût, et, pour accélérer les choses, elle s'est achevée avec une lame de rasoir. Je ne sais pas combien de temps elle a mis à se vider de son sang. Elle était peut-être toujours vivante quand nous l'avons découverte. J'ai serré la main de ma sœur et nous avons regardé son corps pâle. Il n'y avait plus ni hurlements ni pleurs.

La famille de ma mère nous a rejetés, mais celle de mon père nous a recueillis. Les gosses à l'école se foutaient de moi, ils me tapaient dessus, me piquaient mon cartable au moins une fois par semaine et l'enfonçaient dans les toilettes. Le psychiatre débarquait de temps à autre avec sa batterie de tests et de questions. Ma photo, toujours la même, paraissait à l'occasion dans les journaux, mais de plus en plus rarement. J'étais presque une célébrité. J'étais aussi le fils d'un tueur en série – et certaines bonnes âmes de Christchurch pensaient que je marcherais sur ses traces.

Ma sœur, Belinda, a suivi la voie de ses victimes. Elle a commencé à coucher pour de l'argent à 14 ans. À 16, elle était junkie, avec un penchant pour les liquides qu'elle pouvait se procurer pour pas cher et s'injecter dans les veines. À 19 ans, elle était morte. J'étais le seul survivant de ma famille – le monstre de mon père avait emporté tous les autres.

Bien sûr, le petit Edward a grandi, et j'ai maintenant une famille à moi. Une femme. Un enfant. J'ai expliqué à ma femme qui j'étais peu après notre rencontre. Ça lui a fait peur au début. Mais par chance, elle a appris à me connaître. Et elle a vu que je n'étais pas un monstre.

« Certains pensent que la perversion de mon père était dans ses gènes, et qu'il me l'a transmise. Il est des gens qui croient que je suis moi aussi un homme de sang », dis-je. Et je regarde le sang de la femme avachie du côté passager imprégner le tissu du siège. « Ils croient que c'est le même sang qui coule dans nos veines. Mais ils se trompent. » J'écrase la pédale d'accélérateur et fonce droit dans le mur.

SEPT JOURS PLUS TÔT

1

L e réveil qui se déclenche le vendredi matin avant les vacances de Noël me transperce la tête comme un rayon laser dans un vieux film de science-fiction avec des effets spéciaux à deux balles. Je parviens à entrouvrir à demi les yeux. J'ai l'impression d'avoir la gueule de bois bien que je n'aie pas bu une goutte d'alcool depuis une éternité. Je tends le bras et éteins le réveil, et je suis quasiment rendormi lorsque Jodie me pousse dans le dos. Avec un peu de chance cette année le Père Noël m'apportera un réveil qui ne fera pas de bruit.

«Faut que tu te lèves», dit-elle.

Je mets quelques secondes à saisir ses paroles, mais elles glissent avec moi dans le trou noir du sommeil, et je m'entends répondre:

«J'ai pas envie.

– Debout. C'est à toi de te lever et de me tirer hors du lit.

– Je croyais que c'était ton tour.»

Je me retourne pour lui faire face. Le soleil est éclatant derrière les rideaux, des rais de lumière illuminent le plafond. Je ferme les yeux pour ne pas les voir. Je les serre fort et fais comme si c'était de nouveau la nuit.

«Encore cinq minutes. Promis.

– C'est ce que tu as dit il y a cinq minutes quand tu as éteint le réveil pour la première fois.

– Il a déjà sonné?

– Allez. C'est vendredi. Nous avons tout le week-end devant nous.

– C'est Noël. Nous avons deux semaines devant nous.

– Mais pas encore », me rappelle-t-elle, et elle me pousse une fois de plus.

Je m'assieds au bord du lit et bâille pendant dix secondes avant de lui attraper les mains et d'essayer de la tirer du lit pour ne pas vivre seul le cauchemar du lever. Elle se cache sous les draps et se met à rire. Sam entre dans la chambre et éclate de rire à son tour.

« Maman est un fantôme », dit-elle, et elle lui bondit dessus.

Un « Oumph ! » jaillit de sous les draps, puis un nouvel éclat de rire. Je les laisse s'amuser et vais prendre une douche, l'eau chaude achevant de me réveiller. Je suis en train de me raser lorsque Jodie arrive pour se doucher à son tour.

« Plus que quatre jours de boulot, dit-elle avant de bâiller.

– Je sais.

– C'est presque le week-end. Puis encore trois jours. À peine. Le dernier jour est toujours court.

– Tu as l'air douée pour les maths.

– C'est un des avantages du métier. »

L'avantage du métier vient du fait que Jodie est comptable. Être marié à une comptable n'est pas la fin du monde, mais je me dis probablement ça parce que je fais moi aussi le même métier. Et c'est, naturellement, à travers le boulot que nous nous sommes rencontrés. Les comptables font les frais de milliers de blagues, et notre liaison contribue peut-être à ces stéréotypes – je ne sais pas.

Jodie allume la petite radio en forme de pingouin de la salle de bains. Elle tourne une nageoire jusqu'à trouver une station, puis l'autre nageoire pour monter le volume. Elle chantonne en chœur avec Paul Simon une chanson qui évoque cinquante manières de quitter une femme, et le comptable en moi de se demander comment il en est arrivé à ce nombre, et combien il en a essayé. Mon père avait ses manières bien à lui de quitter les femmes – et je suis quasiment certain que Paul Simon ne les a pas prises en compte – *Tranche-lui la gorge, George*. Jodie ne connaît pas toutes les paroles et comble les blancs en fredonnant.

Je m'habille et me rends au salon. Des jouets et des manuels scolaires jonchent le sol. La télé est allumée, des personnages de dessin animé dansent gaiement sur l'écran. Sam est en train de finir ses devoirs tout en regardant la télé, développant sa capacité à mener plusieurs tâches de front à cet âge tendre où les devoirs consistent principalement à manier des crayons et des feutres – tout un tas d'objets colorés qui font tout un tas de taches colorées. Le salon est petit, surtout avec le sapin qui en occupe un coin entier. D'ailleurs, c'est toute la maison qui devient trop étroite, et nous sommes sur le point d'en acheter une nouvelle. Aujourd'hui, c'est le dernier jour de classe, pas d'école jusqu'à fin janvier, et Sam est aussi agitée que si elle venait de découvrir la caféine.

J'ouvre les rideaux, et la lumière qui s'engouffre dans le salon et la cuisine se répercute sur chaque surface métallique, donnant l'impression que le soleil n'est qu'à quelques mètres de la maison. Les peupliers qui bordent la rue ont été vaincus par la chaleur, leurs feuilles brûlées commencent à se faner, les pelouses virent à un brun sec sous les coups de boutoir du soleil. Il fait une douzaine de degrés de moins à l'intérieur grâce à la clim qui tourne à fond. Les vacances de Sam commencent dans sept heures, elle est excitée comme une puce, je suis stressé comme pas permis et Jodie est les deux à la fois. Je suis quasiment certain qu'un esprit habite ici ; il se manifeste la nuit et fout le bazar dans la maison.

Je me rends dans la cuisine et prépare du café. Notre cuisine est pleine d'équipements modernes, dont la plupart étaient à la mode dans les années 1950 et sont de nouveau en vogue aujourd'hui, de l'inox et des courbes partout. Je remplis un bol de céréales pour Sam, qu'elle se met à dévorer, et j'en suis à mon deuxième toast quand Jodie arrive dans le salon. Ses cheveux sombres qui lui retombent autour des épaules sont légèrement humides, et sa peau sent le propre. Elle se penche, m'embrasse sur la joue et me vole le reste de mon toast.

« Pour le baiser, murmure-t-elle en me faisant un clin d'œil.

– J'aurais dû te faire des pancakes. Ça t'aurait coûté plus cher. »

Notre chat, Mogo, vient se frotter aux pieds de Jodie avant de sauter sur la table et de me toiser fixement. Mogo est un chat tigré avec beaucoup trop de personnalité et pas assez de patience. Je me dis parfois qu'il doit avoir des pensées similaires à celles qu'avait mon père il y a tant d'années. Il ne mange jamais quand je le nourris, et il attend toujours que ce soit Jodie qui s'occupe de lui. Il ne s'approche jamais de moi et ne veut pas que je le caresse – mais les chats ne s'approchent jamais de moi, il y a quelque chose en moi qu'ils n'aiment pas. C'est la même chose avec les chiens.

Nous finissons notre petit déjeuner et rassemblons nos affaires. Jodie a sa serviette, Sam son cartable, moi ma sacoche, et c'est l'heure d'y aller. Il est 8 h 30, la chanson de Paul Simon m'est restée dans la tête, et en sortant nous avons l'impression de heurter un mur de chaleur. C'est au tour de Jodie de déposer Sam à l'école. Nous nous embrassons et nous nous étreignons, les portières des voitures claquent, les moteurs se mettent en marche, et nous nous éloignons dans des directions opposées. L'intérieur de ma voiture est comme un four. Des voisins qui emmènent leurs propres enfants à l'école me font signe de la main, d'autres sont sortis se promener avant que la chaleur ne devienne insupportable, certains s'occupent de leur jardin. Les poubelles de recyclage de la mairie, vertes avec un couvercle jaune, longent les rues du quartier, attendant le passage des éboueurs. Sur le chemin du centre-ville, je passe devant des camionnettes équipées de remorques garées au bord de la route – les vendeurs de sapins et de lis de Noël sont assis sur des chaises pliantes, occupés à lire des magazines.

Le centre-ville est délimité par quatre longues avenues qui créent une gigantesque boîte, au sein de laquelle un réseau de rues parallèles forme un damier où les bâtiments sont de deux types : les laids construits il y a cent ans, et les un peu moins laids construits depuis. Le paysage pourrait être transposé dans un roman de Sherlock Holmes sans que personne ne voie la différence, à part Holmes lui-même, qui se demanderait pourquoi les pickpockets et les héroïnomanes ont déserté Baker Street pour laisser place à des membres de gangs et à des sniffeurs de colle.

Le trajet prend de plus en plus longtemps à mesure que Noël approche, la circulation est plus dense qu'hier, mais moins que demain. Quelques prostituées matinales – ou pas encore couchées – attendent aux coins des rues ; elles me suivent de leurs yeux sans vie tandis que je passe devant elles, arborant des sourires factices, un maquillage étalé et délavé après une longue nuit, des vêtements courts imprégnés de gaz d'échappement et de fatigue. Je n'ai jamais vu un client s'arrêter de si bon matin – ce serait comme coucher avec un zombie. Je me demande si elles arrêtent de travailler pour Noël, si c'est une période heureuse pour elles, si quand elles rentrent à la maison elles enfilent des bonnets rouges et accrochent des décorations tout en écoutant des chants de Noël.

J'allume la radio et dois zapper quatre stations avant de tomber sur une paire d'animateurs qui ne racontent pas les vieilles blagues scabreuses qui amusent les animateurs depuis vingt ans. Ils annoncent qu'il fait déjà 27 degrés et que la chaleur va monter, nous rappellent que des restrictions d'eau sont en vigueur, que le réchauffement climatique est en route, que nous sommes seulement à un peu plus de sept jours de Noël.

Je me farcis presque tous les feux rouges en pénétrant dans le centre-ville. Les gens cuisent dans leur voiture à mesure que la température monte. Je mets vingt-cinq minutes à atteindre l'immeuble du parking après avoir survécu à la furie de la circulation. J'atteins le huitième étage en négociant les courbes étroites qui mènent aux niveaux supérieurs. Certains automobilistes les empruntent plus prudemment que moi, d'autres comme si c'étaient des pistes de course. Je redescends par l'escalier, me mets à transpirer, et je passe au bas des marches devant un sans-abri nommé Henry qui me dit que je suis un saint quand je lui donne deux dollars. Comme Henry a une bible dans la main, peut-être qu'il a réellement l'œil pour repérer ce genre de choses. Ou alors peut-être que ça vient de la bouteille de vodka bon marché qu'il tient dans son autre main. Le parking n'est qu'à deux minutes à pied de mon lieu de travail. Les trottoirs sont pleins de gens à l'air maussade, tous résignés à passer la journée au bureau ou à faire des achats, ou à dormir sous un banc dans un parc. Certains attendent Noël, certains sont excités, certains n'ont peut-être même pas conscience de son approche. Le soleil continue de grimper. Le ciel bleu de tous côtés donne l'impression accablante que nous ne verrons plus un seul nuage cette année.

Le cabinet comptable où je travaille emploie près de cinquante personnes, et c'est l'un des plus importants, et assurément des plus chic de la ville – son prestige étant renforcé par les noms pompeux des partenaires: Goodwin, Devereux & Barclay. Il domine la ville, et partage l'un des immeubles les plus modernes et convoités de Christchurch principalement avec des cabinets d'avocats et des compagnies d'assurances. Notre société occupe les trois niveaux supérieurs de la tour de quinze étages – c'est la plus grosse société de l'immeuble. La clim souffle de l'air froid dans le hall, et des employés font la queue devant l'ascenseur. J'emprunte l'escalier, où flotte une odeur rance, et recommence à transpirer de plus belle.

Je travaille au treizième étage, où la vue est moins impressionnante que chez les patrons au-dessus, mais meilleure que chez les avocats d'en dessous. J'échange les bonjours de rigueur avec quelques collègues en atteignant mon étage, ce qui prend plus longtemps à cette saison, vu que chacun semble vouloir savoir ce que les autres vont faire pour Noël. Ceux qui demandent le plus semblent être ceux qui ont les projets les plus grandioses.

La plupart d'entre nous avons la chance de disposer d'un bureau particulier – seuls quelques-uns travaillent dans des box. Je fais partie des veinards, d'autant que mon bureau est situé au bout d'un couloir et qu'il n'y a pas beaucoup de passage. C'est ici que je m'occupe de fiscalité, plus ou moins seul dans mon coin. Je pose ma sacoche sur mon bureau, me laisse tomber dans mon fauteuil et écarte ma chemise déjà humide de ma peau. La pièce est assez grande pour abriter un bureau, une personne de chaque côté, et c'est à peu près tout. La plupart des murs de l'étage sont recouverts de dessins d'enfants rapportés par leurs parents – sapins de Noël au crayon mauve et chiens à sept pattes qui nous rappellent que nous préférerions tous être ailleurs – et mon bureau ne déroge pas à la règle. Je passe quelques minutes à regarder des dessins de Sam, le temps de me rafraîchir avant de me plonger dans mon dossier en cours – une société de production d'eau en bouteille, McClintoch Spring Water, qui cherche des réductions d'impôts après s'être fait un paquet d'argent l'année dernière grâce à une campagne publicitaire qui utilisait des représentations de Jésus.

Je retrouve Jodie à 12 h 30 devant un café du Strip, un alignement de cafés-bars qui se transforment le soir en boîtes de nuit. Le va-et-vient est constant et les tables débordent sur le trottoir. On me donne du « monsieur » parce que j'approche de la trentaine, mais si je venais ici ce soir, on me demanderait probablement de m'en aller sous prétexte que je suis trop vieux. Les cafés sont tous à 90 % pleins. Certains clients rougissent au soleil, d'autres sont assis à l'ombre de gigantesques parasols ; une odeur de nourriture et d'eau de Cologne épaissit l'air. Les serveuses portent toutes des tee-shirts noirs moulants. La plupart ont les cheveux attachés en queue-de-cheval qui s'agitent quand elles marchent. De l'autre côté de la rue, la rivière Avon est presque immobile. Des insectes grouillent, attirés par l'odeur des herbes dans l'eau stagnante, et une anguille morte avance en flottant ventre en l'air.

Tout en mangeant, nous discutons de la nouvelle maison que nous voulons acheter. Jodie picore du bout des dents sa salade au poulet qui n'a probablement de poulet que le nom ; elle semble incapable d'y trouver le moindre morceau de viande. J'ai pour ma part opté pour une assiette de nachos. La nourriture est correcte, mais pas géniale, bien qu'elle soit hors de prix. Peut-être payons-nous un supplément pour avoir le droit de reluquer les serveuses en tee-shirt.

Notre nouvelle maison aura une pièce supplémentaire, suffisamment grande pour que je puisse y installer une table de billard, et Jodie, du matériel d'aérobic. Nous n'utiliserons sans doute ni l'un ni l'autre, mais, à ce stade, le rêve fait partie du jeu. Ce sera aussi excitant pour Sam d'emménager dans une nouvelle maison. Mais avant ça, nous devons passer la fièvre des fêtes de fin d'année. Sam a l'âge idéal – elle croit encore au Père Noël.

La serveuse arrive et nous demande si tout se passe bien, mais comme nous avons tous les deux la bouche pleine nous ne pouvons pas lui répondre. Elle semble prendre ça pour un oui et va à la table suivante. Nous approchons vraisemblablement des 35 degrés et elle a l'air prête à se liquéfier alors qu'il n'est que 13 heures, on dirait que les parasols sont sur le point de prendre feu. Nous payons la note, et la serveuse nous adresse un sourire de damnée.

La banque n'est qu'à cinq minutes à pied. L'un des côtés de la rue est ombragé et agréable, l'autre est quasiment chauffé à blanc. Les trottoirs sont couverts de chewing-gums fondus et peuplés d'adolescents en skate-board vêtus d'habits amples à capuche, peaufinant ce look de violeur que les gamins adorent ces temps-ci et qui rapporte des millions aux stylistes de mode.

Je me demande à partir de quelle température ils ôteront leurs sweat-shirts. Nous sommes régulièrement abordés par des gens qui tentent de nous convaincre de nous joindre à eux pour sauver les baleines, sauver l'environnement, éradiquer la faim dans le monde. Il y a des guirlandes de Noël accrochées aux lampadaires et aux façades des boutiques, des Père Noël et des rennes en plastique partout. Les employés profitent de leur pause déjeuner pour faire quelques courses, certains portant des paquets et des cadeaux, d'autres arborant des mines éperdues.

La banque est pile-poil au cœur du centre-ville, dans un bâtiment élevé avec un rez-de-chaussée pour le public, et les autres étages... personne ne sait vraiment à quoi ils servent. L'air est climatisé, il y a environ une cinquantaine de plantes en pot, et un vigile qui passe son temps à jeter des coups d'œil à sa montre. Nous sommes en avance et on nous mène à des fauteuils confortables pour tuer le temps. Personne ne nous offre à boire. Il y a des présentoirs remplis de brochures financières contre le mur près de nous, tout un tas d'affiches annonçant des taux d'intérêt sur lesquelles on voit généralement une jeune famille avec une nouvelle maison et un nouveau gamin – ce qui nous convient. Mais une fois qu'on a vu une affiche, il ne reste plus grand-chose à regarder : juste d'autres prêts à taux flottants et fixes, et d'autres sourires de personnes ravies d'être les esclaves de leurs emprunts. Il y a des signes « % » collés partout.

Soudain, à 13 h 13, deux minutes avant notre rendez-vous avec le conseiller financier, six hommes armés de fusils de chasse franchissent calmement la porte.

2

L a criminalité est en forte croissance. Violence domestique, fous du volant qui écrasent des piétons innocents, vols et assassinats – c'est la norme à Christchurch, des actes ordinaires qui se produisent dans une ville ordinaire. La criminalité est comme toutes les autres statistiques, comme l'inflation, le coût de la vie, elle va et vient en même temps que le prix du pétrole et le marché immobilier. *Idem* pour le nombre de meurtres – il ne peut être ni expliqué ni prédit sur un graphique, mais il obéit aux mêmes règles que les autres délits ; une statistique, un pourcentage.

Mais ça...

Il ne sait même pas ce que c'est.

L'inspecteur principal Schroder immobilise la voiture. Deux véhicules banalisés bloquent l'entrée de l'allée, mais il aperçoit tout de même le corps derrière. L'inspecteur Landry est appuyé contre l'une des voitures, griffonnant des notes et s'interrompant de temps en temps pour tousser dans sa main tandis que le légiste lui communique les détails avec autant de gestes de la main que de mots. Schroder descend de voiture et s'approche d'eux.

« Un sacré spectacle, Carl, annonce Landry.

– Et tu t'es dit que j'aurais envie d'y jeter un coup d'œil.

– Pour sûr. Je me suis dit qu'un peu d'air frais te ferait du bien.

– Et quel air. Il doit faire 40 degrés ici.

– Ces vents du nord-ouest, je ne sais pas pourquoi, mais ils rendent les cinglés encore plus cinglés, soupire Sheldon, le légiste, avant d'ôter ses lunettes et de les essuyer à un pan de sa chemise. Croyez-moi, ajoute-t-il, je fais ça depuis suffisamment longtemps pour savoir de quoi je parle.

– Alors, qu'est-ce qu'on a ? » demande Schroder en s'engageant dans l'allée.

Le cadavre n'a pas meilleure mine de près que de loin. Landry et le légiste le suivent.

Le sang forme une flaque autour du mort, créant un périmètre d'environ un mètre de large que Schroder ne peut franchir sans contaminer la scène ; Sheldon y a déjà laissé des traces de pas. Les membres de la victime sont tout tordus, surtout les jambes – la gauche s'est pliée en avant et brisée quelque part au niveau du genou, de sorte que la cheville est coincée sous l'aine.

Le type est équipé de trois ventouses – une sanglée à chaque main, la troisième attachée au genou droit. La quatrième repose au sol à environ cinquante centimètres du corps, sa sangle s'étant rompue durant la chute.

L'allée est plus fraîche que la rue. Elle est totalement dans l'ombre, mais les neuf étages supérieurs de l'immeuble de dix étages qui la domine sont en plein soleil. Même avec cette chaleur, il flotte une odeur d'humidité. Des poubelles sont alignées le long de l'un des murs, des palettes de bois brisées et des cartons bordant l'autre côté. Les allées de Christchurch sont toujours pleines de quelque chose – mais généralement pas de cadavres. Schroder lève la tête, s'abritant les yeux du soleil qui se reflète sur les fenêtres, puis il regarde le visage du mort. Un type avec de grosses rouflaquettes façon Elvis époque Las Vegas. Le sang qui coule de sa tête défoncée se répand sur le bitume lézardé.

« Tu vois, je t'avais bien dit que c'était un sacré spectacle, reprend Landry. Il ne nous reste plus grand-chose à faire à part envelopper Batman dans une housse et l'emmener à la morgue.

– Je crois qu'il essayait plutôt de jouer à Spiderman, déclare Schroder.

– Dans un cas comme dans l'autre, le fait qu'il est nu sous son trench-coat nous indique que c'était une saloperie.

– Peut-être.

– Comment ça, "peut-être"? Pour autant que nous sachions, il s'apprêtait à violer quelqu'un, dit Landry. Habillé comme ça, il ne cherchait certainement pas à regarder la télé câblée gratuitement à travers les fenêtres. Je crois qu'il a eu ce qu'il méritait.»

Schroder acquiesce. Pourtant, s'il cherchait à regarder dans l'appartement de quelqu'un... il aurait sûrement pu trouver plus simple comme moyen.

Ils se retournent comme un seul homme lorsque les camionnettes des médias débarquent toutes en même temps, prenant d'assaut la scène. Les journalistes en descendent et contournent les barrières pour s'approcher. Les agents les repoussent. Les cameramen portent leur caméra à l'épaule, et le soleil se reflète sur les objectifs.

«Et le spectacle a trouvé son public, observe Landry.

– Nous ferions bien de le recouvrir», dit Schroder, levant les yeux en direction des immeubles élevés qui les entourent.

Landry a raison – c'est un sacré spectacle. Il y a des gens aux fenêtres, qui observent en pointant du doigt, visiblement excités. Les journalistes scrutent les immeubles à la recherche d'un meilleur poste d'observation d'où ils pourront violer l'intimité du mort. Un agent s'approche et entreprend de couvrir la victime d'un drap blanc pour le protéger des regards. Le sang n'est pas complètement sec et il imprègne le drap par endroits.

«Quelque chose dans les poches? demande Schroder.

– Rien.

– J'en ai fini avec lui, déclare Sheldon. Ce qui s'est passé semble évident, mais j'en saurai plus quand nous l'aurons emmené à la morgue. Vu son état, il a dû grimper très haut.

– Je n'en suis pas sûr, observe Schroder. Tout ça... il y a quelque chose qui cloche.»

Landry et Sheldon observent le corps, l'immeuble, de nouveau le corps, puis ils se tournent vers Schroder.

« Tu veux bien préciser ta pensée, Carl ? Qu'est-ce qui nous échappe ? Un homme pratiquement nu équipé de ventouses gisant au pied d'un immeuble comportant environ deux cents fenêtres – qu'est-ce qui cloche ?

– Je ne pige pas, répond Schroder. Enfin quoi, ça semble beaucoup d'efforts pour simplement aller regarder en douce à travers des fenêtres. Le problème, c'est que tous les efforts du monde ne lui auraient servi à rien. Cette histoire de ventouses, c'est un mythe. On ne peut pas escalader un immeuble comme ça. Impossible. »

Schroder recule d'un pas pour être moins ébloui et examine le flanc de l'immeuble. Il n'y a de balcon nulle part.

« Tout ce que ça signifie, c'est qu'il a commencé à grimper de plus haut. Peut-être qu'il a un appartement ici, suggère Landry. Il est probablement sorti par une fenêtre au sixième ou au septième étage et est tombé aussitôt. Allez, Carl, on ne t'a pas demandé de venir ici pour que tu nous fasses passer pour des idiots – ce n'est pas un meurtre.

– Si ce n'est pas un meurtre, pourquoi vous m'avez appelé ? »

Landry redresse les épaules, et, quand il parle, une veine apparaît sur son front et se met à palpiter.

« Pour une fois, la victime est quelqu'un qui le méritait. Pour une fois, il ne s'agit pas d'une fille qui s'est fait découper en morceaux pour avoir souri au mauvais type. Allez, Carl, combien de fois on a vu ça, hein ? Et ce coup-ci... Eh bien, ce coup-ci, ça fait 1-0 pour les gentils.

– Comment se fait-il que personne ne l'ait découvert plus tôt ? demande Schroder.

– Il y avait une voiture garée au bout de l'allée qui bouchait la vue. Elle appartient à un des locataires. Il a l'habitude de la laisser là toute la nuit. Il n'est venu la déplacer il n'y a qu'une demi-heure.

– L'heure du décès remonte à environ douze heures, observe Sheldon.

– Dites-moi, quand il a commencé son escalade hier soir, avant de tomber, vous croyez qu'il a refermé la fenêtre ?

– Quoi ? demande Landry.

– Il n'y a pas une seule fenêtre ouverte. »

Ils examinent tous l'immeuble. Impossible que le type soit sorti par une fenêtre et l'ait refermée derrière lui. Il n'a pas pu parcourir plus d'un mètre avant que les ventouses ne lâchent.

« Merde », fait Landry.

Il tire un paquet de cigarettes de sa poche et en fait danser une entre ses doigts.

« Peut-être qu'il a réussi à grimper depuis le sol, suggère Sheldon.

– Impossible, répond Schroder. Vérifie. Essaie. Fais ce que tu as à faire, mais ça n'est pas possible.

– Comment peux-tu en être si sûr ? demande Landry.

– Je l'ai vu à la télé.

– Peut-être qu'il a pris l'ascenseur jusqu'au toit et a voulu descendre depuis là-haut.

– Regarde bien », dit Schroder. Entre le toit et les appartements du haut il y a une saillie de béton d'environ deux mètres. « Ce n'est pas ce que ça en a l'air. Il est arrivé quelque chose à ce type.

– Je ne comprends toujours pas, dit Landry en replaçant la cigarette dans le paquet. Ce que tu dis est logique, je le vois, mais il y a d'autres possibilités.

– Comme quoi ? demande Schroder en saisissant dans sa poche son téléphone portable qui s'est mis à sonner.

– Peut-être que les ventouses ont fonctionné.

– Ou peut-être que quelqu'un l'a habillé comme ça, fait remarquer Schroder, et balancé depuis le toit. »

Il répond au téléphone. La femme au bout du fil parle à toute allure, et trente secondes plus tard il est de nouveau dans sa voiture, fonçant vers la banque, tentant d'aller plus vite que les journalistes qui ont pris la même direction que lui.

3

C'est comme dans un film. Une situation si incroyablement invraisemblable et si éloignée de mes préoccupations que je ne la comprends même pas. D'ailleurs, je détourne le regard une seconde – juste une tranche de vie normale dans une banque on ne peut plus ordinaire où il ne se produit rien d'anormal – vers les affiches avec leurs familles et leurs taux d'intérêt flottants, puis vers Jodie qui est assise face à moi – et soudain, pour une raison ou pour une autre, tout devient réel.

Les deux grandes portes vitrées s'ouvrent automatiquement à l'arrivée de ces hommes comme elles se sont ouvertes lorsque ma femme et moi sommes entrés. Les six hommes entrent par trois groupes de deux. Le premier groupe va sur la gauche, le second sur la droite et le troisième avance tout droit. Tout se déroule dans le dos de Jodie et elle n'a aucune idée de ce qui se passe. Elle continue de parler. La plupart des gens continuent de parler. Certains lèvent les yeux vers les hommes avant de retourner à leurs occupations, puis ils prennent soudainement conscience de ce qu'ils ont vu, et l'incrédulité sur leur visage pourrait être comique dans d'autres circonstances. D'autres semblent immédiatement comprendre, peut-être parce qu'ils ont déjà vu ce genre de chose à la télé suffisamment souvent pour deviner ce qui va suivre, et ils se planquent derrière leurs bureaux. Tout cela sans que les hommes aient prononcé un mot.

Jodie observe mon visage. Elle entend que tout le monde retient son souffle. Elle tourne la tête pour voir ce qui se passe. Une femme hurle.

Les six hommes sont tous cagoulés. Ils portent des tee-shirts noirs et des jeans noirs, et pourraient tout aussi bien revenir d'un concert de heavy metal. Ils avancent calmement mais fermement, avec la confiance que leur procurent les six fusils. Comme si la banque leur appartenait. Comme si personne ne leur avait jamais rien refusé. Le commissariat est à cinq minutes à pied, ce qui signifie que le temps est compté. Jodie tend une main que je saisis.

« Le prochain qui bouge, je lui explose la tête ! » hurle l'un des hommes, et la plupart des gens se figent tandis que quelques-uns continuent de s'enfuir ou vont se cacher derrière le premier objet venu.

Le visage du vigile devient aussi blanc que sa chemise. Il est absolument immobile. Tout ce qu'il a, c'est une radio et un salaire de misère, et il se demande à quoi ça va lui servir contre six hommes armés de fusils de chasse. Mais il ne s'interroge pas longtemps, ou alors il a décidé de ne pas intervenir, ce qu'il fait à la perfection. Il lève les mains en l'air et reste planté là, ne cherchant même pas à esquiver lorsque l'un des deux hommes qui sont allés dans sa direction retourne son fusil et lui assène un violent coup de crosse à la mâchoire. La tête du vigile est projetée en arrière dans un craquement abominable. Il s'effondre comme une masse et se retrouve par terre, tel un pantin désarticulé. Il ne s'est écoulé que quinze secondes. Une alarme silencieuse a pu être déclenchée, ou alors peut-être que la banque a fait des économies dans ce domaine pour offrir les taux d'intérêt compétitifs mis en avant sur les affiches. Les employés bouche bée écarquillent de grands yeux, et toutes les formations qu'ils ont reçues tombent aux oubliettes. Tout est figé, comme si quelqu'un avait appuyé sur le bouton « Pause ».

« Ça va aller », dis-je, et je serre fort la main de Jodie.

Elle m'adresse un regard qui laisse entendre que non, ça ne va pas aller. Elle est pâle et effrayée, et moi aussi, et je regrette que notre déjeuner n'ait pas duré plus longtemps.

Le type qui a hurlé s'approche des employés au guichet.

« Tous ceux qui sont de ce côté, allez là-bas », ordonne-t-il, et il désigne l'extrémité gauche de la rangée de guichets. Personne ne bouge. « Maintenant ! Et asseyez-vous par terre ! »

Nous bougeons comme un seul homme, traînant des pieds, voûtés, avançant d'un pas hésitant, telles des personnes âgées dans une maison de retraite fuyant la Faucheuse. Je ne lâche pas la main de Jodie. Nous nous asseyons par terre. Nous sommes peut-être vingt-cinq, tous aussi effrayés les uns que les autres, nous disant tous la même chose – que nous aurions dû profiter plus de Noël l'année dernière.

Les six hommes, séparés en trois groupes de deux, se positionnent sur les côtés. L'un d'eux se retourne et braque son arme en direction de la porte, au cas où de nouveaux clients entreraient, bien que la façade de la banque soit en verre et que tout le monde dehors nous regarde. L'homme qui aboie les ordres atteint le guichet.

« Toi ! » hurle-t-il, et il pointe son fusil en direction d'une femme qui se tient de l'autre côté du guichet. Tout le maquillage du monde ne parviendrait pas à dissimuler ses traits qui se crispent. « Emporte ça à la chambre forte et remplis-les ! » Il lui jette quelques sacs, qui atterrissent sur le guichet, mais elle ne bouge pas. « Maintenant ! ordonne-t-il.

– Quoi ?

– Soit tu les remplis, soit tu meurs. À toi de choisir. »

Elle saisit le message et attrape les sacs.

« Aide-la ! lance-t-il en désignant un autre employé. Toi aussi ! fait-il en fusillant du regard un troisième. Et toi aussi ! ajoute-t-il en agitant son arme en direction d'un quatrième. Et si vous n'êtes pas remontés tous les quatre dans deux minutes, nous ouvrons le feu sur tout le monde. Pigé ? »

Dès que les quatre ont disparu, la porte d'un bureau s'ouvre. Nous nous retournons tous. Un homme avec une cravate rose et les manches de sa chemise retroussées se tient là, mains en l'air, la tête inclinée et légèrement voûté, comme s'il cherchait à éviter le feu d'un sniper.

« S... s... s'il vous plaît, je suis le directeur, s'il vous plaît, ne faites de mal à personne et... »

Il n'a pas le temps d'en dire plus. Un coup de feu retentit et les gens se mettent à hurler. Le directeur n'est pas projeté en arrière comme dans les films. Il reste planté sur place. Sa tête se baisse et on dirait qu'il examine la blessure furieuse sur sa poitrine, qu'il remarque la tache rouge qui a jailli sur sa chemise, puis ses traits s'affaissent sous l'effet de la gravité, et il a l'air triste. Il ploie alors au niveau de la taille, son derrière se projetant en arrière, ses pieds restant à leur place, de sorte que lorsqu'il heurte le sol il est plié en deux, jambes tendues en avant, le visage contre les genoux, et il reste ainsi avec les bras étalés sur les côtés. Le mur derrière lui est maculé de sang, la fenêtre près de la porte a volé en éclats, des plombs se sont logés dans le mur. Le directeur a l'air de faire des étirements, comme s'il s'échauffait avant d'attaquer son yoga.

« Mon Dieu ! » dis-je dans un murmure, et je vois les autres prononcer les mêmes mots même si je ne les entends pas car j'ai toujours les oreilles qui sifflent.

Certains s'enfoncent le visage entre les mains. D'autres pleurent. Un homme de 70 ans environ s'est pissé dessus. Une femme s'est évanouie. Elle a le visage contre le sol et semble la plus détendue de nous tous.

Jodie me serre si fort la main qu'elle me broie presque les doigts.

« Reste calme, dis-je, reste calme.

– Tout le monde la ferme ! » hurle l'un des hommes, et il fait feu de nouveau, cette fois en direction du plafond.

Du plâtre en tombe, recouvrant ses épaules comme des pellicules.

Les quatre employés reviennent de la chambre forte. Les sacs sont bourrés de billets et visiblement lourds. Ils parviennent à les soulever pour les poser sur le guichet.

« Pas assez vite », déclare l'homme en s'adressant à la fille qu'il avait désignée en premier. Il actionne la garde de son fusil à pompe et le braque en direction de sa poitrine. « Tu nous accompagnes.

– Non, non, implore-t-elle.

– Attendez ! »

Tout le monde se tourne dans la direction d'où a jailli cette voix. Je mets un moment à m'apercevoir qu'ils se sont tous tournés vers moi, et un moment de plus à comprendre pourquoi – c'est moi qui ai parlé. L'homme qui braque l'employée tourne la tête vers moi.

« Quoi ? demande-t-il.

– Eddie, fait Jodie, qu'est-ce que tu fais ? »

Je n'en ai aucune idée. Les gens me dévisagent comme si j'étais une anomalie, comme s'ils n'avaient jamais vu un type blanc de 29 ans parler dans une banque. Je m'agenouille, puis me lève, oscillant légèrement, ne sachant toujours pas ce que je fais ni pourquoi je suis intervenu.

« J'ai dit "Attendez", dis-je, et ma voix est ferme.

– On t'a entendu, répond l'homme, et je crois qu'on aimerait tous savoir ce que tu comptes faire maintenant.

– Vous avez ce que vous vouliez. »

La fille qu'il menace de son arme profite de la diversion pour disparaître derrière le guichet. Toutes les personnes à ses côtés font de même.

L'homme se tourne de nouveau vers l'endroit où elle se tenait.

« Hé ! relève-toi ! »

Elle ne répond pas.

« S'il vous plaît. Inutile de faire de mal à qui que ce soit d'autre, dis-je.

– Je savais pas que c'était toi qui donnais les ordres ici », observe-t-il.

Il se penche par-dessus le guichet à la recherche de la femme, mais n'arrive pas à la voir.

« Eddie, implore Jodie.

– C'est bon, Jodie.

– Faut qu'on y aille, lance un autre, un doigt appuyé sur la petite oreillette qu'il porte. Les flics sont à deux minutes d'ici.

– Merde, fait le premier, et il me regarde fixement. OK, mec, tu te portes volontaire.

– Je ferai tout ce que vous voulez tant que vous ne faites de mal à personne d'autre. »

Il lâche un petit éclat de rire froid.

« Non, tu as tout faux. Tu ne te portes pas volontaire pour venir avec nous, mais pour désigner la jolie petite nana à côté de toi.

– Non ! » m'écrié-je.

Je fais un pas vers l'homme qui s'approche de moi, tendant la main en avant pour l'arrêter. Il ne ralentit même pas. Il contourne mon bras et me frappe sur le côté du visage avec son arme, suffisamment fort pour m'envoyer à terre.

J'entends Jodie appeler mon nom tandis qu'il la force à se lever.

Tout est flou. Je suis tombé sur le flanc. Je m'appuie sur mes mains et tente de me relever. Je vois deux Jodie. Douze hommes armés. Ils saisissent les sacs d'argent et se dirigent vers la sortie. Personne ne bouge. Personne ne m'aide. Les douze hommes en redeviennent six, ils sont à la porte et emmènent Jodie avec eux. Je me dis que si les flics sont à deux minutes d'ici, c'est qu'ils sont probablement en voiture et que la circulation du vendredi midi les a ralentis.

« Eddie ! » hurle Jodie, tendant les bras dans ma direction.

Ils doivent se mettre à deux pour l'entraîner dehors. Je me lève, chancelant. Je trébuche et me retrouve de nouveau à quatre pattes. Ils balancent l'argent à l'arrière d'une camionnette et cinq d'entre eux montent à côté des sacs. Le sixième continue de tenir ma femme.

Je sors. Personne ne me suit. Il y a des gens dans la rue, mais ils sont tous abrités derrière les voitures en stationnement ou tapis dans les entrées de magasins. Des visages se pressent contre les vitrines couvertes de décorations de Noël. Les têtes des gamins en sweat-shirt dépassent de derrière une rangée de motos, et ils pointent des téléphones portables vers nous. Je n'entends aucune sirène, ne vois pas un seul policier. Les voitures se sont immobilisées à vingt mètres dans chaque direction. Le type pousse Jodie vers moi. Elle crie et trébuche. Elle tente de retrouver son équilibre et je vois qu'elle va tomber, qu'elle va heurter le trottoir.

Il lève son fusil. Le pointe droit sur elle. Sans une hésitation, il appuie sur la détente. *Tire-lui dans le dos, Joe.*

Je hurle: «Non!», mais ma voix est couverte par l'explosion. Ma femme heurte le trottoir. Le tireur bondit à l'arrière de la camionnette et referme la portière. Le chauffeur accélère brutalement, le moteur émet un vrombissement sonore et de la fumée jaillit des pneus. J'arrive au niveau de ma femme alors que la camionnette tourne au coin de la rue, grillant un feu rouge et nous abandonnant là.

4

Maintiens-la en vie, Stevie.

Je ne sais pas pourquoi je n'arrête pas de penser a la chanson que Jodie a chantée ce matin, peut-être la dernière chanson de sa vie, tandis que la vapeur de la douche épaississait l'air et que la radio en forme de pingouin diffusait des tubes. Les paroles me sont restées en tête, mais elles ne m'appartiennent pas ; c'est comme si quelqu'un les avait placées là, comme si un prof d'anglais ou un mauvais acteur me les avaient enfoncées dans le crâne.

Elle est finie, Henry – et ne t'en fais pas, tu auras bientôt de mes nouvelles.

Je hurle à l'aide, mais tout ce que les gens ont le courage de faire, c'est sortir de leur trou et me prendre en photo avec leur téléphone portable ou passer des coups de fil. J'essaie de contenir l'épanchement de sang, mais il ne cesse de couler.

« Jodie, oh ! bon sang ! Jodie, ça va aller », dis-je, et je la fais rouler sur le flanc pour pouvoir voir son visage tout en maintenant la pression sur son dos.

Il y a trop de sang. Beaucoup trop de sang. Il suinte entre mes doigts. Il est comme de l'eau. J'ai besoin de plus de mains. De plus d'aide.

J'ai besoin d'un miracle.

Les yeux de Jodie sont ouverts et elle les tourne dans ma direction, mais son regard se perd derrière moi, dans le vide.

« Ça va aller, dis-je. Je te le promets.

– Mes chaussures me font mal », murmure-t-elle.

Et elle sourit, continue de regarder derrière moi, et au bout d'un moment je comprends qu'elle ne voit plus rien.

«Jodie...»

Elle est criblée de plombs, je ne peux pas endiguer tous les saignements. Son visage est pâle, à l'exception du nez, qu'elle s'est cassé dans sa chute et qui est désormais couvert de sang. Ses dents se sont plantées dans sa lèvre supérieure, y laissant une profonde entaille.

«Je t'en prie, je t'en prie, Jodie, ne fais pas ça, ne fais pas ça. Ne me laisse pas seul.»

Mais Jodie ne m'entend pas.

«Jodie, je t'en prie.»

Ma voix n'est plus qu'un murmure.

Les gens s'avancent pour mieux voir, pour avoir un meilleur angle, une meilleure photo. Personne ne m'offre son aide. Peut-être qu'ils voient que c'est inutile. Personne n'est sorti de la banque – soit ils sont encore en état de choc, soit ils essaient de sauver le directeur et le vigile. Des sirènes retentissent au loin, de plus en plus fort, et bientôt des voitures de police et des ambulances apparaissent. Trop tard. À leur arrivée, des badauds osent enfin s'approcher, regarder, montrer du doigt, se délecter du spectacle. Deux secouristes se précipitent sur Jodie, chacun portant une trousse de matériel de premiers secours.

«Écartez-vous, dit l'un d'eux.

– C'est...

– Éloignez-vous!»

Je m'écarte. Les deux hommes s'agenouillent au-dessus d'elle. L'un d'eux glisse une paire de ciseaux sous son chemisier et expose ses blessures. Son expression ne change pas. Il a déjà tout vu.

«Pas de pouls, dit l'autre. Ça n'a pas l'air...

– Je sais, je sais», répond le premier.

Il tire des compresses de sa trousse et les applique contre la blessure comme s'il tentait de boucher le trou. Ils la roulent sur le dos, et tandis que l'un entame un massage cardiaque, l'autre allume un défibrillateur. Ils attendent avant de l'utiliser, poursuivant le massage cardiaque qui – pour le l'heure – ne sert absolument à rien.

«On choque», déclare le premier.

Pendant un moment les deux hommes se dévisagent, sans dire un mot, mais je vois bien ce qu'ils veulent dire. Ils savent l'un comme l'autre que c'est inutile. L'un d'eux décide cependant qu'il vaut mieux faire semblant puisque je les regarde.

Ils lui placent des électrodes sur le torse, mais ils procèdent lentement, méthodiquement, chacun de leur geste trahissant leur défaite. Le corps de Jodie se cambre sous l'effet de l'électricité, mettant sa colonne vertébrale sous tension. La flaque de sang s'élargit sous elle à mesure que les trous dans son dos se contractent et se relâchent.

«Encore.»

Ils essaient une fois de plus. Et une troisième fois. Puis ils commencent à remballer leur matériel.

«Je suis désolé, prononce l'un d'eux.

– Essayez autre chose, dis-je.

– Il n'y a rien d'autre à faire.

– C'est impossible.

– Les dégâts sont trop importants. Elle n'est plus avec nous. Même si nous étions arrivés plus tôt, nous n'aurions rien pu faire. Le coup de feu... je suis désolé, mon vieux, dit-il en secouant lentement la tête.

– Elle ne peut pas mourir comme ça.

– Elle est déjà morte. Elle est morte sur le coup.

– Non, non, vous vous trompez. Elle est censée mourir dans cinquante ans. Nous allons vieillir ensemble.

– Désolé, mon vieux, j'aimerais vraiment pouvoir faire quelque chose. »

Je fais un pas dans sa direction. Il recule d'un pas.

« Vous pouvez faire quelque chose, dis-je. Vous pouvez la sauver. »

Son partenaire s'approche. Ils se sont déjà retrouvés dans cette situation.

« Je vous dis de l'aider.

– Désolé, mon vieux. On a fait tout ce qu'on pouvait. »

Des policiers armés emplissent la rue. L'un d'eux se dirige vers nous.

« S'il vous plaît, dis-je. Il doit y avoir quelque chose à faire.

– J'aimerais bien, sincèrement », répond l'homme, puis il s'éloigne et se dirige vers la banque, dont deux autres secouristes sont en train de sortir, poussant un brancard sur lequel se trouve le vigile qui est pour l'instant toujours en vie.

L'agent armé qui approchait s'immobilise, et il décide d'aider un autre agent à dérouler un cordon de sécurité jaune, ajoutant une touche de couleur qui sied à l'atmosphère festive de la ville – guirlandes, faux Père Noël, sucres d'orge, neige en toc et sang réel.

Je m'assieds par terre et tiens ma femme. Je pose sa tête sur mes genoux et lui caresse les cheveux. Je lui ferme les yeux, mais ils ne cessent de s'entrouvrir. Le sol est couvert de sang et de compresses, il y a un gant de latex ensanglanté sur sa jambe. Un homme en costume s'approche de moi et s'accroupit.

« Je suis désolé », dit-il, mais je doute qu'il comprenne vraiment ce que je ressens. Personne ne le comprend. « La camionnette, avez-vous vu une immatriculation ? Avez-vous vu quoi que ce soit ?

– Ils l'ont tuée.

– S'il vous plaît, monsieur, c'est important. Si vous...

– Ils voulaient un volontaire. Il devait y avoir vingt-cinq personnes dans cette banque. Ils auraient pu prendre n'importe qui, mais ils ont pris Jodie. Ça fait 4 % de chances. Si on compte qu'il y avait déjà un mort, ça fait combien ?

Combien ? » Je lève les yeux vers lui. « Combien ça fait ? Dites-moi ! Dites-moi !

– La camionnette. L'avez-vous vue ?

– Tout ce que je voyais, c'était Jodie. J'aurais voulu en voir plus. J'aurais voulu ne jamais venir ici aujourd'hui. J'aurais voulu... »

Les mots me manquent.

« D'accord, d'accord, monsieur. Vous devriez la laisser maintenant, vous devez nous laisser faire notre travail.

– Allez-vous-en », dis-je d'une voix plate et ferme.

Il ne discute pas. Il s'écarte et je ne le regarde pas s'éloigner. Pendant un moment, personne d'autre ne s'approche de moi. Ils voient ma femme morte et ils savent que ce n'est pas moi qui l'ai tuée, alors ils me fichent la paix. Quelque part en ville ils poursuivent la camionnette, peut-être qu'ils l'ont déjà rattrapée. Peut-être qu'il y a eu une fusillade et que les six braqueurs sont morts. Peut-être qu'ils meurent dans d'atroces souffrances, atteints d'horribles blessures par balle.

Je souhaite la mort de ces hommes. J'ai besoin qu'ils meurent. Les camionnettes des médias déboulent à toute vitesse et freinent lourdement derrière les barrières qui ont été dressées. Les journalistes descendent de leurs véhicules à la hâte, comme s'ils étaient en feu. Des douzaines d'objectifs et des centaines d'yeux sont braqués sur moi, et je suis sûr que certains font déjà le lien, leurs synapses s'enflammant tandis qu'ils se disent : *Nous connaissons ce type, nous connaissons ce type,* leur soif de scoop évidente à la manière dont ils m'observent avec des yeux presque exorbités, à la manière dont ils essaient de franchir le cordon de sécurité. J'aimerais marcher jusqu'à eux, essuyer mes mains ensanglantées sur leurs visages, les entraîner dans ma tragédie et leur demander ce que ça fait, leur demander comment ils peuvent se repaître d'une telle souffrance.

Mais je n'en ai pas la force, et si je l'avais, je ne ferais qu'accroître leur frénésie, et ma fureur leur rapporterait encore plus d'argent. Tout ce que je peux faire, c'est serrer ma femme et la regarder devenir de plus en plus floue à mesure que la colère et le désespoir m'accablent, et que mes larmes se mettent à couler librement, gouttant sur le visage de Jodie.

La police repousse les barrières. Elle tente de faire évacuer la rue, mais le spectacle est trop beau, personne ne veut manquer ça. Certains journalistes me hurlent des questions. Finalement, la police est débordée. Elle est toujours débordée. Des journalistes apparaissent aux fenêtres des immeubles voisins pour nous filmer depuis les étages supérieurs.

Une femme s'approche, me pose une main sur l'épaule et m'explique que le moment est venu de laisser Jodie. Je ne veux pas, mais je sais que je n'ai pas le choix.

« Allez chercher quelque chose, dis-je, pour la couvrir.

– Monsieur...

– Je vous en prie. »

Elle revient avec un épais drap blanc. J'en tirebouchonne une partie pour fabriquer un oreiller de fortune que je place sous la tête de Jodie. J'étale le reste au-dessus de son corps. Je fais un pas en arrière mais n'arrive pas à m'arracher à la forme sous le drap. J'ai toujours le goût du déjeuner dans la bouche, je sens encore sa main dans la mienne quand nous marchions vers la banque.

« Nous allons nous occuper d'elle, dit la femme, et elle me pose la main sur le bras.

– S'il vous plaît, il est temps d'aller à l'intérieur. »

Je la laisse m'entraîner, abandonnant ma femme dehors, ma femme qui n'est plus qu'un objet, une pièce à conviction, et je m'accroupis et vomis avant de pénétrer de nouveau dans la banque.

5

Chaque fois qu'il y a de la place, les voitures alertées par la sirène s'écartent pour lui laisser le passage. Le problème, c'est qu'il n'y a pas toujours la place, et il se retrouve bloqué aux croisements, coincé dans une circulation qui, le vendredi après-midi, devient incontrôlable. Des voitures qui essaient de lui laisser la voie libre finissent par lui obstruer le chemin, les conducteurs pris de panique provoquant presque des accidents. Schroder a déjà appris que les braqueurs s'étaient enfuis sans encombre. Qu'il y avait des victimes. Qu'il y a tout un tas d'agents armés sur les lieux mais qu'il est trop tard.

Tout le pâté de maisons a été sécurisé. Il ne pense plus au Type aux ventouses lorsqu'il se gare derrière les barrières, passe sous le cordon et pénètre dans le carnage. Il y a un corps recouvert d'un drap au milieu de la rue. La femme. Il y a des centaines de badauds et des dizaines de journalistes, et il se prend à penser que, bien que ce soit une sale journée pour les gens à l'intérieur de la banque, bien que ce soit une sale journée pour la femme morte qui gît dans la rue, c'est une journée formidable pour la presse et les badauds. Une sale journée pour les flics, c'est de l'or pour les infos du soir. Deux artistes de rue postés derrière la foule jonglent avec des objets colorés, tentant de tirer profit de l'affluence.

Dans la banque, les gens sont pâles, visiblement perdus et confus, le maquillage des femmes a coulé sous leurs yeux gonflés de larmes. Il est le troisième inspecteur à arriver sur les lieux, et les deux premiers le mettent rapidement au parfum.

Un cadavre gît devant un bureau, exposé. Il ordonne qu'on le recouvre, espérant que ça calmera un peu les témoins.

Le mari de la femme qui a été tuée attend dans un autre bureau.

« Edward Hunter, annonce l'un des inspecteurs en pointant le doigt dans sa direction.

– Hunter ?

– Oui. Pourquoi ? Vous le connaissez ?

– Je crois, mais le nom ne colle pas. Quelqu'un lui a déjà parlé ? demande Schroder.

– Non, il était dehors. Nous avons presque dû l'arracher à sa femme. »

Le mobilier du bureau est neuf, dans le coin se trouve une plante en caoutchouc dont les feuilles sont couvertes d'une pellicule de poussière. Schroder entre, ferme la porte derrière lui, et Edward Hunter lève la tête et le regarde avec des yeux injectés de sang.

« Il fait plus froid ici qu'avant », déclare-t-il.

Il écarte sa chemise de son corps. Elle est couverte de sang et colle à sa peau.

En dehors du bureau, d'autres policiers arrivent, d'autres inspecteurs prennent des dépositions. Des hommes en combinaison de nylon passent les lieux au crible à la recherche d'indices – le problème est que la scène a déjà été foulée par trop de gens.

« Mon nom est Carl Schroder, annonce l'inspecteur en s'asseyant face à Edward sans offrir de lui serrer la main. Et je sais que c'est difficile, je sais que répondre à des questions est la dernière chose que vous voulez faire en ce moment, mais vous...

– Pas difficile, coupe Edward. Impossible.

– Vous avez raison. C'est impossible. »

Il marque une pause, considère l'impossibilité de la situation. Ce n'est pas lui qui a perdu sa femme aujourd'hui.

« Êtes-vous marié ? demande Edward.

– S'il vous plaît, nous devons nous concentrer sur...

– Vous imaginez ce que ça vous ferait si c'était votre femme dehors ?

– Je voudrais que les hommes qui ont fait ça soient arrêtés.

– Vous voulez dire que vous ne les avez pas encore retrouvés ?

– Nous y travaillons, Edward. C'est Edward, exact ? Pas Jack ?

– Je ne vous ai pas dit mon nom.

– Je sais.

– Jack, c'est le nom de mon père, pas le mien, du moins ça ne l'est plus. Ce qui signifie que vous me reconnaissez. Tout le monde me reconnaît.

– Allons, ça m'étonnerait.

– C'est la vérité. Vous m'avez reconnu. Vous ne saviez pas si vous deviez m'appeler Jack ou Edward, donc vous saviez. Tout le monde sait.

– Je vous ai reconnu parce que j'étais présent le jour où votre père a été arrêté.

– Ah oui ?

– Oui. »

C'était sa première année dans la police. Il n'avait pas parlé à Jack Hunter senior, ni ne s'était vraiment approché de lui. Il était l'un des agents venus en renfort. Mais il avait eu l'occasion de bien voir Jack Hunter junior, le jeune garçon déchiré par les larmes et la douleur.

« Je me souviens de vous, déclare Jack – désormais Edward. Mais ça ne remonte pas à cette fois-là. Ça remonte à l'année suivante. C'est vous qui êtes venu quand ma mère est morte.

– Je sais », répond Schroder.

C'était sa deuxième année dans la police. Son partenaire et lui étaient entrés et avaient découvert la femme dans la baignoire. Il se rappelle encore exactement à quoi elle ressemblait, l'atmosphère de la salle de bains, il revoit le vide dans les yeux de la femme. Edward et sa sœur étaient assis par terre, adossés au mur, sa sœur enlaçait Edward qui n'arrivait pas à détacher les yeux du sol. Schroder et son partenaire avaient fait sortir les enfants avant d'examiner le cadavre. La sœur leur avait dit ce qui s'était passé. Edward n'avait pas prononcé un mot.

« Vous êtes toujours là quand un malheur touche ma famille », déclare Edward. Schroder reconnaît alors en cet homme le petit garçon d'il y a tant d'années. « Et vous n'avez jamais rien arrangé. Est-ce que je suis suspect, maintenant que vous savez qui je suis ? demande-t-il d'une voix plus forte, pleine de colère.

– Bien sûr que non. Pourquoi penseriez-vous ça ?

– Les gens ont toujours ce genre d'idées à la con. J'ai grandi avec.

– Ce dont j'ai besoin, c'est que vous vous concentriez, Edward. Je sais que c'est dur, dit-il, mais c'est en ce moment que vous pouvez m'aider le plus.

– Ils sont juste... ils sont juste entrés dans la banque, répond Edward en secouant la tête et en levant les paumes vers le plafond. Vous savez ? Ils sont entrés comme s'ils étaient chez eux. Vu la manière dont ils ont descendu le directeur, ils n'avaient rien à foutre de rien. Ils n'avaient pas besoin de tuer qui que ce soit. Ils avaient leur argent et... je veux dire, pourquoi faire ça ? Pourquoi prendre le temps de faire ça ? Même quand tout a été fini, ils ont emmené Jodie. Pourquoi faire ça ?

– Nous avons entendu d'autres témoins dire que les hommes voulaient un volontaire.

– J'ai essayé de les convaincre de me prendre.

– Je sais. Ils disent aussi que grâce à vous une des employées n'avait pas été emmenée, que vous lui avez peut-être sauvé la vie.

– Quoi ?

– Ils disent que vous êtes intervenu. Ils disent que les hommes allaient l'emmener, et que vous les en avez empêchés. C'était courageux de votre part, ajoute-t-il, tentant de pousser Edward à parler. Courageux de risquer votre vie.

– Ouais, sauf que ce n'est pas ma vie que j'ai risquée au bout du compte, pas vrai ? Ils allaient l'emmener, elle, et à la place ils ont emmené Jodie.

– Vous ne pouviez pas le savoir.

– Vous croyez ?

– C'est un fait. C'était une situation terrible, Edward, une situation terrible et des gens sont morts, et vous êtes le seul dans cette banque à avoir eu les couilles d'essayer de faire quelque chose, d'essayer de sauver la vie de quelqu'un, et cette femme est en vie grâce à vous.

– J'y ai pas gagné au change, hein ? Elle est en vie grâce à moi et ma femme est morte pour la même raison. C'est exactement comme si j'avais moi-même appuyé sur la détente.

– C'est très différent, objecte Schroder.

– Il y avait tous ces gens, et c'est elle qu'ils ont emmenée. Ils n'avaient pas besoin d'emmener qui que ce soit. »

Schroder sait parfaitement pourquoi ils l'ont emmenée. Ils voulaient un cadavre dans la rue. Ils voulaient accaparer les ressources de la police, semer la confusion et la panique pour augmenter leur avance. La rue se retrouvait bloquée, il y avait des bouchons, la circulation se ralentissait à la périphérie du centre-ville, les voitures stationnées devant la banque étaient immobilisées. Mais il ne dit rien de tout ça à Edward. Il ne lui dit pas que sa femme était un outil, un stratagème pour faciliter leur fuite.

« Vous ne pouviez rien faire, déclare Schroder.

– Vous vous trompez. J'aurais pu tout faire. J'aurais pu prendre rendez-vous à une autre heure. J'aurais pu la fermer et les laisser emmener l'autre femme. Peut-être qu'ils ne l'auraient pas tuée. J'aurais pu me battre plus, insister pour qu'ils m'emmènent à la place.

– Ce n'est pas de votre faute.

– Alors, pourquoi ai-je l'impression contraire ?

– Nous devons nous concentrer sur ces hommes, Edward, et découvrir qui ils sont.

« – Je sais. Je sais.

– Alors, il est temps que vous me disiez ce qui s'est passé. Commencez par le commencement, dit-il.

– D'accord », répond Edward, des larmes coulant doucement sur ses joues.

Schroder sort son carnet et note tout.

6

On me ramène à la maison. Le soleil est sur le déclin et la ville semble désormais plus sombre. Les ombres projetées par les bâtiments fatigués sont petites mais sinistres, les personnes qui s'y abritent sont hébétées, les arbres, les plantes et les fleurs qui font la Ville-Jardin ont tous perdu leur vivacité – la vie abandonne le monde. Nous passons devant des étals de fruits délabrés en bordure de la route, des pancartes «À vendre» devant des maisons que leurs occupants veulent quitter. Le sang sur mes vêtements sèche, sa couleur virant du rouge vif à un bordeaux foncé. Les taches rêches et rugueuses me démangent. À chaque seconde qui passe la distance entre Jodie et moi s'accroît, et l'espoir de la récupérer redevient le désespoir que j'ai éprouvé à l'instant où je l'ai vue se faire abattre. C'est ma ville, chez moi, l'endroit que j'aimais mais que je n'aime plus. Maintenant je ne sais pas ce que c'est. Certainement pas chez moi. Plus maintenant. Maintenant, c'est l'endroit qui a tué ma femme et pris sa mère à ma fille. Maintenant, c'est un cloaque et je n'y vois aucun avenir.

L'agent qui conduit ne dit rien. Il ne s'est jamais préparé à devoir faire la conversation dans de telles circonstances. Le trajet prend une demi-heure avec les embouteillages, et tandis que le monde défile devant ma vitre je me demande comment je pourrais le changer. Il est soulagé lorsqu'il me dépose dans mon allée. Il m'a transporté d'une réalité à une autre. Il n'y a pas de voisins en train de se promener ou d'entretenir leur jardin. Les maisons sont toutes sales, les plantes et les arbres trop secs, les voitures hors d'âge et les trottoirs craquelés, les couleurs semblent partout complètement diluées. L'espace de brefs instants – moins d'une seconde –, quelque chose me distrait et Jodie est encore vivante, de petits instants de vie parfaits, comme lorsque j'insère la clé dans la serrure – bang! une distraction – et le monde est acceptable. Puis cette fraction de seconde passe et la réalité me submerge de nouveau, me broie.

Il est près de 16 heures et les parents de Jodie sont allés récupérer Sam à l'école. C'est un des inspecteurs qui s'est occupé de tout. Il les a appelés pour que je n'aie pas à le faire, mais je ne sais pas comment ils ont appris la nouvelle, par l'inspecteur ou par les médias. Ils ont appris de la bouche d'un inconnu que leur fille avait eu la malchance de se faire descendre cet après-midi, qu'elle avait eu la malchance d'être mariée à un homme qui ne pouvait pas fermer sa gueule, et qu'ils allaient devoir aller chercher leur petite-fille à l'école.

Ma maison est devenue un musée, tout à l'intérieur est une relique de mon passé, des souvenirs heureux qui ne sont plus que poussière. La climatisation a été éteinte ce matin et l'atmosphère est étouffante. Jodie est morte depuis trois heures et je pénètre dans un endroit différent, le fantôme de la maison que j'ai quittée ce matin. J'erre de pièce en pièce, désœuvré. Les affaires de Jodie sont partout et je ne me vois pas les ranger. Sa tasse est toujours sur le comptoir, avec dedans un fond de café, froid et dégueulasse. Les miettes de toast forment une traînée sur le sol de la cuisine. Dans la salle de bains, son maquillage sur le vanity-case, sa serviette toujours humide suspendue au séchoir. Jodie n'est pas là, et pourtant elle est là, la maison attendant son retour, son mari attendant la même chose. Il y a des vêtements sur le lit; elle avait dû prévoir de les porter avant de changer d'avis. Jodie est toujours comme ça, toujours à changer d'avis à la dernière...

Était. Maintenant, c'est «était».

«Bon Dieu!» dis-je dans un murmure.

Je m'assieds au bord du lit. Je soulève son chemisier, le porte à mon visage et pleure dedans. Qu'est-ce que je vais faire de ses vêtements ? Les garder ? Les donner ?

Je ne sais pas quand je suis censé me poser ces questions, ni ce que le fait que je n'y ai jamais pensé jusqu'à présent dit de moi. Suis-je censé faire la lessive et remettre ses vêtements à leur place ? Retourner au travail la semaine prochaine ? Ou alors est-ce que je laisse ses vêtements par terre en attendant l'enterrement ? Mes employeurs ne savent même pas ce qui s'est passé. Tout ce qu'ils savent, c'est que je suis allé déjeuner et que je ne suis pas revenu.

Je vais et viens dans le couloir – j'ai juste besoin que quelqu'un me dise quoi faire.

Je me déshabille et j'étale mes vêtements sur le lit à côté de ceux de Jodie. Un homme plus créatif observerait peut-être les taches de sang pour y trouver des motifs, des formes d'animaux ou de bateaux, mais tout ce que je vois, c'est ma femme gisant par terre, baignant dans son sang. Mes vêtements sont foutus. Je les roule en boule et me fige. Je les observe un moment. C'est sur ma chemise qu'il y a le plus de sang : sur les poignets, sur les manches, à l'avant. L'un des boutons manque. Le dos est immaculé. Je saisis mes vêtements et les suspends dans la penderie.

Je prends une longue douche, le sang ruisselle sur ma peau, la radio en forme de pingouin m'observe en silence. J'examine dans le miroir le gros bleu laissé sur mon visage par le coup que j'ai reçu. La peau est légèrement éraflée, et l'un de mes yeux ne s'ouvre pas complètement – chose que je n'avais jusqu'alors pas remarquée. Je ne veux plus connaître l'homme qui me retourne mon regard car c'est lui qui a provoqué la mort de ma femme. Les événements défilent encore et encore dans ma tête. Je pense à l'employée, à la manière dont le braqueur l'a menacée de son arme. Puis je repense à ce que j'ai dit à Schroder, qu'il y avait 4 % de chances pour que Jodie soit désignée, et je m'aperçois que c'est une fausse statistique puisque le hasard n'y était pour rien. Elle aurait été vraie si je n'étais pas intervenu. Si je l'avais fermée, alors Jodie aurait eu autant de chances que les autres de vivre ou de mourir – mais c'est moi qui ai scellé son sort. Et pourquoi ? Pourquoi ai-je ouvert ma gueule ? Schroder affirme que c'était pour sauver quelqu'un. Peut-être. Peut-être que je croyais pouvoir arranger les choses. Tout ce que je sais, c'est que j'ai été aussi surpris que les autres – ça ne me ressemblait pas et ce n'était pas le genre de chose que je me serais imaginé faire. Probablement personne ne se serait attendu à ça de ma part – le fils d'un tueur en série cherchant à sauver une vie. Bien joué, mission accomplie. L'employée est en vie, et Jodie est morte – j'ai échangé une vie contre une autre. Voilà ce qui arrive quand on se prend pour Dieu, je suppose, mais qu'on n'est pas foutu de faire le bon choix.

Le téléphone sonne et c'est un journaliste au bout du fil. Puis une deuxième fois. Une troisième. Avant de le décrocher pour de bon, j'appelle Nathaniel et Diana – les parents de Jodie. C'est Nat qui répond, et il fond presque aussitôt en larmes.

« Je ne sais vraiment pas quoi dire, Eddie », commence-t-il d'une voix qui est sur le point de se briser. Nat, cet homme solide, proche de la retraite, suffisamment fort pour casser un type en deux, chiale au téléphone comme un gosse. « Mais nous avons discuté, et nous pensons... nous pensons que toi et Sam, heu, qu'il vaudrait mieux que vous passiez la nuit chez nous. Et elle pourra rester avec nous demain pour que tu puisses... t'organiser.

– Je ne sais pas. Je crois que j'ai besoin d'elle ici. J'ai juste besoin de la prendre dans mes bras et de lui dire que ça va aller.

– Non, ça ne va pas aller.

– Mais qu'est-ce que tu veux que je lui dise ? » Mes émotions prennent le dessus, j'en veux à Nat maintenant – même si, bien entendu, il est aussi désemparé que moi et fait juste ce qu'il peut. « Que notre vie est en train de s'écrouler ? »

Il ne répond rien. Cinq secondes s'écoulent.

«Merde, je suis désolé, Nat, dis-je, et je pousse un gros soupir. Je ne voulais pas... je... bon sang, j'en sais rien!

– Aucun de nous ne sait.

– Je vais venir la chercher.

– Est-ce que tu es en état de t'occuper d'elle? Pense à ce qui vaut mieux pour elle, Eddie. Viens passer la nuit chez nous. C'est la meilleure solution. Et puis, demain, tu pourras... nous pourrons, ensemble, nous pourrons...»

Il n'achève pas sa phrase.

«Elle n'est pas encore au courant, n'est-ce pas? dis-je, mon cœur se serrant un peu plus.

– Nous voulions lui dire. Et c'est ce que nous allions faire, mais... je ne sais pas. Ce n'est pas que c'était trop dur, c'est que... eh bien, nous avons pensé que tu voudrais peut-être le faire toi-même. Diana et moi, nous avons pensé que ce serait mieux comme ça, si nous étions tous ensemble pour lui annoncer. Pour tout le monde.

– Vous avez bien fait», dis-je. Je peux à peine respirer, j'ai l'impression d'avoir une balle de golf coincée dans la gorge. «J'arrive.»

À la fin de notre conversation, je laisse le téléphone décroché.

Ma voiture n'est pas là. Celle de Jodie non plus. J'appelle une compagnie de taxis, et tombe sur une femme sans aucune patience qui me demande sèchement où je suis et où je veux me rendre.

Les mots ne me viennent pas.

«Allô? Allô? Vous voulez aller quelque part, non? demande-t-elle. Ou est-ce que vous me faites perdre mon temps?

– Heu, je, je... je ne sais pas.

– Espèce de tordu», lâche-t-elle avant de raccrocher.

Je mets un moment à reprendre mes esprits et j'appelle une autre compagnie, et cette fois je parviens à dire ce que je veux.

«Quelqu'un sera là dans dix minutes, répond la femme. Bonne journée», ajoute-t-elle, et je manque de fondre en larmes.

Le taxi m'emmène dans le centre-ville. La circulation est dense; les voitures se suivent de trop près et tentent constamment de changer de file. Le chauffeur me fixe d'un air bizarre, et je connais ce regard, c'est celui du type qui se demande: *Est-ce que c'est ce petit garçon, celui dont le père a semé la terreur dans la ville il y a vingt, trente, quarante ans?* Henry, le sans-abri, est toujours devant le parking, tenant dans une main un sandwich au lieu d'une bouteille de vodka, et dans l'autre sa bible.

«Une petite pièce?» qu'il demande.

Il porte des vêtements d'il y a vingt ans, agrémentés d'une casquette de base-ball fabriquée à partir de carton recyclé, et quelque chose en lui me dégoûte soudain pour la première fois. J'ai une furieuse envie de lui foutre un coup de pied. Je détourne le regard et passe rapidement devant lui pour ne pas succomber à la tentation. Je gravis les marches quatre à quatre jusqu'au niveau où se trouve ma voiture.

Je quitte le bâtiment, manquant d'accrocher quelques voitures, de percuter quelques murs, peut-être que je conduis trop vite car j'évite même de peu quelques piétons. Je m'engage dans la rue et je suis à deux pâtés de maisons de la banque. Je prends la direction opposée. La circulation est dense. Je ne vois pas une seule voiture de police à l'horizon. Je longe la rivière, dont les berges herbeuses sont jonchées d'emballages de nourriture et de cannettes vides, avec ici et là un sans-abri occasionnel occupé à sniffer de la colle tout en peaufinant son bronzage. Une brise m'arrive de la rivière, rafraîchie par la proximité de l'eau. Les feux de signalisation sont en panne à certaines grosses intersections, seul le feu orange clignote, et les conducteurs doivent se débrouiller tout seuls, ne sachant s'ils doivent céder le passage ou traverser.

Il me faut quarante minutes pour arriver chez mes beaux-parents. Ils ont une mine dévastée. On dirait qu'une créature venue d'ailleurs a arraché tous leurs souvenirs heureux du fond de leurs entrailles. Ils me serrent dans leurs bras en me disant que nous allons faire face. Je les étreins sans rien dire.

Les parents de Jodie ne m'ont jamais porté dans leur cœur. Non que j'aie jamais fait quoi que ce soit de répréhensible, ni maltraité Jodie. C'est à cause du passé de mon père. Ils m'ont toujours considéré comme une bombe à retardement. Ils ont essayé d'être agréables, mais ne sont jamais parvenus à dissimuler cette crainte que j'ai vue sur tant de visages au fil de ma vie – la crainte née du soupçon. Ça fait vingt ans que mon père a été arrêté pour meurtre – vingt ans que les gens autour de moi se demandent, encore et encore : *Quand Eddie deviendra-t-il le fils de son père ? De quoi Eddie est-il capable ?* Pour leur part, les parents de Jodie croyaient que j'étais capable de découper leur fille et leur petite-fille en mille morceaux. Et dans le fond, leur crainte de voir leur fille mourir de mes mains s'est réalisée.

Sam est endormie sur le canapé du salon. J'ai vu un tas de photos de Jodie quand elle était petite, et en ce moment Sam lui ressemble parfaitement. Son ours en peluche préféré est calé sous son menton, elle a un bras replié dessus et le serre fort. Je me tiens dans l'entrebâillement de la porte et l'observe tandis que mes beaux-parents, qui se tiennent à côté de moi, l'observent également. Nat a la clé de chez moi – ils ont dû y passer pour récupérer l'ours en peluche et probablement quelques habits. De toute manière, il était prévu que Sam passerait la nuit ici, pour que Jodie et moi puissions nous rendre à la fête de Noël organisée ce soir par mon employeur.

« Je vais aller préparer à dîner », annonce Diana.

Ses paroles semblent déplacées, et elle le sait. Je n'ai aucune intention de manger. Manifestement aucun de nous n'a faim. Mais il faut qu'elle fasse quelque chose, tout plutôt que rester plantée là à se laisser envahir par la terreur.

Sam se réveille, difficilement au début, puis elle me voit et son visage s'illumine.

« Papa ! » s'écrie-t-elle, et elle bondit sur ses pieds et se précipite vers moi. Mais du haut de ses 6 ans elle voit immédiatement à nos têtes que quelque chose cloche terriblement. « Où est maman ? » demande-t-elle, désormais sur ses gardes.

Je fonds en larmes et nous faisons de notre mieux pour lui expliquer.

7

Les rues ont un peu désempli, l'animation est retombée et les badauds ont commencé à s'en aller. Mais les médias sont toujours nombreux, les journalistes cherchant désespérément à capturer dans leur objectif la moindre pépite – les corps qu'on charge sur les brancards, par exemple. Le sol de la banque est couvert de sang, de verre, de morceaux de plâtre, d'éclats de bois. L'inspecteur Schroder contourne les débris et se rend derrière le guichet, talonné par Dean Wellington, le responsable de South Pacific Bank pour l'île du Sud.

« Je n'arrive toujours pas à croire ce qui s'est passé, déclare ce dernier, le visage rougi par l'incrédulité. Enfin quoi, bon Dieu, quel bordel ! Il y a tout cet argent qui a disparu, le bâtiment endommagé, le personnel qui est prêt à donner sa démission, et toute cette histoire est un cauchemar question publicité. Les gens ne vont plus vouloir franchir ces portes pendant un bon bout de temps. James était un bon directeur, un type bien, nous ne pourrons pas le remplacer avant les vacances. C'est le pire moment pour...

– Des gens sont morts », observe Schroder.

Wellington ajuste sa cravate, tirant sur le nœud puis le resserrant.

« Je le sais bien, bon Dieu, vous croyez que je ne le sais pas ? Mais cette banque est au service de milliers et de milliers de clients. Nous avons toujours une responsabilité envers eux, et, vous, vous avez la responsabilité de trouver les hommes qui ont fait ça. La banque veut récupérer son argent. »

Schroder le regarde fixement pendant quelques secondes.

« Emmenez-moi à la salle des coffres », demande-t-il.

La salle des coffres est située près de l'arrière de la banque, au sous-sol, derrière deux portes que l'on ouvre grâce à des cartes magnétiques. La seconde porte, plus haute et plus large qu'une porte ordinaire, est en acier. La salle des coffres est de la taille d'une petite chambre. Elle est bordée d'étagères méticuleusement recouvertes de liasses de billets.

« Il y avait combien ici ?

– Eh bien, normalement nous avons un fonds de caisse d'environ un million de dollars, répond Wellington, mais à cette époque de l'année nous en stockons plus. Nous devons remplir le distributeur automatique quatre ou cinq fois plus souvent, et les gens viennent constamment effectuer des retraits au guichet. Les dépenses de Noël se font encore beaucoup en espèces, ajoute-t-il, tout le monde n'a pas de carte de crédit.

– Alors, combien ?

– Environ cinq millions.

– Et combien ont-ils pris ?

– Nous n'avons pas encore compté ce qui reste – mais si vous voulez une estimation rapide, je pense qu'on parle d'à peu près trois millions de dollars.

– Et la procédure en cas de braquage ?

– Elle est simple. Faites ce que les braqueurs vous disent de faire. Déclenchez l'alarme silencieuse, et si vous devez descendre à la salle des coffres, assurez-vous de mettre les bombes de teinture dans les sacs.

– Et c'est ce qu'ils ont fait ?

– Oui. Elles ont dû exploser à l'heure qu'il est.

– Comment ça fonctionne ?

– Nous conservons les bombes à côté d'une plaque magnétique qui les contrôle. Si vous les en éloignez, un minuteur s'active. Elles explosent au bout de cinq minutes. Tous les billets sont foutus, couverts d'encre rouge. Et les voleurs aussi sont recouverts d'encre.

– Combien de temps avant que vous puissiez me donner un montant exact?

– Une heure. Deux maximum. »

Les liasses restantes varient entre l'orange, le bleu, le vert et le mauve – des billets de 5, 10, 20 et 50. Schroder se demande à quoi ressembleraient trois millions de dollars en espèces. Il se demande combien pèseraient les sacs.

« Donc, les employés ont rempli les sacs, dit-il, réfléchissant à voix haute.

– Oui. Personne n'est descendu ici depuis.

– Les voleurs n'ont pas examiné ce qu'il y avait dedans, exact? D'après les témoins, et à en croire la vidéo de surveillance, ils se sont emparés des sacs et de leur victime, et ils sont partis.

– Et?

– Alors pourquoi remplir les sacs de billets de 100?

– Je vous demande pardon?

– Je ne vois aucune liasse rouge – les billets de 100. Les employés auraient pu mettre n'importe quels billets dans les sacs. Ils auraient pesé le même poids. Alors pourquoi ne pas les avoir remplis de billets de 5 et de 10?

– Ils croyaient peut-être que les voleurs vérifieraient.

– Et alors? Ils auraient pu mettre les petites coupures au fond. Les voleurs n'en auraient rien su, à moins de tout vider.

– Peut-être qu'ils avaient peur et qu'ils se sont dit que c'était ce qu'il fallait faire.

– Peut-être, acquiesce Schroder.

– Mais c'est intéressant, reprend Wellington, et c'est une procédure que nous devrions mettre en place si, Dieu nous en préserve! cela devait se reproduire.

– C'est ça, fait Schroder. Et donnez-moi un montant », ajoute-t-il avant de tourner le dos à la salle des coffres et de regagner le rez-de-chaussée.

8

J'avais 8 ans quand j'ai eu pour la première fois envie de tuer un animal. À 9 ans, je suis finalement passé à l'acte. C'était environ un mois avant l'arrestation de mon père. Je ne sais pas d'où est venue cette pulsion. Je crois qu'elle a toujours été là, dormant au fond de moi, cachée – et un jour elle s'est réveillée.

La police est venue frapper à notre porte par un froid matin de juillet. Le soleil était levé, mais il était mis K.-O. par l'hiver ; l'air était si glacial que la vapeur qui s'échappait de nos bouches pouvait presque être saisie à deux mains et cassée en deux. C'était le genre de jour où on n'a pas envie de quitter son lit. Les arbres étaient dépouillés et les feuilles formaient par terre une gadoue qui collait aux chaussures puis laissait des traces sur la moquette. C'était un mercredi matin. D'ordinaire, ce que je préférais le mercredi, c'est qu'on n'était pas lundi. Mais ce mercredi-là a commencé d'une manière inhabituelle. Je me tenais à la fenêtre, vêtu de mon uniforme d'écolier, lorsque les voitures de police sont arrivées. J'étais certain qu'elles venaient pour moi, que, d'une manière ou d'une autre, quelqu'un avait découvert que c'était moi qui avais tué le chien du voisin. J'ai regardé les voitures s'arrêter et les hommes s'engouffrer dans l'allée, et j'ai songé à m'enfuir. Seulement je ne savais pas où aller. Non, plutôt que fuir, je mentirais.

La police a cerné la maison. Des agents ont marché jusqu'à la porte. J'étais en larmes quand ma mère a ouvert. J'avais regagné ma chambre et me tenais derrière la porte, écoutant, tremblant.

Les hommes sont entrés et ont parlé à mon père. Je ne comprenais pas ce qui se passait: pourquoi la police venait-elle arrêter mon père pour une chose que j'avais faite? J'aurais voulu leur dire la vérité, mais j'étais trop effrayé pour le faire.

Je suis sorti de ma chambre à temps pour les voir passer les menottes à mon père. Je voulais me confesser, mais je ne l'ai pas fait. Je ne le comprenais pas sur le coup, mais la police était venue pour une tout autre raison – elle était venue à cause du petit secret de mon père, petit secret qui impliquait un certain nombre de prostituées et un hobby très particulier.

Je ne suis pas allé à l'école ce jour-là. À la place, la sœur de ma mère est venue nous garder, Belinda et moi, pendant que notre mère allait au poste de police pour apprendre ce qui se passait. Elle a été absente toute la journée. Et un an plus tard, après sa mort, sa sœur a décidé qu'elle n'aurait plus jamais rien à voir avec Belinda ou avec moi.

Je ne sais pas de quelle race était le chien que j'ai tué le mois qui a précédé l'arrestation de mon père. Il était assurément gros et sombre, et la plupart du temps en colère. Tout ce qu'il semblait faire, c'était gueuler. Il hurlait à la lune, aboyait au soleil, grondait au vent. Ses aboiements étaient des jappements haut perchés qui ne s'arrêtaient jamais et me perçaient le crâne comme des clous. Ses grondements étaient sourds et menaçants, effrayants, et ses hurlements étaient longs et pénibles. Mon voisin ne faisait jamais rien pour le faire taire. La plupart du temps, il n'était même pas là. Il abandonnait son clebs enchaîné à un vieux piquet rouillé solidement planté dans son jardin. Si le chien avait de la chance, il avait à manger, et s'il avait beaucoup de chance, il avait aussi à boire. Au début, les voisins ouvraient leurs fenêtres et leurs portes, et hurlaient au chien de la fermer, mais au fil des années ils avaient fini par se faire une raison. En été, la terre cramée du jardin était dure, sillonnée de crevasses comme un puzzle, et, en hiver, c'était une boue sombre couverte d'un givre glacial. Le chien crevait de chaud en été et de froid en hiver, et il n'était pas mieux loti pendant les saisons intermédiaires. Je ne savais pas qui haïr le plus, le chien ou son propriétaire, et j'ai fini par les détester autant l'un que l'autre. Le chien était bien déterminé à aboyer sans raison, et mon voisin était bien déterminé à maltraiter la bête.

Mon envie de le tuer s'est développée lentement. J'étais à l'école, face à un problème de maths, et soudain je pensais à lui, à ce chien, et je me disais que ce serait formidable si quelqu'un le coupait en deux. Cette idée me venait de temps en temps à l'école, et beaucoup plus souvent à la maison, et elle ne m'inspirait aucune horreur. La nuit, j'étais tremblant, mes mains se contractant tandis que le chien aboyait, et je me demandais pourquoi mon père ne faisait rien. Bien sûr, je ne le savais pas, mais mon père ne pouvait rien faire. Il ne pouvait pas attirer l'attention sur lui.

L'envie a continué de germer. Elle a fini par presque devenir une obsession. Elle affectait mon travail à l'école. Mes notes baissaient, mes devoirs s'en ressentaient – si ça ne changeait pas, je finirais par quitter l'école à 15 ans, et je passerais ma vie sans boulot et sans espoir de jamais en trouver un. Il me semblait que ce qui se tenait entre la vie que je désirais et une vie à toucher des allocations chômage, c'était ce clebs. Quel que soit l'angle sous lequel j'envisageais les choses, je savais que, tant qu'il continuerait d'aboyer, je n'aurais pas de réel avenir. Je devais penser à autre chose.

Jour et nuit, l'envie de voir ce chien mort grandissait en moi, elle couvait, se transformait en un besoin profond qui régissait ma vie.

J'y répondais en me disant que je ne savais pas comment tuer un chien.

Mais une nuit, l'envie a trouvé une voix et m'a murmuré à l'oreille que c'était facile. Que tout allait s'arranger. Puis elle m'a expliqué comment m'y prendre.

Ma mère était le genre de femme qui, quand elle faisait des courses, s'écartait de la liste qu'elle avait préparée et achetait tout ce qui était en promotion, même si nous en avions déjà plein à la maison. Nous avions des placards remplis de papier absorbant, de farine et de boîtes de conserve qu'elle n'avait plus la place de ranger dans le garde-manger. La viande ne faisait pas exception – le congélateur était toujours plein, et personne ne savait exactement ce qu'il contenait. Un matin, avant d'aller à l'école, j'ai pris un bout de viande du congélateur, conscient que personne ne remarquerait sa disparition. Je l'ai caché dans le garage, enveloppé dans un vieux chiffon à l'intérieur d'un pot de peinture vide au couvercle tordu. Il a décongelé pendant que j'étais en cours et que le chien poussait ses derniers aboiements. À mon retour à la maison, le steak était tendre et semblait frais. Mon père était au travail, ma mère était au téléphone avec sa sœur, et ma sœur n'avait aucune intention de bouger de devant la télé. Deux portes plus loin, le chien aboyait. C'était un aboiement sonore et incessant, mais aussi plaintif, l'aboiement d'un chien qui ne comprenait pas pourquoi il souffrait autant mais ne savait que faire d'autre.

Il ne m'a fallu que quelques minutes pour préparer la viande, plus vingt secondes pour marcher jusqu'à la maison du voisin. J'ai longé l'allée et frappé à la porte, le morceau de steak enveloppé dans du plastique et caché dans mon cartable. Je savais qu'il n'y avait personne, mais j'avais un baratin tout prêt au cas où, l'histoire du ballon qui est passé par-dessus le mur qu'on entend chaque jour dans chaque quartier aux quatre coins du monde. Personne n'a répondu. Le chien aboyait comme un dingue. J'ai fait le tour jusqu'à la barrière du jardin et le chien tirait sur sa chaîne, bondissant encore et encore dans ma direction, la chaîne le retenant violemment au niveau du cou, l'étranglant tout en le ramenant en arrière. Parfois elle le déséquilibrait et il tombait sur le flanc, mais il se relevait à chaque fois et revenait à la charge.

J'ai sorti le steak du sac et l'ai lancé au chien, qui l'a attrapé au vol et s'est aussitôt mis à le dévorer. Au bout de quelques secondes, il a marqué une pause et fait un pas en arrière pour le renifler. Il était clair à la façon dont sa mâchoire remuait qu'il soupçonnait que quelque chose clochait avec son dernier repas. Mais malheureusement pour lui, il était affamé, et, malheureusement pour lui, son instinct lui disait qu'il devait manger car il ne savait jamais quand arriverait son prochain repas. Il s'est remis à dévorer le steak et, alors même que le sang commençait à maculer la fourrure autour de sa gueule, il a continué de mâcher. Le steak a disparu en quelques bouchées. Puis le chien s'est mis à courir en rond. Il continuait d'aboyer, mais ses aboiements n'étaient plus aussi forts, et bientôt ce n'étaient plus que des glapissements. Mais il continuait de courir.

Et moi aussi je me suis mis à courir.

La police a été appelée le lendemain. Le chien était mort pendant la nuit. Son propriétaire était rentré à la maison après une dure journée passée à ignorer son clebs et il l'avait trouvé gisant dans le jardin, silencieux, le museau en sang – et, dans la mort, le chien a eu droit à une bienveillance à laquelle il n'avait jamais eu droit vivant : il a été emmené chez le véto. Le véto a jeté un coup d'œil au sang, il a ouvert la bête en quête de réponses, qu'il a trouvées en abondance sous forme d'hameçons, de clous et de punaises que j'avais profondément enfoncés dans le steak. La police a arpenté la rue, frappant aux portes, consciente que le coupable était quelqu'un du voisinage – et j'imagine qu'elle n'a pas tardé à apprendre que tout le monde dans le quartier avait voulu le faire. Restait à découvrir qui avait transformé le fantasme en réalité. Les flics sont venus à notre porte et ont parlé à mes parents, et alors j'ai eu la trouille, mais pas autant que quand ils sont venus chercher mon père. Ils ont demandé à parler à ma sœur et à moi, j'ai dit à la police devant Belinda et mes parents que je n'avais rien vu, et les agents nous ont remerciés de leur avoir accordé du temps avant d'aller frapper à la porte d'à côté.

Personne n'a jamais remis ma parole en doute. Jamais. Pas même ma mère. J'étais certain qu'elle avait remarqué le steak manquant et tout compris. Je me disais qu'elle avait appelé la police, et que les flics allaient m'emmener dans une pièce où ils me laisseraient tout seul jusqu'à ce que je me pisse dessus, me mette à chialer et avoue tout. Mais elle ne l'a jamais fait. Personne ne l'a jamais fait.

Quatre semaines plus tard mon père était arrêté. Un mois après son arrestation, le voisin avait un nouveau chien – il se disait probablement que c'était mon père qui avait tué le précédent et que celui-ci serait en sécurité. Il ne l'a eu qu'un mois avant que la même chose ne se reproduise. La police a de nouveau arpenté la rue pour en apprendre autant que la première fois. Mais comme mon voisin en avait sa claque des chiens morts, il n'en a pas pris de nouveau.

Je ne sais pas pourquoi cette histoire me revient à l'esprit tandis que je roule vers la maison, ni ce qu'elle signifie. Mon psychiatre à l'époque aurait rempli un bloc entier d'ordonnances pour me gaver de médicaments s'il avait su. La manière dont ce chien était mort – ça m'avait effrayé. Et ce jour-là, en rentrant en courant à la maison, je m'étais promis que je ne ferais plus jamais une telle chose. Je me suis fait la même promesse la deuxième fois – et, ce coup-là, je m'y suis tenu. Je n'ai jamais parlé à personne de mes pulsions. Et surtout pas à ma femme.

Sam est endormie à la place du passager. Les vacances ont commencé et je ne sais pas si ça facilitera les choses pour elle de ne pas aller à l'école la semaine prochaine, ou si ça les rendra plus difficiles maintenant que sa mère est morte. Je ne sais pas si la distraction d'une salle de classe aurait été bénéfique. Je ne sais pas comment je vais faire pour m'occuper d'elle pendant le week-end, pendant les vacances, pendant les dix années ou plus avant qu'elle quitte la maison et vole de ses propres ailes.

En arrivant à la maison, je m'attends soudain à ce que quelque chose soit différent. Comme si tout ce qui s'est passé aujourd'hui était un film qui est désormais fini, comme si les braqueurs n'étaient que des acteurs, les blessures sur ma femme, un maquillage de sang factice. Ou au moins à ce que Jodie soit ici, que l'hôpital l'ait laissée partir – que pendant le trajet vers la morgue quelqu'un se soit aperçu qu'elle respirait encore et l'ait sauvée. Je m'attends à trouver la police, à apprendre que les hommes qui ont fait ça ont été arrêtés. Je m'attends à ce que la vie ait repris son cours.

Mais ce que je découvre défie toutes mes attentes – tout est exactement comme je l'ai laissé. Personne n'est passé, personne n'est ici, même l'esprit qui me rend visite la nuit pour mettre le bazar dans ma vie n'est pas venu. Je pénètre à l'intérieur et, entre le moment de mon départ il y a quelques heures et maintenant, rien n'a changé hormis l'angle du soleil. Il a décliné dans le ciel et filtre à peine à travers la fenêtre du salon, illuminant la poussière qui flotte dans l'air, et il fait un peu moins chaud – mais c'est à peu près tout. Mogo n'est pas là, il est dehors à faire Dieu sait ce qui passe par la tête de ce cinglé de chat. Parfois la voix d'il y a vingt ans me dit qu'il y a une solution pour me débarrasser de ce chat. Et je me demande si Mogo le sent. Je me demande si, maintenant que Jodie n'est plus là, il reviendra.

Sam se réveille tandis que je la porte à l'intérieur, mais elle se rendort au bout d'une minute. Je la couche dans son lit et me dirige vers le salon. J'allume la télé, mais les prochaines informations sont dans plus d'une heure. Je mets de l'ordre dans la cuisine, raccroche le téléphone, vide le lave-vaisselle, histoire de tuer le temps, toujours tuer le temps – je rince une assiette et – bam ! – une nouvelle distraction, mais elle ne dure qu'une fraction de seconde avant que la réalité ne me retombe brutalement dessus. Faire le ménage ne semble pas être la bonne occupation – mais quelle est la bonne occupation ? Il s'avère que la bonne occupation, c'est jeter deux assiettes de toutes mes forces contre le mur. Elles volent en éclats. Un petit tesson gros comme une dent mord dans le mur et y reste planté, les autres pleuvent sur le sol. J'attrape un verre, qui suit la même trajectoire. Et bientôt une demi-douzaine de verres gisent par terre, le sol est couvert d'un cocktail de verre brisé et d'éclats de céramique, et je renverse le tiroir à couverts pour les ajouter au fatras avant de m'asseoir par terre adossé au réfrigérateur.

Sam se tient au seuil de la cuisine. Des larmes coulent sur son visage et elle serre son ours en peluche contre sa poitrine.

« Est-ce que tu t'es disputé avec maman ? demande-t-elle en regardant la vaisselle cassée.

– Non, ma chérie.

– Alors, pourquoi elle est partie ? »

Je me lève et serre ma fille dans mes bras avant de la ramener au lit. Je reste assis avec elle en attendant qu'elle se rendorme, et j'attends un peu plus longtemps avant de repartir. Je ne sais pas comment je vais m'en sortir ce week-end. Je ne sais pas comment arranger l'enterrement. Je ne sais pas comment organiser mon avenir avec Sam. À vrai dire, Sam est en ce moment la seule chose qui me retienne de ramasser l'un des tessons par terre et de me taillader les poignets.

Je nettoie la cuisine, revoyant sans cesse ma femme tendre les bras vers moi, l'homme derrière elle lever son arme, puis je reviens quelques minutes plus tôt, quand nous étions dans la banque, et je vois les hommes entrer derrière elle, se diriger par paires dans différentes directions. Je me lève et je les affronte, je leur arrache leurs fusils, je me bats avec eux, six coups de feu éclatent et six hommes gisent morts par terre. Les gens se massent autour de moi et m'étreignent, ils me reconnaissent, mais les gènes que j'ai hérités de mon père ne les effraient pas, en fait, ils les excitent. Les gènes du tueur en série viennent de leur sauver la vie à tous.

Ou alors je saisis Jodie et l'éloigne de la scène, je nous enferme dans les toilettes les plus proches en attendant qu'ils soient partis. Je vois les hommes entrer et le vigile passer à l'action, il attrape le premier type, le balance en direction des autres, des coups de feu retentissent, et les braqueurs s'entretuent tandis que la fumée et le sang emplissent l'air. Puis je nous revois pendant le déjeuner, riant, faisant des projets, le temps passant si vite que nous avons soudain manqué notre rendez-vous à la banque, nous sommes déçus, mais vivants.

Je m'imagine crevant un pneu tandis que j'allais au travail ce matin. Je m'imagine le travail s'empilant, m'empêchant de prendre ma pause déjeuner. Je m'imagine une coupure d'électricité, un tremblement de terre, quelqu'un s'étouffant avec un morceau de poulet au restaurant, un accident de voiture juste devant mon lieu de travail. Je m'imagine appelant Jodie pour lui dire que je ne vais pas pouvoir venir, que nous allons devoir repousser à la semaine prochaine, et Jodie me répond que je suis vraiment chiant, et il est clair qu'elle va me faire la gueule tout le week-end. Je m'imagine Jodie dans le salon en ce moment même, préparant Sam à aller se coucher. La télé est allumée. Sam demande des biscuits. Jodie refuse, et Sam se met à bouder. Je m'imagine lisant une histoire à Sam, une histoire de lutins et de princesses, puis Jodie et moi regardant la télé, mon bras autour d'elle, je la serre, caresse son épaule et elle me touche la cuisse. Je l'embrasse et alors... elle est partie. Morte. Son corps ensanglanté et vide gisant au milieu d'une rue tandis que la camionnette noire s'éloigne à toute vitesse.

Le téléphone sonne. Je le regarde fixement mais ne veux parler à personne. Après huit sonneries, le répondeur se déclenche. C'est Jodie qui a enregistré l'annonce. Sa voix dans la maison silencieuse a sur moi deux effets simultanés : elle me laisse croire qu'elle est encore en vie, et elle me laisse croire que son fantôme est ici. Deux effets complètement opposés – et un troisième aussi : elle me donne le frisson.

Vous êtes bien chez Eddie, Jodie et Sam, mais soit nous sommes absents, soit nous faisons semblant d'être absents, alors laissez-nous un message après le signal sonore.

Le signal sonore retentit. Je ne changerai jamais cette annonce.

« Ah ! salut, Edward, c'est John Morgan, heu... je t'appelle car nous avons appris ce qui s'est passé et, heu... tout le monde dans la société est vraiment désolé pour toi, sincèrement, et, et ah ! nous voulions annuler la fête de Noël ce soir par respect – je veux dire, aucun de nous n'a envie de célébrer quoi que ce soit en ce moment – mais la salle est déjà louée et tout a été payé, et la plupart d'entre nous étions déjà ici quand nous avons appris la nouvelle. OK, je crois que c'est tout... enfin, il y a autre chose, et ça m'ennuie vraiment de te demander ça, mais ce dossier McClintoch sur lequel tu travailles, il doit vraiment être bouclé avant les vacances, tu sais comment c'est, et personne d'autre ne peut vraiment le reprendre, vu que tu t'es tellement investi dedans, et on finirait par se mordre la queue toute la semaine, alors, hum, ce que je dis, c'est que j'ai besoin que tu... non, attends, je veux dire que je te demande si tu peux venir la semaine prochaine pour le boucler ? Après l'enterrement, bien sûr, je ne te demande absolument pas de venir avant – à moins bien sûr que tu y tiennes vraiment, disons au cas où tu aurais besoin de travailler pour te changer les idées ou quelque chose. Merci, Edward. Enfin... ah ! à plus tard. »

Il raccroche, deux bips retentissent et j'efface le message. Je déteste mon travail. Parfois je sens que mes collègues s'interrogent à mon sujet, qu'ils essaient de deviner combien de personnes j'ai tuées, ou combien j'en tuerai un jour, tous des comptables obsédés par les chiffres.

Je m'affale devant la télé. Je dois attendre 22 h 30 pour les informations. Elles s'ouvrent sur le braquage. La présentatrice est sapée comme si elle venait de jouer les potiches dans un salon automobile. Elle n'a que deux expressions – une pour les mauvaises nouvelles, et une autre pour les histoires heureuses de la vie de tous les jours. Elle revêt son visage des mauvais jours et récapitule les principaux événements de la journée, avant d'annoncer : « Certaines scènes peuvent choquer. »

On voit des images enregistrées par les caméras de sécurité. D'autres tournées après les événements par les équipes de journalistes. Et aussi une vidéo filmée au moyen d'un téléphone portable par une personne trop paniquée pour intervenir mais suffisamment courageuse pour filmer ce qu'elle peut. L'angle de prise de vues me rappelle les adolescents affublés de capuches, et je suis à peu près sûr qu'ils sont les auteurs de ce film. Je me demande combien il leur a rapporté, à quel point tout ça les a excités. La vidéo montre Jodie qu'on entraîne hors de la banque, et même si je connais la suite, je prie pour que les choses se passent différemment. Et alors on me voit sortir à la poursuite des hommes, cinq d'entre eux dans la camionnette, le sixième avec son arme, et, les nouvelles de la nuit étant ce qu'elles sont en ces temps où la morale s'est suffisamment relâchée pour qu'on puisse jurer en direct sans être censuré, on peut aussi voir ma femme se faire descendre, parce que la vidéo ne s'arrête pas, elle continue, car les taux d'audience sont plus importants et certainement plus lucratifs que l'éthique, alors tout le pays peut voir le sang jaillir de Jodie comme j'ai pu le voir aujourd'hui, tout le monde peut la voir tomber, se mettre à ma place et voir ce que j'ai vu sans ressentir ce que j'ai ressenti, et après la scène repasse au ralenti, le téléphone portable capturant tout à la manière d'un téléphone portable – pas de la grande qualité, mais de la qualité tout de même.

Retour à la présentatrice qui, à son honneur, semble momentanément mal à l'aise à cause de ce qui vient d'être diffusé. Lorsqu'elle reprend la parole, elle bute sur le premier mot. Heureusement pour sa carrière, elle se ressaisit, et parvient à nous offrir d'autres détails avant d'enchaîner sur la vidéo de surveillance de la banque. On voit des plans larges montrant les badauds dans la rue, la police passant la zone au crible, un joli plan serré de moi tenant ma femme dans mes bras, mais pas un seul plan des braqueurs.

Puis, quand il n'y a plus rien à montrer, on passe aux personnes qui étaient dans les parages quand ça s'est produit – « *Nous* avons entendu des coups de feu et nous nous sommes enfuis», «Nous ne savions pas quoi faire», «Ça semblait incroyable que ça arrive juste ici», «Nous avons failli nous faire tuer». Puis arrivent les interrogatoires des personnes qui se trouvaient dans la banque. J'en reconnais certaines. «Ils ont surgi de nulle part», «C'était tellement effrayant», «Ces pauvres gens, mon Dieu! ces pauvres gens n'ont rien fait et ils ont tout de même été abattus». La photo d'un homme apparaît: le directeur de la banque, il avait 56 ans et travaillait dans cette agence depuis neuf ans. On voit l'employée dont j'ai apparemment sauvé la vie, son nom est Marcy Croft, elle a 24 ans et travaillait à la banque depuis neuf semaines, et elle tremble tandis que le caméraman zoome sur elle. «Il allait me tuer. J'en suis certaine et je ne veux plus jamais travailler ici. Et cet homme, oh! mon Dieu! cet homme l'a interpellé et m'a sauvé la vie, et sa femme, sa femme...» dit-elle, et elle fond en larmes sans parvenir à finir sa phrase, mais la caméra ne la lâche pas, elle se fixe sur sa douleur et son soulagement, et tout le pays la regarde pleurer pendant dix autres secondes avant que la présentatrice ne réapparaisse à l'écran.

Après les interviews, une photo de ma femme dont je ne sais absolument pas comment ils se la sont procurée – peut-être par son travail – apparaît. Les deux victimes avaient une famille, la douleur et le désespoir ont comblé les vides qu'elles laissent derrière elles. Puis on me voit de nouveau, couvert de sang, tandis qu'on m'éloigne du corps de Jodie. Edward Hunter, 29 ans, fils de tueur en série. La présentatrice en fait état.

Surviennent alors des images filmées en direct à l'extérieur de la banque. Il y a toujours un cordon jaune voletant dans la brise légère. L'endroit où Jodie a été tuée est sécurisé, mais elle a été emmenée, et je l'imagine gisant sur une table d'acier à la morgue, son corps pâle, d'un gris bleuâtre, complètement brisé, sans drap pour le recouvrir. Le journaliste a les manches retroussées, ce qui indique qu'il a eu une longue journée. Il parle un peu, de moi.

« Et Jack Hunter, bien sûr, a été arrêté pour le meurtre de onze prostituées, n'est-ce pas, Dan? demande la présentatrice lorsque l'image revient à elle, son visage sérieux s'étalant à l'écran.

– En effet, Kim. Mais bien sûr, les onze prostituées ne correspondent qu'aux meurtres qu'il a avoués.

– Y a-t-il des spéculations quant à une possible implication d'Edward Hunter? demande Kim-la-présentatrice.

– À ce stade, la police ne fait aucun commentaire à ce propos, mais, d'après ce que je sais, ça semble improbable. Je crois qu'Edward et Jodie Hunter, tout comme les autres, se sont trouvés au mauvais endroit au mauvais moment. Dès que nous en saurons plus ici à Christchurch, nous vous tiendrons au courant. »

Kim arbore soudain sa seconde expression, et une photo prise il y a vingt ans apparaît: moi dans mon uniforme d'écolier à côté de mon père. Je manque de balancer la télécommande en direction de la télé. L'histoire atteint son apogée – ou, dans ce cas, sa chute. La camionnette a été retrouvée. Elle avait été volée. Aucune trace de l'argent. Aucune trace de ses occupants. Six hommes éparpillés dans la ville.

J'éteins la télé et reste assis dans le noir, complètement éveillé, furieux, au supplice, et seul.

9

C'est un homme qui promenait son chien qui a donné l'alerte. Il a vu de la fumée et appelé les pompiers, qui se sont précipités sur place avant que l'incendie ne se répande aux arbres et peut-être aux maisons alentour, mais pas avant que la camionnette ne soit réduite en cendres. La carcasse tordue et calcinée fume encore, et Schroder sait que tous les indices à l'intérieur ont disparu. Les scientifiques vont analyser les débris, mais ça leur prendra des semaines – et même alors ça ne donnera peut-être rien.

Le chemin de terre s'enfonce dans une pinède. Les racines des arbres forment des bosses sur le bas-côté, qui est par endroits tapissé d'épines. À deux kilomètres dans un sens, les gens vont faire du VTT, du jogging et des balades à cheval, et, à deux kilomètres dans l'autre sens, il y a l'océan, mais, ici, il n'y a rien, et les braqueurs le savaient. Il n'y a ni traces de pas ni traces de véhicules sur le sol. L'homme qui promenait son chien ne se rappelle pas avoir vu des voitures aller ou venir, et il n'y a pas d'autre témoin. Il flotte une odeur de pétrole et d'essence mêlée à celle des branches qui ont cloqué au soleil. Des halogènes ont été installés, braqués sur la camionnette, illuminant les arbres voisins et créant parmi eux des centaines d'ombres. Il n'y a pas la moindre brise, et environ toutes les trente secondes Schroder doit écarter de la main des insectes presque aussi gros que des mouches.

Il n'arrive pas à s'ôter Edward Hunter de la tête. Il pense à son père, un bon père de famille ordinaire. Tout au long du procès, avec ses sourires et ses costumes bon marché mais impeccables, Jack Hunter n'avait jamais semblé effronté ou arrogant, et il n'était certainement pas le cinglé que ses avocats décrivaient. Ils avaient raconté au jury qu'il entendait des voix, qu'il souffrait de schizophrénie paranoïde, qu'il pouvait à peine contrôler ses actes, et encore moins s'en souvenir. Ils avaient expliqué que les voix prenaient le dessus, et qu'il n'y avait alors plus de Jack Hunter, mais autre chose, quelque chose de malade et de tordu au fond de lui qui avait échappé aux diagnostics pendant des années. Mais le jury n'avait pas mordu. Le jury avait préféré la version de l'accusation. Et cette version était la suivante : Jack Hunter adorait tuer des prostituées et détestait l'idée de se faire prendre. Jack Hunter n'était pas fou, parce qu'il avait échappé à la justice pendant tant d'années. Un fou incapable de contrôler ses actes se serait fait prendre plus tôt. Un fou n'aurait pas pu couvrir ses crimes comme il l'avait fait et vivre la vie qu'il avait vécue. Le jury avait mordu à cette version, et Jack Hunter s'était pris perpète. Fin de l'histoire.

Il revoit Edward Hunter étreignant son père le matin de l'arrestation. Après la mort de sa mère, un an plus tard, il n'a plus guère pensé à lui, hormis lorsque, quelques années plus tard, il a appris que sa sœur avait fait une overdose d'héroïne. Mais jamais depuis.

Il a passé les dernières heures à interroger les témoins et visionner les vidéos de surveillance. Les vidéos n'ont pas de son, et elles ne sont pas assez claires pour que l'on puisse distinguer les traits des braqueurs. On devine leur taille et parfois leur poids, mais rien de plus. Il n'est cependant pas donné à tout le monde de réussir un braquage, et il y avait certainement des hommes d'expérience dans l'équipe qui a fait le coup. La moitié d'entre eux, au minimum, aura un casier pour attaque à main armée – et il est plus que probable qu'ils auront tous un casier pour un méfait ou pour un autre.

Il va devoir interroger des gens du milieu. Quelqu'un quelque part doit savoir quelque chose – hors de question que ces hommes ne paient pas pour ce qu'ils ont fait.

Il regarde un peu plus longtemps la fumée tourbillonner, puis regagne sa voiture et reprend le chemin de la banque.

10

L'enterrement a lieu le lundi. Le corps de Jodie a été examiné en priorité vendredi. Il n'y avait pas grand-chose à faire à part prendre une centaine de photos et trifouiller à l'intérieur avec une paire de pincettes pour en sortir les plombs. Peut-être qu'ils ont fait vite parce que Noël approche. Peut-être que le directeur des pompes funèbres s'est arrangé pour trouver un créneau aussi rapidement parce qu'il s'apprête à aller passer ses vacances sur les côtes australiennes. Quelle que soit la raison de cette précipitation, j'en suis heureux. L'idée de Jodie gisant sous terre n'est pas ce que j'appellerais réconfortante, mais c'est certainement mieux que de la savoir découpée en morceaux et exposée sur une table de métal dans les entrailles de la morgue de l'hôpital.

Pour tout le monde, c'est un lundi ordinaire. Les gens vont au travail et, comme les vacances scolaires ont débuté, des milliers d'adolescents sans surveillance ont tout le loisir de boire de la bière, et de cambrioler des maisons en quête de télés grand écran et de consoles de jeux. C'est l'été, le monde suit son cours, et le shopping de Noël bat son plein, avec des parkings de centres commerciaux bondés et des parents qui se chamaillent pour le dernier article à la mode. C'est une journée superbe, lumineuse, le genre de jour que Jodie aurait aimé, et si elle avait eu le choix, peut-être même le genre de jour où elle aurait aimé être enterrée. Mes bleus se sont estompés. Trois jours que le braquage a eu lieu, et les six hommes sont toujours dans la nature. Dans cette ville il n'y a pas assez de flics et trop de criminels – le rapport de force est complètement déséquilibré, mais personne ne semble en mesure de le corriger. Mercredi était censé être mon dernier jour de travail avant deux semaines de vacances. *Idem* pour Jodie. À la place, elle va passer Noël sous terre, et moi, Dieu sait où.

J'ai dû lui choisir une robe et un cercueil. Choisir un cercueil est une chose que je ne veux plus jamais avoir à faire – chaque modèle avait ses propres spécifications, le directeur des pompes funèbres faisait de son mieux pour me faire culpabiliser et me pousser à monter en gamme, comme si un cercueil bon marché était le signe que je détestais ma femme. Les parents de Jodie se sont occupés des fleurs, du prêtre, de la musique, de l'église et de tout le reste. Il se passe probablement des milliers de choses autour de moi dont je n'ai pas conscience.

Le cimetière se trouve à la périphérie de la ville, dans un quartier où les arbres sont nombreux et les maisons rares, et en ce moment une grande volée de mouettes dessine des cercles dans le ciel. Une église se dresse près de l'un des côtés du cimetière. Elle a été abandonnée quand le prêtre s'est fait assassiner six mois plus tôt, mais a été rouverte à temps pour Noël avec l'arrivée d'un nouveau prêtre, le père Jacob. Cette église a une caractéristique que peu d'églises partagent : personne n'est mort pendant sa construction. Que vous aimiez ou détestiez la religion, une chose est sûre : elle est certainement l'une des choses qui tuent le plus sur terre. La religion emporte plus de vies que le cancer, les infarctus et les accidents de voiture combinés. Une ceinture d'arbres sépare l'église des tombes les plus proches ; comme deux d'entre eux ont été abattus, des souches fraîches entourées de sciure et d'écorces jaillissent du sol, et le soleil qui s'engouffre dans les interstices illumine les vitraux. Une clôture de deux mètres de haut dont les barreaux d'acier sont couverts de toiles d'araignées et de peinture écaillée s'étire de l'église à la route. Une douzaine de camionnettes des médias sont garées devant, mais il n'y a personne à l'intérieur.

Le père Jacob a une voix profonde aux intonations lugubres, et l'acoustique de l'église ajoute à la profondeur de ses paroles – qui, à mes oreilles, sonnent creux. Il se tient sur le catafalque, à quelques mètres de ma femme, ressemblant plus à un magicien qu'à un prêtre; ses cheveux blancs auraient besoin d'être coupés, sa tenue pourrait être portée à un bal masqué. Il nous parle de Dieu et du paradis, et je ne sais pas trop que penser de ces concepts à cet instant précis. Mes grands-parents m'ont appris à croire en Dieu, mais ce sont eux qui ont élevé mon père, et vous savez comment il a tourné. Je veux croire à quelque chose; ça signifierait que Jodie est dans un endroit meilleur que ce monde-ci – et certainement meilleur que Christchurch. Et je veux croire à quelque chose qui aidera Sam à tenir le coup. J'y ai beaucoup songé ces derniers jours, et je crois que le fond du problème est le suivant: je veux croire à Dieu, mais en ce moment je Lui en veux beaucoup trop pour le faire.

Il fait près de 35 degrés dehors, mais il fait frais dans l'église, et il est évident que je ne suis pas le seul à le sentir. Cette église a quelque chose de sinistre; peut-être est-ce la raison pour laquelle le prêtre précédent a été assassiné, ou peut-être s'agit-il de son fantôme, qui est encore là, à nous observer. Je me demande si le père Jacob le sent, s'il se demande s'il sera le prochain prêtre à connaître une fin brutale.

La foule est nombreuse – je ne savais pas que je connaissais tant de gens. Il y a mes collègues. Ceux de Jodie aussi. Et naturellement nous n'étions pas des pestiférés, ce qui signifie que nos amis et sa famille sont aussi présents. Il y a des gens que je ne reconnais pas, d'autres que je n'ai pas vus depuis très, très longtemps. Personne ne sait vraiment quoi dire – sauf John Morgan, qui me serre la main et me rappelle, à la première occasion, de passer demain au bureau pour boucler le dossier McClintoch. Je lui souris en songeant à l'envoyer lui aussi six pieds sous terre.

Je n'ai pas de famille – mes grands-parents, qui nous ont élevés, Belinda et moi, après la mort de notre mère, sont tous les deux décédés : une attaque cardiaque a emporté mon grand-père ; une pneumonie assortie de complications mais surtout la solitude ont eu raison de ma grand-mère peu après. La personne dont je regrette le plus la présence aujourd'hui, c'est Belinda. Quand nous étions petits, avant l'arrestation de mon père, elle faisait tout ce qui était en son pouvoir pour faire comme si je n'existais pas, et, quand il lui était impossible de m'ignorer, elle m'adressait de mauvaise grâce une phrase occasionnelle. Quand nous avons découvert ce que notre père avait fait, elle a commencé à me parler plus souvent, mais ses paroles étaient plus brutales. Puis le jour où nous avons trouvé notre mère dans la baignoire, elle m'a tenu la main en me caressant les cheveux pendant que nous attendions l'arrivée de la police. Et elle m'a dit qu'elle m'aimait, et qu'elle prendrait soin de moi. Bien sûr, ce sont mes grands-parents qui se sont au bout du compte occupés de nous, même si ça a été difficile pour eux. Ils étaient vieux et n'avaient pas vraiment les moyens de subvenir à nos besoins, mais ils ont fait tout ce qu'ils ont pu pour qu'on ne nous place pas dans une famille d'adoption. Belinda me considérait constamment sous sa responsabilité. Elle avait quatre ans de plus que moi, elle était à la fois une grande sœur et une mère, mais la nuit elle n'était plus ni l'une ni l'autre – la nuit, elle quittait la maison en douce et faisait le trottoir pour gagner de l'argent, puis elle rentrait en larmes avec des poches pleines de billets sales et elle me serrait entre ses bras en me disant que tout irait bien. Finalement, tout n'a pas bien été pour elle – elle détestait ce qu'elle faisait, et sa seule manière de le supporter était d'anéantir la douleur, et c'est alors qu'elle a plongé dans la drogue. Elle a quitté la maison de nos grands-parents à 16 ans, mais elle revenait me voir fréquemment. Elle m'apportait toujours quelque chose. Une barre chocolatée ou une BD. Elle m'aidait à faire mes devoirs. Elle était toujours propre quand elle me rendait visite – ou du moins elle avait l'air propre – mais parfois elle tremblait, comme si elle n'avait pas eu sa dose depuis quelques jours. Mes grands-parents étaient trop vieux pour saisir ce qui se passait, et j'étais trop jeune pour comprendre ce qui provoquait ces tremblements.

Mais une semaine elle n'est pas venue me voir. Puis une autre semaine s'est écoulée. Et finalement, les flics ont débarqué chez nous. C'était comme si ce mercredi matin recommençait. Ils se sont garés dans la rue et ont frappé à la porte, et ma vie a changé comme elle avait changé la première fois que je les avais vus.

Sam reçoit des milliers d'étreintes, qui se terminent presque à chaque fois par des larmes de la part de la personne qui l'enlace. Elle est adorable dans sa petite robe noire et me donne envie de pleurer chaque fois que je la vois. Elle sait ce qui se passe, mais en même temps elle ne le sait pas. On lui a dit que maman était allée au paradis, mais elle a demandé à quelques reprises si maman viendrait la voir pour Noël. Je voudrais pouvoir annuler Noël. L'idée que le reste de la ville trouvera des motifs de réjouissances me fout hors de moi.

Le cercueil de Jodie est couvert de fleurs. Tout comme l'essentiel de l'église. Le comptable en moi se demande combien tout ça coûte, tout en songeant que la mort doit être le business le plus rentable du monde, vu qu'on y passe tous tôt ou tard. Le père en moi tient la main de Sam du début à la fin, y puisant de la force. L'homme en moi souffre, il hurle et meurt à l'intérieur, il est confus et ne sait pas ce que lui réserve l'avenir. Le service dure une heure. Les gens sortent en disant que c'était *réussi*. *Accablant* collerait mieux. *Troublant* fonctionnerait aussi. *Réussi* semble trop trivial.

Six personnes portent le cercueil de Jodie à l'extérieur. Son père, ses deux frères et trois amis. Ils ont les traits tirés, mais je ne crois pas que ce soit à cause du poids du cercueil. Ses frères sont venus des quatre coins du pays, et demain ils repartiront. Je serre fermement la main de Sam tandis que nous marchons derrière eux. Sam serre fermement son ours en peluche de son autre main. Le cercueil flambant neuf étincelle, mais aucun doute qu'il ne brillera plus d'ici quelques heures. Je me demande combien il pèse, quel pourcentage de ce poids provient de ma femme.

Nous atteignons le corbillard. Il est noir et rutilant, alors que la mort est terne et noire. La portière à l'arrière est ouverte, attendant que les hommes glissent ma femme dedans tels des déménageurs. La portière se referme et nous restons tous plantés là pendant une minute ou deux, ne sachant trop ce que nous devons faire, puis le corbillard se met en branle, et nous montons en voiture et le suivons. Nous roulons tous en file indienne, phares allumés, Jodie ouvrant la voie. Environ un kilomètre de route sinueuse sépare l'église de la nouvelle demeure de Jodie, le trajet est donc bref, et je me demande pourquoi personne ne l'a parcouru à pied. Les journalistes nous attendent à environ trente mètres de la tombe, certains avec des caméras montées sur trépied, d'autres caméra à l'épaule. Ces gens n'ont aucun respect pour Jodie, ni pour Sam ou moi, et aucun respect pour la situation. Ils se foutent de notre chagrin, ne se soucient que de leur audience, et la chose dont je suis certain, c'est qu'un jour ils paieront pour leur indifférence. Un jour, quelqu'un, peut-être un autre fils de tueur en série, descendra ces vautours un à un. Mais ce jour est encore à venir, et aujourd'hui Sam est la petite-fille d'un tueur en série, la fille d'une victime de meurtre, et les médias commencent déjà à spéculer sur son compte. Ils la disent mignonne et adorable, décrivent sa perte comme tragique, mais ils se demandent quel genre de femme elle deviendra – sa vie porte désormais ce sombre stigmate, et avec les gènes qu'elle a... ils veulent savoir ce qu'elle va devenir.

Les hommes qui ont chargé Jodie dans le corbillard entreprennent désormais de l'en sortir. Ma femme est devenue un chargement, et son ultime voyage est sur le point de commencer. Ils la portent du corbillard à la tombe, la déposant sur une espèce d'échafaudage étrange érigé au-dessus du trou. Le père Jacob ajoute deux ou trois choses, puis, à exactement 3 h 27 par un lundi après-midi, l'échafaudage se met à bouger et ma femme descend en terre, les six hommes qui l'ont portée se tenant en silence parmi la foule, déchirés par la douleur, tandis que les six hommes qui l'ont tuée sont en train de dépenser leur argent dans les rues de Christchurch, profitant de cette belle journée d'été.

11

Le directeur de la banque est enterré le même jour dans un cimetière différent. Nous n'avons pas combiné les deux événements en organisant de gigantesques funérailles pour deux, histoire d'économiser de l'argent, ou pour faciliter la tâche aux médias en leur faisant faire des économies d'essence.

Nous saisissons des poignées de terre et les jetons sur le cercueil. C'est une tradition que je n'ai jamais vraiment comprise. Je l'ai déjà fait quatre fois : pour ma mère, ma sœur, mes deux grands-parents. Aujourd'hui pour ma femme. Je ne veux plus jamais avoir à le faire.

Le reste de la terre est sous une toile couleur herbe, à l'abri des regards, et c'est une autre tradition que je ne comprends pas. Craignent-ils que la vue de la terre me fasse pleinement prendre conscience d'une réalité que la vue de ma femme en sang, les préparatifs pour l'enterrement et la vue du cercueil auraient échoué à me faire percevoir ? Je n'en sais rien. Peut-être les traditions sont-elles ce qui permet de tenir le coup.

Sam ramasse une poignée de terre et la répand sur le cercueil. Elle ne me demande pas pourquoi. D'ailleurs, elle n'a pas posé la moindre question aujourd'hui – elle a fait ce qu'on lui a dit de faire, m'a suivi en silence depuis que nous nous sommes levés ce matin.

Après l'enterrement nous nous rendons tous chez les parents de Jodie. Je regarde les rues et les gens, je voudrais quitter cette ville et regrette de ne pas l'avoir fait il y a des années. La circulation de Noël nous ralentit – même à 4 heures de l'après-midi un lundi. Les mères trimballent leurs gamins à travers la ville dans des 4×4 et roulent en direction des centres commerciaux.

Il y a environ trente voitures stationnées dans la rue de mes beaux-parents, et seulement deux camionnettes des médias. Je suis obligé de me garer deux rues plus loin. J'ai un nouveau moment de distraction tandis que je conduis – je vois une voiture s'apprêter à griller un feu rouge et je freine, je l'évite, le moment passe et Jodie revient dans mes pensées avec une telle brutalité que je fonds presque en larmes. Mes jours sont tous ainsi – le souvenir de sa perte ne me laisse aucun répit, tentant de me briser. Ou peut-être qu'il n'essaie plus – peut-être qu'il a réussi.

L'étrange réception qui suit chaque enterrement a lieu. Encore une autre tradition. C'était pareil quand ma mère et ma sœur sont mortes. Mes grands-parents avaient cuisiné des centaines de friands à la viande pour les invités, ouvert des bouteilles de limonade et de jus de raisin, et tout le monde avait avalé la nourriture, ravalé son chagrin, et partagé des souvenirs. Il n'y a quasiment plus une place assise avec toutes les personnes présentes, mais on s'écarte pour Sam et moi, et je lui fais traverser le salon jusqu'à la terrasse ensoleillée. Je lui dis d'aller jouer dans sa cabane mais elle ne veut pas. Elle veut continuer de me tenir la main, et ça me va. De temps à autre au cours de l'après-midi, elle m'a souri comme si elle connaissait un secret que j'ignore. Elle croit que sa mère va revenir.

« Maman est un fantôme », a-t-elle dit quand Jodie se cachait sous les draps le jour où elle est morte.

Un à un les invités prennent congé. On me serre la main, on m'étreint et on m'adresse des condoléances, mais rien de tout ça ne m'aide. Je mettrais n'importe laquelle de ces personnes en terre si ça pouvait faire revenir Jodie.

Au bout du compte, il ne reste plus que des membres de la famille – et aucun n'est de la mienne, à part ma fille. C'est la famille de Jodie, et même si j'aimerais partir et ne jamais les revoir, je ne peux pas. Rien de tout ça n'est de leur faute. Rien de tout ça n'est de ma faute. Je suppose que c'est simplement une de ces choses qui arrivent. Voilà ce qu'est le meurtre ces temps-ci – juste une chose qui se produit. Habituez-vous, faites avec et passez à autre chose.

Sam est finalement dans la cabane que Nat lui a construite il y a deux ans. Nat a été maçon pendant vingt ans, puis gérant d'une quincaillerie au cours des dix dernières années. Je suis assis sur la terrasse, en train d'observer Sam, lorsqu'il sort et me tend une bière. Il s'est débarrassé de sa veste de costume, a retroussé ses manches, et sa cravate est de travers. Il a de gros avant-bras avec de longs poils blancs, et de grosses mains dont il se sert pour arracher la capsule de sa bouteille de bière. Je m'aperçois soudain pour la première fois que même si c'est dur pour moi, c'est peut-être encore plus dur pour lui.

« Sale journée, dit-il, et il s'assied à côté de moi à la table de jardin qu'il a construite.

– Oui.

– Un sacré service. Ils ont fait... un super boulot, ajoute-t-il, s'apercevant peut-être que ses paroles sonnent creux. Tu as remarqué tous les gens à la sortie de l'église qui disaient que c'était réussi ? Je ne sais pas ce qu'ils entendent par là. Enfin si, je crois savoir, et j'ai probablement dit la même chose à d'autres enterrements. Mais ce mot ne convient pas. Tu vois ce que je veux dire ?

– Oui.

– Je suppose qu'il n'y a pas d'alternative, hein ? Enfin quoi, qu'est-ce que les gens pourraient dire d'autre ? Que c'était vraiment un service affreux ? Qu'ils se sont emmerdés ? Qu'ils se sont éclatés ? Je suppose qu'il n'y a rien d'autre à dire.

– Je suppose. »

Il porte la bouteille à ses lèvres et boit une longue gorgée.

« Ils vont attraper ces salauds, reprend-il. Je voudrais qu'ils m'enferment dans une pièce avec eux, l'un après l'autre.. ah ! bon sang ! je n'arrête pas de me dire que je rêve.

– Je sais. »

Sam agite la main dans notre direction, puis elle retourne à son monde, parlant à son ours en peluche, lui racontant peut-être que le service était réussi. *Maman est un fantôme.* Oui, peut-être parle-t-elle aussi à Jodie.

« Tu dois éprouver la même chose, exact ? Si tu pouvais mettre la main sur ces types ? »

J'adorerais. Les mots ne sortent pas, heureusement, et ce ne sont même pas mes mots. Je ne sais pas à qui ils sont.

« Je les tuerais », dis-je.

Je sais que c'est ce qu'il veut entendre et je me demande s'il m'en croit réellement capable. Peut-être espère-t-il que je le suis.

« Ça va être dur de t'occuper d'elle tout seul.

– Je sais.

– Mais tu es un type bien, ajoute-t-il. Tu vas t'en sortir à merveille. Et, eh bien, nous sommes toujours là pour toi. »

Je décapsule ma bière et bois une longue gorgée pour ne pas avoir à parler.

« Je sais que tu as toujours cru que nous ne te portions pas dans notre cœur. Et je sais pourquoi tu crois ça. Et je l'admets, au début, ça m'a inquiété quand Jodie nous a annoncé qu'elle sortait avec toi et expliqué qui était ton père. Merde, ne crois pas une seconde que nous ne savions pas que c'était injuste de penser comme ça, enfin quoi, nous sommes de braves gens, nous n'avons de préjugés contre personne. Qu'importe qui tu es, si tu es bon avec nous, nous t'aimons. C'est vrai pour n'importe qui – bon Dieu, même pour les gays ! Mais, eh bien, tu n'imagines pas ta fille sortant avec quelqu'un dont le père est un tueur en série. Et avant de me juger à cause de...

– Je ne te juge pas. Je comprends. J'ai vécu avec ça toute ma vie.

– Je le sais, fiston, et tu ne le mérites pas. Mais c'est comme ça, et tu vivras la même chose dans dix ans ou plus quand Sam sera en âge d'avoir des petits amis. À vrai dire, je crois que nous aurions eu peur quelle que soit la personne que Jodie aurait ramenée à la maison. Il a fallu se faire à l'idée, au passé de ton père et tout, mais je veux que tu saches que nous sommes fiers de toi, que nous t'aimons, que nous savons combien tu as rendu Jodie heureuse, et que nous avons une petite-fille à laquelle nous tenons plus que tout. Nous n'aurions pas cette adorable fillette si tu n'avais pas rencontré notre Jodie. »

Je bois une autre gorgée de bière, suivant le fil de sa pensée. Je me demande s'il a choisi ses mots exprès et j'espère que non. Il dit qu'ils n'auraient pas Sam sans moi. Mais il dit aussi qu'ils auraient toujours Jodie.

« Je voulais que tu saches combien nous croyons en toi, reprend-il. Et que, eh bien, nous ne te jugeons pas responsable de ce qui s'est passé. Nous savons que tu... que tu es intervenu, que tu as essayé de les empêcher de tuer cette femme.

– Jodie serait toujours en vie si je ne l'avais pas fait. »

Il reste vingt secondes sans répondre. Il se contente de boire sa bière. Il s'essuie la bouche et se tourne vers moi.

« Je sais, dit-il enfin. Ne crois pas que je ne le sais pas. Et quelque part au fond de moi, je t'en veux pour ça. Quelque part, je me dis que si tu l'avais bouclée, alors rien de tout ça n'arriverait.

– Je...

– Laisse-moi finir, me coupe-t-il.

– Mais...

– S'il te plaît, dit-il en levant la main pour m'interrompre. Tu as fait ce qu'il fallait. Moi, dans cette situation, je ne sais pas ce que j'aurais fait. Peut-être rien. J'aurais été lâche et plus que probablement laissé cette femme se faire descendre. Mais toi, tu es intervenu. Tu ne savais pas que tu mettais Jodie en danger – tout ce que tu savais, c'est que tu te mettais, toi, en danger. Oui, tu as fait quelque chose de bien, mais quelque part au fond de moi je te haïrai toujours à cause de ça, Eddie, et je n'y peux rien.

– Je comprends. Quelque part... bon sang, je me déteste absolument d'avoir fait ça !

– Je le sais. Mets les choses en balance, vois qui est responsable, eh merde, Eddie, ce n'était pas de ta faute. C'est de celle des hommes qui sont entrés dans cette banque. Ce sont eux les responsables. Pas toi. Et nous voulons que tu saches combien nous comptons désormais sur toi. C'est ton devoir de t'occuper de cette gamine. Tu dois abandonner tout ce que tu peux pour t'assurer qu'elle grandira convenablement. Et quoi qu'il arrive, nous serons toujours là pour elle. Et pour toi. Souviens-toi de ça, Eddie. Souviens-toi de ça, et tout ira bien. »

Il pose une main sur mon épaule. Elle est chaude et réconfortante. Et l'espace d'une fraction de seconde, je le crois quand il dit que tout ira bien. Je bois une nouvelle gorgée de bière.

C'est dans ton sang.

« De quoi ? dis-je.

– Je dis que ça va aller.

– Non, après ça. Tu as dit quelque chose après ça.

– Non, je suis à peu près certain que non. »

Soudain je suis moi aussi certain qu'il n'a rien dit. *C'est dans ton sang.* C'est la même voix que j'ai entendue plus tôt, celle qui m'a dit que je l'entendrais bientôt, et maintenant je la reconnais. Ça fait presque vingt ans, mais c'est la voix que j'entendais enfant quand le chien du voisin ne voulait pas s'arrêter d'aboyer. Le monstre de mon père – il m'a trouvé deux fois quand j'avais 9 ans, et il m'a trouvé une fois de plus.

12

Il fait nuit lorsque nous arrivons à la maison. La lune est aux trois quarts pleine. Elle projette sur la maison une lueur blanche qui se reflète sur les fenêtres de devant, donnant une impression de grand vide à l'intérieur. Je me gare dans l'allée et n'ai pas le courage de mettre la voiture au garage. Celle de Jodie est toujours en ville, près de son lieu de travail, et elle peut y rester encore quelque temps. Notre nouvelle maison était censée avoir un garage attenant. C'était une chose que nous voulions tous les deux à cause de la brutalité des hivers à Christchurch.

Jodie n'a plus à se soucier de ça, n'est-ce pas...

« Ferme-la.

– Quoi, papa ? demande Sam d'une voix endormie, les yeux à demi clos.

– Rien, ma chérie », dis-je, et je la porte à l'intérieur.

La maison a retrouvé un peu d'ordre au cours des deux derniers jours, principalement parce que j'erre de pièce en pièce, plus ou moins désœuvré. Parfois je passe des heures devant la télé, à regarder les informations ou tout ce qui passe. Ou alors je surfe sur Internet, à la recherche de nouveaux développements de l'affaire. Des gens viennent constamment nous voir, mais Sam n'est guère sociable. Mogo se montre quand il a faim, un point c'est tout. Je fais le ménage sporadiquement, nettoyant parfois la même pièce deux fois de suite. Je joue avec Sam. Nous regardons la télé ensemble. Nous nous asseyons dehors ensemble. C'est dur.

Je porte Sam jusqu'à sa chambre. Je cherche sans cesse à apercevoir ma femme, une ombre, un mouvement quelque part, quelque chose qui m'indiquerait qu'elle est toujours d'une certaine manière avec nous. Je couche Sam – des personnages de Disney sont éparpillés dans le motif de son dessus-de-lit. Elle s'est rendormie. Je lui enfile son pyjama. Elle se réveille un peu mais est trop fatiguée pour m'aider.

J'attrape une bière dans le frigo. Je n'en ai jamais acheté, mais depuis samedi des amis viennent partager leur chagrin avec moi, les femmes apportant du vin, les hommes, de la bière. J'ai tout d'abord cru que j'avais assez à boire pour le restant de mes jours, mais maintenant je n'en suis plus si sûr. Maintenant je pense que j'en ai juste assez pour quelques jours. Je m'installe face à la télé et attends les informations. Le braquage et les enterrements ne font même plus les gros titres. Le journal s'ouvre sur l'histoire d'une femme de 75 ans qui, sur le parking d'un centre commercial, a confondu sa voiture avec celle d'à côté, qui était quasiment identique à la sienne. Le propriétaire, en la voyant enfoncer la clé dans la serrure, s'est précipité vers elle et l'a poussée si violemment qu'elle est tombée, sa tête heurtant le sol, et a été déclarée morte sur les lieux. Il est ensuite question d'un accident de camion qui a permis à quelques douzaines de moutons de s'échapper sur un tronçon tristement célèbre d'une grande route de l'île du Nord. Il n'y a pas eu de morts. Arrivent ensuite les enterrements. Un montage d'extraits vidéo est diffusé sur fond de musique classique lente. On dirait une bande-annonce de film. Les cercueils sont de couleurs et de styles différents, et tout le monde est sur son trente et un. Ma fille est le centre d'attention – on nous voit suivre le cercueil. Une autre fille – trois fois plus âgée que Sam – suit l'autre cercueil. À la fin, un reporter annonce que les hommes n'ont pas été capturés et demande à toute personne disposant d'informations d'appeler un numéro qui apparaît en bas de l'écran.

Je finis ma bière et vais en chercher une autre. J'ouvre le courrier. Il y a deux lettres de la banque. La première est brève :

Cher M. Hunter,
En cette période difficile pour vous et votre famille, la South Pacific Bank souhaite vous présenter ses sincères condoléances.
L'incident tragique qui s'est produit à l'extérieur de la banque a touché la totalité du personnel, et il va sans dire que vous et votre famille êtes présents dans nos pensées et dans nos prières.
Meilleurs sentiments,
Dean Wellington

Je lis deux fois la lettre, examinant les mots qu'a choisis Dean Wellington. Pour lui, le meurtre de ma femme est un simple « incident », et deux paragraphes lui suffisent à me faire part de son horreur. Je me demande s'il a volontairement utilisé les mots « à l'extérieur de la banque », dans l'espoir d'exonérer la banque de sa responsabilité.

La seconde lettre est moins brève. C'est de toute évidence une lettre type avec un petit gribouillis en guise de signature au bas de la page. Elle a été postée en courrier prioritaire à Auckland, ce qui signifie qu'ils ont dû analyser notre demande de prêt dans les heures qui ont suivi la mort de Jodie.

M. Edward Hunter,
Malheureusement, comme vous le savez, le marché immobilier est en ce moment extrêmement instable, ce qui nous oblige à renforcer nos critères d'émission de prêts immobiliers.
Sur la base de ces critères, nous ne sommes pas en mesure d'approuver votre demande pour le moment.

Je continue de lire. La lettre se poursuit sur une page, énumérant les critères auxquels je ne réponds plus. Je finis par survoler les détails et me rends directement à la fin.

Comme le marché est constamment changeant, nous serions heureux de revoir cette décision à une date ultérieure. Dans cette attente, nous espérons pouvoir continuer de vous assister dans tous vos besoins bancaires.
Meilleurs sentiments,
Katie Hughes

Je lis la lettre une seconde fois, finissant ma deuxième bière. La colère brûle en moi, et pourtant je ne suis pas étonné. Katie Hughes a dû se dépêcher de taper cette lettre. Je consulte le cachet sur l'enveloppe et observe que la lettre a été postée samedi. Je me demande si Hughes ou Wellington ont passé l'après-midi de vendredi avec des avocats hors de prix pour voir quelle était leur situation vis-à-vis de l'« incident ». J'ouvre une troisième bière tout en feuilletant l'annuaire téléphonique.

Sans trop savoir pourquoi, je cherche Dean Wellington et note son adresse avant de finir ma bière et de décider qu'il doit être l'heure d'aller me coucher.

13

Je me réveille et tout est normal. Ma femme est en vie. Nous avons acheté la nouvelle maison. Sam est Sam et Mogo fait son Mogo. Puis ces pensées se dissipent, ma chambre devient plus nette, et Jodie n'est pas dans le lit à côté de moi. Je tends la main et son côté est froid, personne n'y a dormi, puis tout me revient brutalement, comme hier matin, comme chaque matin depuis le... bizarrement, le mot qui me vient est *accident*, mais ce n'est pas le bon. Depuis le *quoi*?

L'exécution, dit la voix, et je suis d'accord, même si Dean Wellington parlerait d'*incident*.

Il est déjà 8 heures passées. En temps normal, Sam serait en train de regarder des dessins animés et de mettre le bazar, mais ce matin elle dort toujours. Ces derniers jours...

Depuis l'exécution...

Ces derniers jours, depuis l'exécution, elle se réveille plus tard.

Je m'assieds sur la terrasse et mange des céréales à même le paquet. Le soleil du mardi matin s'élève lentement dans le ciel. Il y a une camionnette et une grue à nacelle un peu plus loin dans la rue, des moteurs et des tronçonneuses font un vacarme d'enfer tandis que des hommes élaguent le haut des arbres pour protéger les câbles électriques. Je suis légèrement dans les vapes et j'ai la bouche pâteuse, comme si j'avais passé la nuit à lécher la moquette. Les céréales sont sèches et restent collées à mon palais. Je pense au travail et au dossier sur lequel je suis censé travailler, et je me demande si le fait que je ne vais pas y aller aujourd'hui et que je n'en ai plus rien à foutre signifie que je n'ai plus de boulot. Je me demande quel genre de lettre Dean Wellington m'enverrait s'il apprenait que je n'ai plus de salaire.

Le téléphone se met à sonner et je vais à l'intérieur pour décrocher avant qu'il ne réveille Sam.

«Jack?»

C'est une voix familière, comme quand on allume la radio et qu'on tombe sur une chanson qu'on n'a pas entendue depuis vingt ans mais qu'on connaît par cœur. Notre esprit se brouille et on se retrouve à l'époque où on l'a entendue pour la dernière fois. Que le souvenir soit bon ou mauvais, on retourne dans le passé, et tout est là, les odeurs, les sons, l'ambiance.

«Qui est-ce?»

Et tout en posant cette question je revois les menottes, les flics, le sourire sur son visage quand il m'a regardé depuis l'arrière de la voiture de police. Je me souviens du chien, du poids du morceau de viande dans le sac en plastique. Je sens la lumière froide du soleil, mon uniforme d'écolier, ma mère qui me tient la main, et moi qui tiens celle de Belinda. Je me souviens des voisins sortant des maisons, des femmes stupéfaites qui se couvrent la bouche de la main, des hommes qui secouent la tête, de la longue file de voitures de police, des douzaines de flics débarquant en force comme pour arrêter une petite armée. Je me souviens des camionnettes des médias, des photographes.

«Jack, c'est moi. C'est ton père.»

Je ne dis rien. La cuisine disparaît, le monde disparaît, tout s'efface à mesure que je revois la porte de la maison de mon enfance, les policiers, le dégoût sur leur visage. Bien sûr, cette maison n'existe plus. Environ trois mois après la mort de ma mère, quand je vivais avec Belinda chez mes grands-parents, quelqu'un y a mis le feu. Le coupable n'a jamais été arrêté. J'ai toujours cru que c'était Belinda, mais ça aurait tout aussi bien pu être n'importe qui. Mon père avait fait souffrir beaucoup de monde.

«Je t'appelle pour...

– Je me fous de savoir pourquoi tu appelles. »

Je serre le téléphone plus fort mais, pour une raison ou pour une autre, pour une putain de raison à la con, je ne raccroche pas.

«J'appelle pour te dire que je suis désolé. »

Je laisse sa phrase en suspens et il attend patiemment. Je suppose que mon père a l'habitude d'être patient.

«Tu as eu vingt ans pour t'excuser, dis-je enfin. Quoi qu'il en soit, tu t'adresses à la mauvaise personne, et tu as choisi le mauvais moment pour le faire.

– Non... pas pour le passé, Jack. Je t'appelle pour te dire que je suis désolé pour ce qui est arrivé à Jodie. J'aurais voulu que les choses se passent différemment. Pour elle. Pour toi. Pour tout le monde.

– Comment es-tu au courant pour Jodie? Comment peux-tu savoir la moindre chose sur moi ou sur Jodie?

– On ne m'a pas enfermé sur la lune, Jack.

– Ne m'appelle pas comme ça.

– Quoi?

– Jack. Ne m'appelle pas Jack.

– Oh! Comment suis-je censé t'appeler?

– Ne m'appelle rien. Qu'est-ce que tu veux? Tu appelles pour me dire que tu sais ce que ça fait de perdre quelqu'un? Comme tu as perdu maman et Belinda?

– Je sais que tu m'en veux.

– Non. Comment pourrais-je t'en vouloir? Tu as vraiment été là pour moi, un véritable modèle.

– Jack.

– Qu'est-ce que tu veux, papa? »

Je me sens aussitôt nauséeux en constatant que le mot *papa* m'est sorti naturellement de la bouche. J'ai de nouveau 9 ans. La photo qui a annoncé au monde que j'étais le fils d'un tueur en série me revient à l'esprit. Le souvenir devient noir et blanc, comme la photo. Je m'accroche à mon père, la police l'emmène et ma mère tente de nous séparer, des larmes noires et blanches coulent sur mon visage noir et blanc. Les policiers avaient un comportement distant. Ils ne voulaient ni me toucher ni me repousser, comme s'ils craignaient d'être contaminés par moi, comme si le gène du tueur dont ils étaient persuadés que j'avais hérité risquait de leur sauter dessus et de s'enfoncer sous leur peau. Il leur donnerait de mauvaises idées et les pousserait à se coller un flingue dans la bouche à la fin d'une longue journée harassante. Alors, ils nous regardaient, ma mère, ma sœur et moi, avec une haine flagrante, absolument certains que nous étions complices, que mon père avait ramené les prostituées à la maison pour s'amuser et que nous les avions tour à tour violées, massacrées dans un bon vieux bain de sang, le fils et la fille commettant les péchés de la mère et du père.

«Je veux te voir», déclare mon père, interrompant le souvenir.

J'ai soudain la chair de poule, non pas à cause de sa requête, mais parce que je suis absolument certain que oui, je vais aller le voir.

« Je ne peux pas.

– Si, tu peux.

– Je suis occupé.

– C'est important.

– Être un père est important. Ne pas tuer onze femmes est important. Que tu restes enfermé est important.

– Je suis toujours ton père. Tu peux le nier autant que tu veux, mais...

– Je le nie, en effet.

– Je suis désolé que les choses aient tourné ainsi.

– Tu parles comme si tu avais eu un plan différent. Combien d'autres femmes seraient mortes, papa? Encore une douzaine?

– Nous en parlerons quand tu seras ici.

– Va en enfer, dis-je.

– J'y suis déjà, réplique-t-il. S'il te plaît, fils, il est important que je te voie. »

Sur ce, il raccroche, et son arrogance me met hors de moi alors que je me retrouve planté là, téléphone à la main. La perspective de le voir m'effraie, mais il y a pourtant aussi de la curiosité et, peut-être, un soupçon d'excitation.

« C'était qui au téléphone, papa ? » demande Sam.

Je ne savais même pas qu'elle était dans la cuisine. Je me tourne vers elle. Elle est toujours en pyjama, avec son ours en peluche calé sous le bras, et je m'aperçois pour la première fois qu'elle l'a à peine posé depuis la mort de sa mère. L'ours s'appelle M. Fluff 'n' Stuff, je le lui ai acheté pour son premier anniversaire. Il a bien servi depuis cinq ans et demi, il commence à tomber en morceaux et est à moitié crasseux, et si on lui demandait son avis, l'ours dirait probablement qu'il est prêt à prendre sa retraite.

« C'était personne, dis-je.

– Tu l'as appelé "papa".

– Tu as dû entendre de travers. »

C'est un petit mensonge, mais il fait aussi mal qu'un gros.

« Non. Je t'ai entendu.

– Je suis désolé, chérie, tu as raison. J'ai bien dit "papa".

– Est-ce que je vais vivre avec eux ?

– Quoi ?

– Papa-Nat et grand-mère. »

Elle prononce *grammaire* au lieu de *grand-mère*, et croit manifestement que c'est à Nat que je parlais.

« Pourquoi poses-tu cette question ?

– Je ne sais pas. Maman est partie et je me disais que tu voudrais peut-être une nouvelle famille maintenant.

– Est-ce que quelqu'un t'a dit ça ? »

Je suis aussitôt...

Fais-les souffrir !

... furieux que mes beaux-parents lui mettent de telles idées en tête. Je conserve néanmoins une voix douce, calme, gentille, une voix chantante, comme quand le chat est assis sur le seuil de la porte et que j'essaie de le convaincre d'entrer.

«Non, personne ne me l'a dit. Mais à la télé, c'est ce qui arrive parfois. C'est pour ça que maman est partie? Parce qu'elle ne voulait plus être avec moi?

– Bien sûr que non, ma puce.» Je m'accroupis devant elle. «Maman t'aime beaucoup, je sais que...

– Tu sens comme le professeur de dessin, dit-elle, m'interrompant.

– Hein?

– Après le déjeuner, parfois, quand nous avons dessin. Il utilise le même après-rasage.»

Je souris. Plus de bière pour papa.

«Serre papa dans tes bras, puis va prendre ton petit déjeuner. Je vais te déposer pour un moment chez Papa-Nat et grand-mère. Je dois voir quelqu'un, mais je te promets que je n'en ai pas pour longtemps. Je t'aime, ma chérie.

– Je ne veux pas de céréales.

– Alors, tu peux manger ce que tu veux», dis-je, et j'aurais mieux fait de me taire, car une demi-heure plus tard nous sommes dans un McDonald's, il fait de plus en plus chaud, et je n'arrête pas de penser à mon père et de me demander ce qu'il a à me dire.

14

Les médias appelaient mon père Jack the Hunter – Jack le Chasseur. Ils s'en donnaient à cœur joie et semblaient vraiment excités par la symétrie que ça suggérait. Il était un Jack l'Éventreur des temps modernes avec un nom presque parfait, le meilleur nom en fait, à moins bien entendu que le tueur de la fin du XIXᵉ siècle ne se soit réellement appelé Jack the Ripper[1].

Avant qu'il se fasse attraper, il n'y avait pas de nom pour lui. Personne ne s'intéressait vraiment aux meurtres. Une prostituée disparaissait et tout le monde s'en foutait. Une autre disparaissait trois ou quatre ans plus tard, et personne ne faisait le lien. Puis quelques-unes ont été retrouvées. Et quelqu'un, quelque part, a fini par s'apercevoir que des prostituées avaient, sur une période de vingt-cinq ans, connu des morts atroces et similaires. Les médias en avaient informé le pays, mais ils n'avaient pas de nom accrocheur. Ils l'appelaient le Tueur de prostituées, et les articles étaient courts et faciles à manquer. Puis il y avait eu l'arrestation, les victimes avaient été dénombrées, le lien avec un personnage historique qui avait vécu à l'autre bout du monde avait été établi, et mon père était devenu le pire genre de célébrité qu'on puisse imaginer.

Je ne suis jamais allé voir mon père en prison. Nous partageons le même ADN, mais ça s'arrête là. J'ai passé neuf ans de ma vie à être Jack junior avant de finalement me faire appeler

---

1. En anglais, Jack l'Éventreur se dit Jack the Ripper. *(N.d.T.)*

par mon deuxième prénom. Parfois, quand j'avais des ennuis à la maison, ma mère m'appelait Jack-son, le «fils de Jack». J'étais alors le fils et la responsabilité de mon père, comme quand j'avais de mauvais résultats à l'école ou quand je coupais les cheveux de la poupée préférée de ma sœur. De son côté, Belinda m'appelait Jacky avant que notre vie change, et elle me disait sans cesse que je ressemblais à une fille.

Mon dernier souvenir de mon père, c'est ce sourire timide et humble qu'il m'a adressé depuis l'arrière d'une voiture de police, la tête tournée vers nous, pas une once de honte sur son visage, presque une expression de soulagement dans un sens, comme s'il n'avait plus à dissimuler sa véritable personnalité.

Je l'ai revu à quelques reprises après ça, mais uniquement à la télé et dans les journaux. Personne ne l'a pris en photo depuis environ dix-huit ans, depuis le jour où il a été mitraillé par les photographes alors qu'on le menait depuis l'arrière du fourgon jusqu'aux marches du tribunal. Je savais uniquement qu'il était toujours vivant parce que personne ne m'avait jamais téléphoné pour m'informer du contraire.

Je ne sais pas s'il faut prévenir à l'avance ou simplement y aller, mais, après avoir déposé Sam chez ses grands-parents, j'appelle les renseignements depuis mon téléphone portable pour obtenir le numéro de la prison. Une minute plus tard, je suis en ligne avec le service des visites. Je leur demande le chemin et compare leurs indications à un plan qui doit être vieux de dix ans mais fait toujours l'affaire.

Le trajet prend une demi-heure depuis la maison de mes beaux-parents. J'emprunte un raccourci derrière l'aéroport, où les routes sont plus étroites, mais la limite de vitesse, plus élevée. Des voitures sont garées sur le bas-côté, leurs pare-brise tournés vers les pistes de l'autre côté du grillage, des gens à l'intérieur regardant pendant des heures les avions aller et venir. Je longe une grande route qui traverse des champs, bordée de sapins et de fleurs sauvages. Le marquage routier s'est effacé sous l'effet du soleil et de la circulation constante. Des boîtes aux lettres se tiennent au garde-à-vous environ tous les kilomètres, là où des sentiers de gravier s'éloignent de la route en serpentant entre les champs d'ajoncs jusqu'à de vastes fermes ouvertes au soleil.

La prison se dresse à l'abri des regards derrière un champ planté d'arbres, bien à l'écart des maisons que les fugitifs pourraient être tentés de visiter après s'être fait la belle. Le complexe est constitué de plusieurs bâtiments et ailes, tous construits en parpaing et reliés les uns aux autres par d'autres murs de parpaings. L'endroit a des airs de bâtiment industriel, comme si au lieu de condamnés il abritait des hommes occupés à souder de l'acier pour fabriquer les machines qui font vivre cette ville. Rien que du béton et de l'acier à perte de vue, et des barbelés aussi – tout un tas de grillages aussi aiguisés que des lames de rasoir qui ceignent le tout. Deux miradors dans les coins, des hommes sans armes à l'intérieur scrutant les lieux, prêts à déclencher l'alarme au premier signe de désordre. Derrière tout ça, les grands squelettes de grues à l'œuvre, de la poussière projetée dans les airs par les lourdes machines, le bruit des bulldozers et des bétonnières qui se propage à des kilomètres à la ronde. Un échafaudage est érigé à l'extrémité d'une longue aile, et des ouvriers travaillent à son extension, des types baraqués couverts de graisse et de sueur qui vivent peut-être à l'intérieur des murs qu'ils construisent.

L'entrée des visiteurs est bien plus moderne, on se croirait dans un hôtel trois étoiles. Les grandes portes vitrées pourraient tout aussi bien donner sur un hall élégamment meublé. La prison dans son ensemble semble avoir subi de nombreuses rénovations récentes, et je me demande pourquoi. Je ne sais pas à quoi elle ressemblait avant, mais les dernières années ont vu de nombreux ajouts et améliorations, histoire de rendre plus agréable le séjour des criminels que produit la ville. De grands espaces ouverts ont été dégagés pour accueillir de nouveaux bâtiments, de nouvelles cellules, de nouveaux détenus, et les zones les plus proches sont déjà en phase de construction. Des éditoriaux sont récemment parus dans la presse pour suggérer qu'on construise directement une enceinte de béton autour de Christchurch, histoire de gagner du temps ; certains, inspirés par la Bible, estiment même que l'on devrait remplir cette enceinte d'eau. J'ignorais alors que ça allait si mal à Christchurch – mais maintenant, je sais que c'est encore pire.

Un jardin aménagé aux pelouses luxuriantes mène aux portes vitrées. Je ne sais pas quelle image ils essaient de faire passer ici, mais on se croirait devant le siège d'une société. Les portes s'ouvrent et l'intérieur est climatisé, ce qui est un soulagement, car sur le parking, avec l'asphalte, la température devait dépasser les 40 degrés. Une femme m'observe depuis un guichet d'accueil, séparée de moi par une vitre en plexiglas. Il y a aussi deux autres hommes avec elle derrière la vitre. Trois caméras de surveillance disséminées à travers la pièce me scrutent sous divers angles.

« Je peux vous aider, monsieur ? »

C'est comme une banque ici, de grandes plantes en pot, des chaises partout, le guichet avec une femme souriante. Mais si six hommes armés faisaient irruption dans cette pièce, je ne crois pas qu'ils iraient loin. Pour la centième fois de la journée, je me demande où sont ces hommes, et je sais qu'ils sont aussi loin de cette prison qu'il est possible de l'être.

« Monsieur ? »

Si l'entrée des visiteurs est accueillante, la femme derrière le guichet ne l'est pas. Elle a une quarantaine d'années, le genre de regard d'acier qui foutrait la trouille à la moitié des détenus et les remettrait dans le droit chemin.

« Heu, oui, je suis ici pour voir quelqu'un.

– Nom ?

– Le mien ou le sien ?

– Les deux.

– Heu, je suis Jack Hunter », dis-je. Je déteste entendre ce nom, mais je le prononce car c'est celui que mon père leur aura communiqué. « Mon père est...

– Jack le Chasseur, coupe-t-elle, et elle a un mouvement de recul, un mouvement infime, mais suffisamment net pour que je le remarque. Attendez un instant, dit-elle avant d'appeler un gardien par l'interphone. Asseyez-vous. »

Je vais m'asseoir, au cas où elle déciderait de se lever et de me balancer de force sur une chaise.

Deux minutes s'écoulent avant que le gardien n'apparaisse. Il est plus âgé que moi et beaucoup plus costaud, et il a l'air d'attendre que je dise quelque chose de déplacé pour pouvoir m'en coller une.

« Par ici », fait-il. Je lui emboîte le pas. « Pas de contact physique. Pas de cris. Pas d'échange d'objets. C'est à peu près tout ce que vous avez besoin de savoir, mais si vous enfreignez une seule de ces règles, on vous fout dehors. Vous me comprenez ?

– Pas de contact physique, pas de cris, pas d'échange d'objets. Je comprends », dis-je, tout en me demandant si les règles sont les mêmes pour tout le monde.

La prison ressemble de moins en moins à un siège d'entreprise. Nous longeons un couloir aux murs de béton en direction d'une porte métallique, passant en chemin devant un bureau plein d'écrans vidéo qui diffusent des images de la prison. Quelques gardiens s'y trouvent, et l'un d'eux sort du bureau et me palpe avant de passer un détecteur de métaux le long de mon corps. Le détecteur émet quelques bips, et je dois laisser mes clés et mon portefeuille sur un plateau. Le premier gardien m'entraîne jusqu'à une autre porte. L'ouverture est déclenchée, et nous nous retrouvons dans un autre couloir. Nouvelle porte de métal. Nouveau bruit de verrou électronique. Le gardien ouvre la porte et fait un pas en arrière.

« C'est ici », dit-il, et il me suit à l'intérieur.

Je m'attendais à trouver une rangée de téléphones séparés par une épaisse vitre en plexiglas couverte de traces de doigts et sillonnée d'éraflures. Ou alors une salle d'interrogatoire avec mon père menotté et attaché à une chaise. Mais à la place, je pénètre dans une grande pièce abritant une douzaine de tables. De nombreux prisonniers en survêtement orange discutent avec leur famille. J'en reconnais un, un homme qui a beaucoup en commun avec mon père. J'ai vu sa photo étalée dans les journaux, à la télé. Il est assis face à un couple d'environ 65 ans – peut-être ses parents, car la femme lui ressemble, en plus âgée. Cet homme est le Boucher de Christchurch, et les médias, plus prompts cette fois à le relier aux meurtres, l'ont décrit comme le tueur en série le plus tristement célèbre de Christchurch – bien qu'il ait toujours affirmé son innocence. Le Boucher lève les yeux vers moi. Une balafre lui fend le côté du visage et sa paupière toute tordue ne semble pas à la taille de son œil. Il sourit et sa paupière amochée s'affaisse.

Une porte s'ouvre à l'autre bout de la pièce, et mon père la franchit, talonné par un gardien. L'espace d'une seconde, je retombe dans le passé et revois son sourire, puis je remonte encore plus loin et le vois jouer au ballon avec moi, me serrer dans ses bras le soir, poser un pansement sur mon genou ou m'ôtant une écharde, et en ce temps-là mon père était le meilleur père au monde. Quand j'avais 8 ans, je lui ai même acheté une tasse qui disait précisément ça, qu'il était le meilleur père du monde. La tasse mentait. Et mes souvenirs mentent aussi. Il marche vers moi, mais, avant qu'il puisse tendre la main, le gardien qui le suit nous rappelle que nous ne sommes pas autorisés à nous toucher – ce qui me convient parfaitement.

«Bonjour, fils», dit-il, et je me demande s'il a préparé ses premières paroles. Je ne réponds rien. Je ne sais pas quoi répondre. «Je n'en reviens pas que tu aies autant grandi, ajoute-t-il en s'asseyant tandis que je reste debout.

– Tu croyais que j'étais toujours un gamin?

– Non. Pas du tout. Assieds-toi, Jack.

– Je m'appelle Edward maintenant.

– Pas pour moi. »

La chose qui me frappe le plus, c'est qu'il a considérablement changé, tout en restant exactement le même. Il doit avoir au moins 65 ans, mais je n'en suis pas sûr. Il pourrait avoir près de 70 ans. Il paraît 70 ans. Il était imposant quand j'étais gamin – peut-être faut-il être imposant pour être un assassin. Il était plus costaud. Mais en prison, il a perdu du poids, et, comme mes souvenirs sont anciens, j'ai l'impression que l'homme assis face à moi n'est pas celui qui m'a élevé pendant le premier tiers de ma vie. Son séjour ici lui a non seulement fait perdre du poids, mais aussi ses cheveux. Le sommet de son crâne chauve est bordé par une couronne de cheveux gris, assortis de favoris qui ne semblent pas aller avec. Il n'a pas cessé de sourire depuis l'instant où il m'a vu, ses lèvres retroussées dévoilant des dents légèrement tordues qui ne l'étaient pas dans mon souvenir. Sa mâchoire est couverte d'une barbe de trois jours, ses sourcils sont désormais fournis, des poils lui jaillissent des oreilles et du nez. Mais ses yeux, ses yeux sont toujours les mêmes. Chaleureux, amicaux, des yeux bleus souriants qui me regardent avec tendresse, et ses pattes-d'oie, ses pattes-d'oie qui apparaissent quand il sourit, sont toujours les mêmes. Mon père pourrait avoir 110 ans, et on le reconnaîtrait toujours grâce à ses yeux. Est-ce ce à quoi je finirai par ressembler ? Est-ce le visage que j'aurai un jour ?

« Ça fait un bail », dis-je finalement.

Je m'assieds, le gardien recule de quelques pas et fait semblant de ne pas écouter tandis que celui qui a accompagné mon père s'éloigne à l'autre bout de la pièce.

« Ce n'est pas moi qui vais dire le contraire, répond mon père. Ça va faire vingt et un ans l'hiver prochain. C'est sûr que ça fait longtemps. »

De fait, c'est la plus grande peine que quiconque ait purgée dans cette prison. Pour un meurtre ordinaire, vous prenez dix à douze ans avec une libération anticipée. Moins si vous trouvez Jésus. Mais mon père a buté trop de femmes pour ne pas payer pour ses crimes, alors les rouages de la justice lui ont taillé une peine sur mesure, et il est devenu le premier prisonnier à prendre «perpète» pour qui «perpète» signifie en effet qu'il ne remettra jamais les pieds hors de ces murs.

«J'ai une petite-fille, dit-il. Tu as apporté une photo?

– Non.»

En fait, j'en ai une dans mon portefeuille. Mais je ne veux pas qu'il la voie. Je ne veux pas que cet homme fasse partie de sa vie, et j'espère que, le jour où elle apprendra qui il a été, il sera mort.

Nous nous regardons fixement et je n'ajoute rien. Je sais à peine quoi dire. J'ai toujours cru que je saurais. Je croyais que je lui hurlerais dessus, mais je découvre soudain que revoir son père après tout ce temps n'est pas anodin. Peut-être n'ai-je en fait pas cessé de l'aimer à l'époque.

«Je suis désolé que les choses se soient passées ainsi, dit-il, et il écarte les mains à la façon d'un magicien, comme s'il estimait que ses paroles auront plus de poids s'il prouve qu'il ne cache rien dans ses manches. Pour ta mère. Et surtout pour Belinda. J'aimais cette enfant. Ce qui lui est arrivé a failli me tuer.

– Tu parles d'elle comme si c'était une simple connaissance. C'était ta fille. Ma sœur. Et tu assassinais les filles d'autres parents qui faisaient la même chose qu'elle.

– Vrai. Très vrai. Mais je pleure toujours la nuit. Je pleure pour la petite fille que j'ai perdue. Je pleure pour la femme qu'elle n'a jamais eu la chance de devenir.

– Tu n'as jamais su qui elle était devenue. Elle a tout abandonné pour moi. Elle a fait ton boulot et celui de maman, et à la fin ça l'a tuée. Elle est morte à cause de toi. Maman est morte à cause de toi.

– Je sais.

– Tu sais ? C'est tout ? Quand tu pleures, est-ce de remords ou de culpabilité ?

– Les deux, répond-il. Toujours les deux.

– J'en doute. Je crois que tu pleures parce que tu t'es fait prendre. Qu'est-ce que tu veux ?

– Je voulais te voir. J'ai toujours voulu savoir comment tu étais. J'essaie constamment d'avoir de tes nouvelles, mais c'est difficile. Sans Jodie, je n'aurais jamais su que tu étais...

– Quoi ?

– Marié, achève-t-il.

– Qu'est-ce que tu as à voir avec Jodie ?

– Elle m'a dit qu'elle ne t'en parlerait jamais, mais elle est venue me voir. Deux fois.

– Ne me mens pas, papa. Si tu commences à mentir, je me tire.

– C'était il y a huit ans – l'année qui a précédé ton mariage. Pour être honnête, je trouve que 22 ans, c'est bien jeune pour se marier, mais elle n'est pas venue me voir pour que je lui donne des conseils matrimoniaux.

– Et moi non plus, je n'ai pas besoin de tes conseils. » *Surtout pas maintenant*, pensé-je, l'estomac noué. « Pourquoi est-elle venue te voir ?

– La première fois, c'était pour me rencontrer. Pour voir comment j'étais, peut-être pour voir comment tu aurais tourné si tu n'avais pas rencontré quelqu'un comme elle pour te rendre heureux.

– Qu'est-ce que c'est censé vouloir dire ? Que maman ne te rendait pas heureux ? À t'écouter, on dirait que c'est à cause d'elle que tu as tué toutes ces femmes, que si elle avait été une meilleure épouse alors...

– Ce n'est pas du tout ce que je veux dire, m'interrompt-il en levant la main.

– Alors, quoi ?

– J'ai mal choisi mes mots. Fils, je n'ai jamais voulu tout ça.

– Ah non ? Merci, papa. Je suis ravi de l'entendre. J'aimerais pouvoir te remercier de ta gentillesse. Peut-être que si tu sors, on pourra traîner ensemble, aller au bowling.

– La deuxième fois... reprend-il, ignorant mes sarcasmes, ... elle était enceinte. »

Mon estomac se serre. Je déteste l'idée de Jodie assise ici, face à mon père, lui exposant ses craintes les plus intimes, lui disant qu'elle a peur que sa perversion ne se répande au reste de la famille. Je déteste savoir qu'elle a exposé Sam à cet individu malfaisant. Je lui en veux aussitôt. Je lui en veux d'être venue ici, je lui en veux d'être morte.

« C'était une gamine vraiment gentille, et je ne lui en ai pas voulu qu'elle me déteste. Je ne me fais pas d'illusions, je n'ai pas d'amis sur terre, et je n'ai rien fait pour en mériter, et tout ce qu'elle avait à me dire, je l'avais déjà entendu.

– Où veux-tu en venir, papa ?

– Papa. J'aime le son de ce mot.

– Continue de l'aimer pendant les deux minutes à venir. Car tu ne l'entendras plus jamais.

– Je veux voir ma petite-fille.

– Hors de question. Pourquoi Jodie est-elle venue la deuxième fois ?

– J'ai le droit de la voir. Nous avons le même sang.

– Non. Elle ne te ressemble en rien et elle n'est rien pour toi. Pourquoi Jodie est-elle revenue ?

– Elle est venue me dire que tu étais un homme bon et que je ne méritais pas de t'avoir comme fils. Elle m'a dit que j'allais être grand-père mais que je ne verrais jamais mes petits-enfants. Elle m'a dit que j'avais gâché beaucoup de vies, mais pas la tienne. Elle a dit qu'elle était en train de réparer les dégâts que j'avais causés en toi. Elle voulait que je sache que tu étais un homme bon, et que tu serais un père parfait. Voilà le cadeau qu'elle m'a fait, Jack. Tu as eu de la chance de la rencontrer, et tu as eu raison de lui passer la bague au doigt quand tu l'as fait. »

Il se penche en avant. « Mais tu es différent. Tu es mon fils, et ça, elle l'a senti.

– Ferme-la.

– Je suis vraiment désolé pour ce qui lui est arrivé, fils. Un gâchis, un terrible gâchis. J'ai une idée de ce que tu vis, et c'est dur, fils, c'est vraiment dur, et même si ça sonne creux, les gens disent la vérité quand ils disent que le temps aide. Il ne guérit rien, mais il aide. Tu vas continuer d'avancer et tu as Sam, et si elle est un tant soit peu comme Jodie, alors tu as une magnifique petite fille dont tu vas devoir t'occuper.

– Je sais, je sais, dis-je. Si elle n'était pas là… »

Je laisse ma phrase en suspens, et, pendant quelques secondes, ni l'un ni l'autre ne brisons le silence, jusqu'à ce que mon père se penche en avant et me regarde droit dans les yeux.

« L'as-tu déjà entendue ? demande-t-il.

– De quoi tu parles ? »

Je me penche en arrière. Mon père fait de même, puis il croise les jambes et se met à tapoter des doigts sur son genou.

« Quand tu étais petit, j'avais l'habitude de vous emmener au parc, Belinda et toi. Tu t'en souviens ? Il y avait un fort sur lequel vous jouiez tout le temps. Dessus, il y avait un pneu suspendu à des chaînes qui faisait office de balançoire. Il y avait un poteau le long duquel vous pouviez vous laisser glisser. Il y avait de l'écorce par terre, des barreaux auxquels vous pouviez grimper, et des cordes et des chaînes auxquelles vous pouviez vous balancer.

– Où tu veux en venir ?

– Il y avait aussi un tourniquet. Vous tourniez si vite sur ce machin que, quand vous vous arrêtiez, vous ne teniez plus debout, vous étiez complètement étourdis, et vous vous accrochiez au sol comme s'il bougeait pour essayer de garder l'équilibre.

– Qu'est-ce que tu me fais ? Une petite confidence de père à fils comme tu en as vu à la télé ?

– Un jour, quand tu avais 10 ans, poursuit-il, il y avait un homme qui promenait son chien. Le chien s'est libéré de sa laisse et il a couru jusqu'au fort où Belinda et toi jouiez sur le tourniquet. Tu t'es figé et tu as décampé, et le chien, il était tout excité et il essayait de renifler Belinda. Elle a pris peur et est partie en courant.

– Je ne m'en souviens pas.

– Il lui a couru après en essayant de la mordre, et, elle, elle continuait de courir sans quitter le chien des yeux, et elle a perdu l'équilibre. Elle a percuté un arbre et perdu connaissance. Elle avait le front tout éraflé. Tu te souviens de ce que tu as dit pendant que nous la portions vers la voiture ?

– Pas vraiment. »

Mon père se penche en avant et dit, d'une voix plus basse :

« Tu as dit que tu le tuerais.

– Non, je n'ai pas dit ça.

– Six mois plus tard, le chien qui aboyait tout le temps à côté de chez nous, tu te souviens de ce chien ?...

– Pas vraiment.

– C'était le même chien que dans le parc. Ce gros chien noir qui gueulait tout le temps. Il a été tué.

– Je ne m'en souviens pas.

– C'est rare d'être en colère aussi longtemps après un animal, ajoute mon père.

– Qu'est-ce que tu racontes ?

– Tu crois que je n'ai pas remarqué que le steak avait disparu ? demande-t-il d'une voix encore plus basse, et je m'aperçois soudain que je suis penché vers lui. J'ai dit à ta mère que c'est moi qui l'avais pris. Elle n'a jamais su que c'était toi qui avais tué ce chien. Mais moi, si. C'est la première fois que tu l'as entendue ?

– Tu délires.

– Je pense que c'était probablement la première fois. Tu l'avais peut-être entendue plus tôt, mais tu ne savais pas ce que c'était.

Il a dû te falloir du temps pour trouver le courage. La première fois que je l'ai entendue, j'avais le même âge, ajoute-t-il. Cette voix qui n'était pas moi, ces pensées qui n'étaient pas les miennes. Elles me disaient de faire des choses que je ne voulais pas faire. J'ai refusé – au début. Et puis je lui ai obéi, espérant que la voix se tairait. Mais bientôt la voix a été comme la mienne, et au bout du compte je n'arrivais même plus à faire la différence.

– Tu es malade, dis-je.

– Je sais. C'est ce que j'ai dit il y a vingt ans. Bon sang! je ne suis pas atteint au point de ne pas savoir qu'entendre une voix, ce n'est pas normal. Mais normal ou non, je l'ai entendue. Je ne t'en veux pas de ne jamais être venu m'en parler, mais...

– Je n'aurais jamais dû venir ici.

– Quand tu as tué ce chien, c'était parce que toi aussi tu entendais une voix.

– Je n'ai jamais tué de chien.

– Qu'est-ce qui s'est passé après? demande-t-il. Tu as continué d'entendre la voix, ou elle a disparu? Est-ce que tu lui as obéi pendant toutes ces années? Est-ce qu'il y a des tombes qui attendent d'être découvertes?

– Je ne te ressemble en rien. »

Je commence à me lever. Il tend le bras et m'attrape, et, avant que le gardien ait pu dire quoi que ce soit, il me lâche. Je me rassieds.

« La Noirceur. Voilà comment j'ai appelé la voix, dit-il. Je sais que tu l'écoutes, mais tu dois aussi la contrôler. Si tu n'y arrives pas, elle t'emmènera en des endroits pour lesquels tu n'es pas prêt. Elle se moque que tu te fasses attraper – elle a juste soif de sang. Tu dois contenir cette voix, parvenir à un accord avec elle, et, si tu l'entends en ce moment, ce dont je suis sûr, alors tu dois trouver le moyen de la faire taire avant qu'elle ne prenne le dessus.

– Je n'ai pas de noirceur en moi.

– Elle ne s'en va jamais, reprend-il. La nuit, je l'entends murmurer, mais je n'ai aucun moyen d'épancher sa violence ici. Elle s'est estompée au fil des années, certes, mais elle est toujours là, inutile de le nier.

– Pourquoi me racontes-tu cela ?

– Pour te protéger de ce qui m'est arrivé. S'il te plaît, fils, laisse-moi t'aider.

– Je l'appelle "le monstre" », dis-je, les mots sortant de ma bouche avant que j'aie pu les retenir.

Mon père acquiesce lentement, et, pendant un horrible moment, j'ai l'impression qu'il va sourire et dire quelque chose de répugnant, quelque chose comme *Tel père, tel fils*, mais il n'en fait rien. La chaleur quitte ses yeux et il cesse d'acquiescer.

« C'est dommage, fils. Vraiment.

– Je n'ai jamais su comment l'appeler autrement. Je me disais que tu avais un monstre en toi, et que, quand tu es allé en prison, il était venu vivre avec moi. En moi.

– Ce n'est pas mon monstre, objecte-t-il. Tu l'as prouvé en tuant le chien avant que j'aille en prison. Tu as ta propre noirceur. J'aimerais pouvoir t'aider plus, et je le ferais, si j'étais dehors avec toi. Fils, la rumeur court ici que les flics n'ont aucune idée de qui a tué Jodie. »

Je le regarde d'un air ébahi.

« Elle ne m'aimait pas trop, mais j'ai bien vu que c'était quelqu'un de bien. Une bonne épouse, je parie, et certainement une mère fantastique, et je lui suis redevable pour ce qu'elle a fait pour toi. Ce qui lui est arrivé... c'est moche. C'est vraiment moche. Pourtant, si tu veux mon avis, le fait que les flics n'aient attrapé personne, c'est une bonne chose.

– Quoi ?

– C'est une bonne chose, fils. Réfléchis-y.

– Qu'est-ce que tu me chantes ? Comment peux-tu dire ça ? Tu es qui pour dire ça ? Tu es qui ? »

Mon père se penche en avant puis se lève lentement en s'appuyant sur la table. Les deux gardiens approchent.

« Ça m'a fait plaisir de te parler, fils. »

Il commence à s'éloigner.

« Va te faire foutre !

– Pas de cris ! » lance le gardien.

Celui-ci pose sur mon épaule une main que je repousse. Le Boucher de Christchurch regarde dans notre direction.

Mon père se retourne.

« Rentre chez toi et réfléchis à ce qui est arrivé à ta femme, dit-il. Et écoute les conseils de ton paternel...

– Laisse tomber.

– Il n'y a pas de mal à écouter la voix », ajoute-t-il, puis il disparaît par la porte.

15

Le Type aux ventouses avait un nom, et le Type aux ventouses avait été assassiné. Il s'appelait Arnold Langham, mais ses amis l'appelaient Arnie. Il était marié, père de famille, et ses quarante-deux ans sur terre avaient pris fin quand il s'était fait balancer du haut d'un immeuble. On avait fixé des ventouses sur lui, on l'avait déshabillé avant de lui passer un trench-coat, et un de ses ongles s'était planté dans le toit tandis qu'il luttait pour sauver sa peau. La raison de cette mise en scène était toujours inconnue. Langham ne vivait plus avec sa femme – il ne vivait plus avec elle depuis qu'il l'avait si méchamment tabassée que ça lui avait valu trois années de prison. La femme n'était pas suspecte, vu qu'elle avait décampé avec son fils et pris la direction du nord-ouest, suffisamment loin pour atteindre le prochain pays après la Nouvelle-Zélande. Hormis la raclée qu'il avait filée à sa femme, Langham n'avait pas de casier – pas d'agression, pas de viol, pas de cambriolage. Deux ou trois contraventions pour excès de vitesse, mais c'était tout. Il travaillait à plein temps sur une chaîne de montage qui fabriquait des tableaux de commande pour fauteuils roulants motorisés. L'enquête était ouverte, mais elle était passée au second plan – c'était toujours comme ça quand il y avait deux affaires en cours, dont une concernait un type qui tabassait sa femme, et l'autre un groupe de braqueurs qui avaient tué deux personnes et emporté un butin qui s'avérait monter à 2,8 millions de dollars en espèces. C'était une question de priorités – et pour le moment, le hold-up était la priorité de tout le monde. Le Type aux ventouses attendrait. Le problème était que, après avoir consacré des centaines d'heures de travail au braquage, tout ce qu'ils avaient, c'étaient des transcriptions d'interrogatoires sans intérêt et une camionnette calcinée. Ils n'avaient même pas retrouvé les billets recouverts d'encre. Schroder aurait cru que les braqueurs auraient abandonné les billets foutus dans la camionnette avant d'y mettre le feu, mais les scientifiques – pour le moment – n'en avaient trouvé aucune trace. Ni argent – ni encre rouge. Donc, tout ce qu'il a, c'est un paquet de questions sans réponses, deux corps six pieds sous terre qui méritent de reposer en paix, et une femme qui lui a fait la gueule tout le week-end. Le boulot interfère avec sa vie de famille. Le dernier week-end avant Noël, il aurait dû le passer avec sa femme, sa fille et son dernier-né, mais, au train où avance l'enquête, son fils sera à l'école et sa femme l'aura quitté avant qu'il ne l'ait résolue. Il a eu de la chance jusqu'à présent dans la mesure où il n'a jamais manqué un Noël en famille, même s'il a assurément manqué un paquet d'autres occasions; et sa femme se souvient de chacune d'elles et, quand ils s'engueulent, ne manque pas de les lui rappeler. Parfois elle lui rappelle aussi que c'est à cause de lui qu'elle a eu des enfants si tard, et que c'est à cause de lui qu'ils auront plus de 60 ans quand leurs enfants seront en âge de quitter la maison.

Il y a tout un tas de criminels en liberté qui rendent occasionnellement service aux flics pourvu que ceux-ci acceptent de fermer l'œil sur quelque délit mineur. Mais cette fois il n'y a rien. Les braqueurs n'ont impliqué personne d'autre dans le coup. L'argent, s'il n'est pas abîmé, ne circule nulle part. Les types qui ont fait ça savaient ce qu'ils faisaient. Ils sont sortis de la banque presque deux minutes avant l'arrivée de la police. La lecture de casiers judiciaires a ouvert des centaines de possibilités, mais relier suffisamment de noms pour reconstituer le gang qui a braqué la banque a été impossible. Près de deux cents interrogatoires ont déjà été menés, et il se demande si l'une des personnes à qui ils ont parlé était l'un des braqueurs. Probablement. Difficile de savoir.

Schroder sirote son café à moitié froid. Il vient de recevoir un coup de fil de la prison, et il s'avère qu'Edward Hunter est allé voir son père aujourd'hui. Il se demande ce qui l'a poussé à faire ça après tant d'années.

On frappe à la porte de son bureau.

« Il y a quelqu'un pour vous, annonce un agent.

– Qui ?

– Quelqu'un qui dit avoir des informations sur le braquage.

– Encore un médium ? » demande Schroder.

Chaque fois que les médias couvrent abondamment un événement tragique, les médiums déboulent de partout. Ainsi, Jonas Jones – un ancien vendeur de voitures d'occasion devenu médium-enquêteur « de renom » qui passe à la télé pour donner de « sérieux indices criminels » sur des enquêtes non résolues – a déjà laissé plus d'une douzaine de messages, et il a fallu l'interdire de séjour au commissariat.

« Pire. Un psy, répond l'agent.

– Bon sang !

– Vous voulez que je vous l'envoie ? »

Le problème avec les psys, c'est que parfois ils peuvent être pires que les médiums. Au moins les médiums font leur cinéma. Ils allument quelques bougies et font semblant de parler aux esprits ou de se concentrer sur une vision à la noix.

« Pas vraiment, mais allez-y. »

Benson Barlow est quasiment chauve avec une grosse mèche de cheveux peignée en travers du crâne, et Schroder se demande ce que ses collègues psychiatres diraient de ça. Il a dans les 55 ans, porte une barbe ; il ne lui manque que des pièces aux coudes de sa veste et une pipe pour parfaire son déguisement de psy – mais peut-être qu'il les réserve pour son cabinet. Après lui avoir serré la main, Schroder lui offre un siège.

« L'agent dit que vous avez des informations sur le hold-up ?

– Eh bien, dans un sens.

– Qu'entendez-vous exactement par : *dans un sens* ?

– J'entends que je ne sais rien à proprement parler du hold-up lui-même, du moins pas dans ces termes. »

Schroder se demande si toutes les personnes dont le prénom et le nom de famille commencent par la même lettre sont vouées à lui gâcher la vie. Benson Barlow. Jonas Jones. Theodore Tate.

« Alors, pourquoi êtes-vous ici ? Pour me proposer un profil ?

– Pas exactement, répond Barlow en se penchant en avant. Il y a vingt ans, j'étais le psychiatre qui a examiné Jack Hunter.

– Lequel ?

– Eh bien, les deux, à vrai dire.

– Et duquel êtes-vous venu me parler ? Du fils ?

– Principalement, mais il s'appelle désormais Edward. Ç'a été l'une des premières choses qu'il a faites quand il a eu 18 ans – changer légalement de nom, même s'il ne répondait plus à autre chose qu'Edward depuis l'âge de 9 ans. Jack senior souffrait de schizophrénie paranoïde. Il entendait des voix et croyait qu'elles le contrôlaient. Ou plutôt il entendait une voix. Il n'y en avait qu'une, et il l'appelait la Noirceur.

– Allons, ce sont les conneries qu'ils ont essayé de faire gober au jury. Personne n'a mordu.

– Ce n'étaient pas des conneries, inspecteur. C'est une véritable maladie mentale dont les gens souffrent réellement. Elle leur donne des pensées délirantes. Elle peut vous faire croire que vous êtes suivi, ou élu par Dieu pour mener à bien une mission, elle peut vous faire croire que vous êtes épié par votre voisin ou par les médias. Elle peut vous faire croire que vous êtes sous le contrôle d'une force extérieure.

– Et Jack Hunter pensait mener une mission divine ?

– Eh bien, non. Il pensait qu'une réelle noirceur vivait en lui, et que celle-ci avait besoin de voir du sang pour être heureuse.

– Alors, il pensait juste. Je ne vois pas le rapport avec le braquage.

– La schizophrénie paranoïde est une maladie héréditaire, inspecteur. Si Jack senior en souffre, il y a des chances pour qu'Edward lutte contre la même maladie – peut-être à un degré moindre, quelque chose qui pourrait être traité avec des médicaments. Mais étant donné les nombreux traumatismes qu'a vécus ce garçon à un jeune âge, sa perte récente pourrait aggraver son état. À l'époque où il était mon patient, il m'a dit des choses – des choses qui me poussent à m'inquiéter pour lui. J'ai peur pour lui, et j'ai peur de ce dont il est capable.

– Quel genre de choses ?

– Je ne peux pas vous répéter ce qu'il m'a dit. Ces séances étaient privées.

– Alors, vous êtes venu ici pour me dire que vous ne pouviez rien me dire ?

– Non. Je suis venu pour vous dire qu'Edward Hunter présente potentiellement un danger pour lui-même, et peut-être pour les autres. Génétiquement, il est comme son père. Émotionnellement, je crois qu'ils sont similaires. Edward a cessé d'être mon patient quand il a eu 18 ans et je ne l'ai pas revu depuis, mais, d'après ce que j'ai appris ces derniers jours, il est clair qu'il menait une vie très stable dans un environnement au sein duquel il se sentait à l'aise. Mais les choses ont changé. La mort de sa femme est un élément déclencheur, inspecteur. C'est quelque chose à prendre très au sérieux, et je vous le dis, il y a de gros risques pour qu'il devienne dangereux, peut-être même aussi dangereux que son père. »

Schroder saisit un stylo et le fait rouler entre ses doigts.

« Alors, qu'est-ce que vous voulez que je fasse ? Je ne peux pas l'enfermer sous prétexte que vous avez des soupçons à son sujet. Pourquoi ne le faites-vous pas venir pour quelques séances ?

– J'ai essayé. Je lui ai laissé des messages, mais il ne rappelle pas. »

Schroder comprend. Lui non plus ne rappellerait pas.

« Alors, qu'est-ce que vous voulez ? »

Barlow hausse les épaules.

« Idéalement, je veux qu'Edward reçoive de l'aide. Il existe des médicaments qui peuvent permettre de contrôler son comportement.

– Vous supposez qu'il a la même chose que son père – en supposant que son père ait autre chose qu'un simple goût du sang.

– En effet, répond Barlow en se levant tandis que le téléphone de Schroder se met à sonner. J'ai accompli mon devoir professionnel. D'un point de vue éthique et légal, je me dois d'avertir la police si j'ai un patient dont j'estime qu'il représente un danger pour les autres ou pour lui-même, et c'est ce que je suis venu vous donner : un avertissement. »

16

J'écoute les nouvelles de la mi-journée en rentrant à la maison. Le type qui a poussé et tué la femme sur le parking prétend qu'il était sous méthamphétamine – la drogue à la mode qui sert ces temps-ci à justifier bien des meurtres –, ce qui signifie qu'il écopera soit de six mois de prison, soit de neuf mois de désintox, puisque ce n'était pas vraiment sa faute, mais plutôt celle de la drogue ou de son addiction, ou la faute de tous ceux qui n'ont pas essayé de l'aider plus tôt. La plupart des moutons ont été récupérés, sauf quatre qui sont toujours en liberté. Peut-être que les quatre bestioles vont s'associer, se reproduire et se mettre à dévaliser des fermes. Il y a d'autres nouvelles : un vigile a été tué la nuit dernière et retrouvé nu en ville, une école primaire a été incendiée mais personne n'a été blessé, puis arrivent le sport et la météo, et personne ne mentionne plus le braquage de la banque.

Je me retrouve coincé derrière un camion qui avance au pas et ajoute environ vingt minutes à mon trajet, la quantité de gaz d'échappement qui sort à l'arrière rapprochant un peu plus le réchauffement global de sa conclusion finale. Je suis toujours furieux quand j'arrive à la maison. Furieux à cause des informations, de la police, du monstre en moi, du monde qui suit son cours quand il devrait marquer une pause, s'interrompre le temps de pleurer ma femme et de poser la grande question, encore et encore : Pourquoi ? Pourquoi fallait-il que cela se produise, pourquoi la société est-elle ainsi, pourquoi personne ne fait-il rien pour arranger les choses ?

Je suis toujours furieux après mon père. Après vingt ans sans nous voir, nous aurions dû avoir plus de choses à dire. Et pourquoi m'a-t-il fait aller là-bas simplement pour me dire que c'est une bonne chose que la police n'ait pas arrêté les assassins ?

Arrête de te mentir, tu sais exactement pourquoi.

«Non», dis-je, et je vais me chercher une bière dans le réfrigérateur.

Mais surtout, je suis furieux après moi-même. Je ne suis pas allé à la prison pour partager quoi que ce soit avec lui. Je ne sais pas pourquoi j'y suis allé – certainement pas pour lui parler du monstre, mais les mots sont sortis comme s'ils avaient une vie propre. Et dans un sens, c'est exactement la même chose avec le monstre – il a une vie propre. Je n'ai jamais cessé de l'entendre au cours des vingt dernières années, même si j'ai ignoré les petites suggestions qu'il a murmurées à mon oreille, les idées qu'il m'a données sur la manière de me débarrasser d'animaux ou de gens que je n'aimais pas.

Ma femme est morte depuis quatre jours et enterrée depuis moins de vingt-quatre heures, et je suis en train de perdre la boule. Je m'assieds dehors, et laisse le soleil me brûler le visage et les yeux avant de retourner à l'intérieur, des ombres et des formes lumineuses me troublant la vue. Je cherche dans mon portefeuille la carte que j'y ai glissée vendredi, et, quand je la trouve, je ne parviens pas à lire ce qui est inscrit dessus et suis obligé d'attendre deux minutes avant d'y voir de nouveau clair et de composer le numéro.

«Inspecteur Schroder, dit l'homme qui décroche.

– Bonjour. C'est, heu, Edward Hunter. Je, heu, j'appelle pour voir...

– J'étais sur le point de vous appeler.

– Oui ? Vous avez quelque chose ?» Je retourne dehors avec le téléphone. «Vous avez attrapé les hommes qui ont tué Jodie ?

– Non. Pas encore, mais croyez-moi, Edward, nous suivons des pistes sérieuses, répond-il, mais il n'a même pas l'air capable de se convaincre lui-même. Vous devez être patient.

– J'ai été patient.

– Je vous promets, c'est toujours ma priorité principale.

– Dans trois jours ça fera une semaine, lui fais-je remarquer.

– Je comprends votre frustration.

– Je n'en suis pas sûr. Combien ont-ils eu ?

– Pardon ?

– Combien d'argent ont-ils volé à la banque ?

– Je ne peux pas parler de ça avec vous.

– Jodie a été tuée à cause de cet argent. Me la faites pas, inspecteur, je pense avoir plus que le droit de savoir combien valait la vie de ma femme.

– Ça ne marche pas comme ça.

– Oui, oui, je sais, parce que deux personnes sont mortes. » Le comptable en moi fait le calcul. « Alors, vous divisez ce montant par deux et vous avez le prix de sa vie. Je veux savoir si elle est morte pour à peu près le prix d'une nouvelle voiture, ou d'une maison ? Bien sûr, ça dépend de la maison, et de la voiture, mais...

– Écoutez, Edward, je vous promets que nous faisons tout notre possible. Vraiment. Tous nos hommes disponibles sont à la recherche de ces malfrats.

– À la recherche, mais ils ne savent pas où ils sont. Peut-être que je ferais bien de faire votre boulot à votre place », dis-je.

Ces paroles ont franchi mes lèvres avant que j'aie pu les retenir. Je ne sais pas d'où elles viennent, mais elles ne m'appartiennent pas, ce sont les paroles de quelqu'un d'autre. Non, pas quelqu'un – quelque chose.

« Qu'est-ce que ça veut dire ? demande Schroder.

– Rien. Je suis en colère, c'est tout.

– J'ai entendu dire que vous étiez allé voir votre père aujourd'hui.

– Pardon ?

– La première fois depuis qu'il a été arrêté. Pourquoi avez-vous fait ça ? »

Je reste silencieux et réfléchis à sa question, conscient qu'il a endossé un nouveau rôle – il me parle comme un flic parle à un suspect. Il est en quête d'informations.

« Il m'a appelé. Il m'a dit qu'il voulait me voir.

– Et vous avez tout laissé tomber pour y aller.

– C'est mon père. Il voulait m'exprimer ses condoléances. Il voulait savoir ce que faisait la police pour arrêter les hommes qui ont tué ma femme.

– C'est tout ?

– Bien sûr que c'est tout. Ma femme a été assassinée, inspecteur. Quel père ne chercherait pas à consoler son fils ?

– Avez-vous vu qui que ce soit depuis sa mort ? Pour vous faire aider ? Un psychologue ou un psychiatre ?

– Pourquoi je ferais ça ? »

L'un de mes voisins démarre sa tondeuse à gazon et je retourne à l'intérieur pour entendre clairement Schroder.

« Pour vous aider à accepter ce qui s'est passé.

– Je peux le faire à ma manière.

– J'espère que ça n'implique pas de faire quoi que ce soit de stupide.

– Comme quoi ?

– Comme essayer de faire mon boulot.

– L'un de nous doit essayer, dis-je, parce qu'il me semble que rien n'est fait.

– Je vous préviens, Edward. Laissez-nous nous occuper de tout. Nous savons ce que nous faisons.

– Alors, prouvez-le. »

Je raccroche, finis ma bière, vais en chercher une autre mais ne l'ouvre pas. Je la laisse sur le comptoir de la cuisine et allume l'ordinateur.

Je me connecte à Internet et cherche tous les articles sur le braquage parus dans la presse ces derniers jours. Il y en a tellement que, lorsque j'ai fini de les imprimer, je me retrouve avec une liasse d'un centimètre d'épaisseur. Je les emporte dehors, m'assieds au soleil et commence à les lire. La caméra de surveillance de la banque situe l'entrée des six hommes à 13 h 13. Ils sont restés moins de quatre minutes à l'intérieur, bien que ça ait assurément semblé plus long. La police a reçu des appels de plusieurs témoins à l'extérieur qui ont vu les hommes entrer, ainsi que de personnes qui ont entendu la première détonation, mais l'alerte initiale a été donnée par l'alarme silencieuse. Je ferme les yeux et fais mon possible pour me souvenir. Les hommes étaient dans la banque depuis près d'une minute lorsque le directeur a été abattu. Les articles affirment qu'il a fallu six minutes à la police pour arriver. Les hommes étaient partis depuis deux minutes à ce stade. Aucun article n'indique la somme d'argent volée.

Les comptables aiment les chiffres. Quatre minutes. Six minutes. Six hommes. Deux victimes. Deux coups de feu mortels. Une quantité d'argent inconnue. Les chiffres tourbillonnent dans ma tête, je les compare à ce qui figure dans les articles, tentant de les confronter à ce que je sais, à mes souvenirs, mais ça ne donne rien, rien ne ressort pour m'indiquer où regarder maintenant. Les chiffres ne signifient rien.

J'attrape la liasse de papier et la jette dans le jardin. La plupart des feuilles restent ensemble, mais celles du dessus et du dessous s'envolent, la brise légère les soulevant et les coinçant dans les coins du jardin. Les réponses sont aussi dans le vent, et même si Schroder ne l'a pas dit, je sais que le braquage est déjà de l'histoire ancienne, que la mort de ma femme et celle du directeur ont déjà été mises de côté à mesure que le taux de criminalité de Christchurch continue de progresser, de plus en plus vite – pour aller où ? Dieu seul le sait.

Je finis par boire la bière et m'endormir, pas profondément, mais suffisamment pour qu'une heure s'écoule presque sans que je la remarque, et, lorsque je me réveille, la tondeuse à gazon s'est arrêtée et la peau de mon visage me tire, et, quand je lève la main pour la toucher, je sens la brûlure d'un coup de soleil. En me levant, je m'aperçois que les bières que j'ai bues, combinées à l'absence de nourriture, me font tourner la tête. J'appelle Nat et lui demande s'ils peuvent garder Sam ce soir, et il me répond que oui. Je parle quelques instants à Sam, qui me dit qu'elle veut rentrer à la maison, mais je lui réponds qu'elle ne peut pas, pas aujourd'hui, que papa a des choses à faire.

«Mais tu as promis, dit-elle.

– Je sais. Je suis désolé. »

Elle accepte finalement qu'elle ne peut rien y changer et rend le téléphone à Nat en bougonnant.

«Elle va s'en remettre, dit-il. Tu sais comment sont les gamins.

– Comment va-t-elle ?

– Tu sais ce que c'est. »

Il a raison. Je sais ce que c'est. Il veut dire que Sam est la même depuis le jour où nous lui avons dit que sa mère ne reviendrait pas. Le choc se mêle à l'incrédulité, et aussi à une incompréhension pure et simple. Je suis pareil. Nous le sommes tous.

«Prends soin de toi, Eddie », ajoute-t-il.

Quelque chose dans sa manière de dire ça m'indique qu'il ne pense pas me revoir d'ici un bout de temps. C'est le genre de phrase qu'on dit à un ami qui va en prison ou à la guerre.

Je regarde le soleil atteindre son zénith. Il disparaît dix minutes derrière la pointe d'un gigantesque sapin dans le jardin d'à côté, puis réapparaît et entame son lent déclin. Je bois une nouvelle bière, puis une autre, puis je vais chercher le courrier. Il y a une lettre de ma compagnie d'assurances. Jodie et moi possédons tous deux une assurance vie – mais, dans une lettre qui fait moins d'une demi-page, notre société d'assurances explique qu'elle ne peut pas payer car Jodie a été tuée lors de la perpétration d'un délit. L'assurance vie est spécifiquement destinée à couvrir les accidents et la maladie – elle ne couvre pas le meurtre, explique la personne qui a rédigé le courrier, avant de s'excuser pour le désagrément. Je me demande pourquoi ils se sont penchés si vite sur son cas – je ne les ai même pas contactés – et je suppose qu'ils veulent se débarrasser de toutes les mauvaises nouvelles avant Noël.

Le soleil est de plus en plus bas et le soir approche. Je joue à formuler des hypothèses : et si nous étions arrivés à la banque dix minutes plus tard ou si j'avais fermé ma gueule, ou si je m'étais battu avec les hommes ? Il y a beaucoup de *si*. Des milliers – bien sûr, c'est un petit jeu stérile et je pourrais passer le restant de ma vie ici, au soleil, à boire de la bière et à me demander ce qui aurait pu se passer, ce qui aurait dû se passer, sans jamais oublier la réalité : Jodie a été assassinée à cause de moi.

Je me focalise de plus en plus sur la banque. Je pense au vigile. Je pense beaucoup à lui et je l'imagine intervenant.

Mais il n'a rien fait, pas vrai ? Il est juste resté là sans bouger.

Rien ! répète le monstre, et je suppose que c'est comme avec l'alcool, les premiers pas sur le chemin de la guérison consistent à admettre que l'on a un problème. Alors oui, je l'admets, j'ai un monstre.

Et ça fait plaisir d'être ici, dit-il, *plaisir d'être à nouveau accepté après tout ce temps.*

Le vigile, formé à aider les gens, à les défendre, à les protéger, n'a rien fait. Rien du tout.

J'ouvre une nouvelle bière.

En choisissant de ne rien faire, c'était comme s'il faisait quelque chose. En ne faisant rien, il a laissé les autres se faire tuer. Ton intervention – ce n'est pas elle qui a provoqué la mort de Jodie. Le vigile – c'est de sa faute. Il n'a pas fait son boulot.

« Ça, tu peux le dire ! »

Je me repasse mentalement les événements, encore et encore, et étrangement leur enchaînement commence à s'altérer, et la vérité surgit, limpide, et elle explique beaucoup de choses.

La première fois que je me repasse les événements, le vigile ne fait rien, comme en témoignent les vidéos de surveillance et la version officielle. Mais je me repasse la scène au ralenti, et je remarque alors une chose si subtile que les caméras n'ont pas pu la capter – cette fois, le vigile sourit lorsque les hommes entrent, il sourit avant de recevoir un coup de crosse en pleine face.

Le vigile était dans le coup!

Je ralentis un peu plus, les hommes se ruent à l'intérieur, le premier s'approche du vigile, et cette fois il y a le sourire, un clin d'œil, un hochement de tête, puis le vigile tend la main et le braqueur la saisit, ils se serrent la main, hochent de nouveau la tête, et alors bam! le garde se prend un coup en pleine tronche.

Encore une fois. Les hommes entrent. L'un d'eux s'approche du vigile. Clin d'œil. Hochement de tête. Sourire. Poignée de main. Ils s'étreignent. Ils se séparent et échangent une petite plaisanterie. Le braqueur projette son arme en avant, mais cette fois la crosse n'atteint pas la mâchoire du vigile. Il tombe tout de même, comme une masse, et reste par terre, sourire aux lèvres.

Nouveau sourire. Nouveau clin d'œil. Nouvelle plaisanterie, et les hommes s'enfoncent dans la banque, ils volent et tuent; et pendant tout ce temps, le garde les observe.

Je me repasse les événements une dernière fois. Ce coup-ci, quand ils emmènent ma femme, le vigile s'assied et applaudit.

Je repose la bouteille de bière vide. Il y en a toute une rangée devant moi, et Dieu merci, mes amis – mes amis qui me ressassent des platitudes du genre «Les choses vont s'arranger», ceux qui ne savent pas quoi dire –, Dieu merci, mes amis ont eu la décence de m'apporter des tonnes de bière! Bien sûr, ils n'ont pas eu la décence de sauver ma femme, et ils ne peuvent plus rien y faire, mais, comme apporter de la bière est la chose qu'ils font le mieux, je remercie Dieu pour la bière, et je remercie Dieu pour les gens qui pensent que la bière peut guérir le monde.

J'en attrape une autre. Elle est froide et n'a pas un goût génial, mais je la descends rapidement. Je me rends dans le jardin, je trébuche – foutu jardin – et je relis les pages que j'ai jetées tout à l'heure. Je trouve quelques articles sur le vigile. Il a été transporté en urgence à l'hôpital, souffrant d'une sérieuse commotion cérébrale. Foutaises ! Les journalistes – Dieu bénisse ce qui leur fait office de cœur ! – ont recensé les noms et prénoms de toutes les personnes impliquées – sauf, naturellement, ceux des six hommes qui étaient plus impliqués que tous les autres. J'emporte l'un des articles sur le vigile à l'intérieur et allume l'ordinateur. De nos jours, tout le monde est sur la Toile en tant que membre de quelque communauté en ligne ou de Dieu sait quelle connerie à la mode – les gens partagent leur vie avec des inconnus et des voleurs de cartes de crédit et...

Des monstres...

... des usurpateurs d'identité et des tueurs en série. L'ordinateur met une éternité à s'allumer, ce qui me tape sur les nerfs, mais je tue le temps en allant chercher une autre bière. La bière me calme, je me sens désormais si serein que je pourrais composer une putain de comédie musicale.

Je me connecte à Internet et tape péniblement le nom de cet enfoiré dans Google, vu que le clavier semble avoir rétréci. Tout un tas d'articles parus au cours des quatre derniers jours apparaissent. Je ne prends pas la peine de les lire. À la place, je vais direct aux Pages blanches et laisse mes doigts faire tout le boulot. En moins de vingt secondes, j'ai son adresse. Les télécoms sont mes amis.

Nos complices.

« Je crois qu'il est temps de lui rendre visite », dis-je.

Je meurs d'impatience, réplique le monstre.

« Une dernière bière pour la route ! »

Bon sang ! Prends-en deux – tu mérites bien ça, dit le monstre, puis je vais me changer et nous nous mettons en route.

17

Ma voiture est une berline familiale quatre portes, mais je suppose que je peux me débarrasser de deux d'entre elles, vu que je ne vais plus en avoir l'utilité. Je pourrais l'échanger contre une bagnole de sport – peut-être laisser Sam choisir la couleur. Nous marchons vers la voiture, mon monstre et moi, je titube dans l'allée, lâchant presque – mais, Dieu merci ! pas complètement – ma bouteille de bière. Je n'arrive pas à ouvrir la portière, mais, quand je m'aperçois qu'elle est toujours fermée à clé, je la déverrouille, et tout fonctionne à merveille. Je prends place derrière le volant et j'ai l'impression que quelqu'un a bidouillé le contact. Je farfouille avec ma clé, qui finit par trouver l'orifice en raclant contre les bords.

La boîte aux lettres manque d'être la première victime de la soirée, puis c'est au tour du chat du voisin, mais les choses s'arrangent, la route s'étire droit devant nous et nous la suivons. Comme nous sommes deux, l'un de nous lit le plan pendant que l'autre conduit, les routes, les croisements et les autres voitures filant près de nous dans une brume de couleur et de son.

Plus il fait nuit, plus Christchurch est une ville présentable, car l'obscurité aide à cacher l'infection. Je vois tout désormais – alors qu'il y a quatre jours j'étais ignorant. Demain matin, le soleil se lèvera et arrachera ce voile, et les criminels quitteront leurs taudis, leurs trous, leurs tanières, pour voler, violer, tuer joyeusement pendant les douze jours de Noël. Quelques rares personnes sont sorties pour profiter de la douceur du soir, certaines marchent main dans la main ou alors traînent un chien au bout d'une laisse, d'autres roulent sur des VTT. Il est 21 heures passées, le soleil a disparu, mais il fait encore clair, et dans quelques minutes on basculera du jour à la nuit. Je passe devant un parc où un père et son fils pointent le doigt en direction d'un cerf-volant coincé dans un grand arbre, échoué et transpercé par les branches. Dans le même parc, des adolescents donnent des coups de pied dans un ballon de rugby, le faisant tourbillonner haut dans le ciel avant qu'il ne fasse trop sombre. Il y a un fort et un tourniquet, et je repense à l'histoire que mon père m'a racontée plus tôt.

Le vigile – M. Gerald Laissez-Moi-Me-Fendre-La-Gueule-Pendant-Que-Votre-Femme-Se-Fait-Buter Painter – vit dans une rue paisible avec de nombreux arbres, et des jardins et des maisons qui se ressemblent tous, et je me dis que M. Gerald Painter aurait mieux fait d'être peintre plutôt que vigile, et que s'il l'avait fait, s'il avait suivi la voie que la destinée et son nom de famille lui indiquaient, alors ce mardi soir, trois jours avant Noël, serait très différent de ce qu'il va être maintenant. Il fait plus sombre lorsque j'arrive à destination et mes phares sont allumés. La voiture de branleur de Painter avec son moteur gonflé qui crache des millions de décibels et sa peinture flamboyante n'est garée ni dans la rue ni dans l'allée. À la place il y a une berline quatre portes, une Toyota, je crois, blanche, avec une affiche « À vendre » collée à la vitre.

Nous passons devant la maison, continuons jusqu'au bout de la rue, faisons demi-tour et revenons en arrière. Nous ralentissons, jetons un nouveau coup d'œil. Painter est à l'intérieur, en train de compter son argent. Il aimerait le dépenser, mais il doit attendre. Nous nous garons un peu plus loin, du côté de la maison. Je coupe le moteur et éteins les phares, et nous restons un moment silencieux à réfléchir, réfléchir.

J'ai mis mes outils dans le cartable de Sam car je n'ai rien trouvé d'autre. C'est un sac rouge vif orné d'un étrange dinosaure de dessin animé que les gamins adorent partout dans le monde, mais s'il voulait entrer dans le pays, il ne passerait pas la douane. Je ne savais pas ce dont j'aurais besoin, mais nous avons fini par nous décider. Une corde. Un couteau. En fait, deux couteaux. De la toile adhésive. Des gants. Comme je n'ai pas de cagoule, je me suis rabattu sur une casquette de base-ball. Ma bière s'est renversée pendant le trajet, et ni l'un ni l'autre n'avons songé à apporter une deuxième bouteille, ce qui signifie que nous avons encore beaucoup à apprendre.

J'éteins le plafonnier et ouvre la portière. Il y a des illuminations de Noël accrochées à quelques maisons et, à la plupart des fenêtres, on voit des lumières vives provenant d'arbres factices. Je m'adosse à la voiture, puis m'en écarte lorsqu'elle se met à vaciller derrière moi. Je fais le tour, ouvre la portière du côté passager et j'attrape le sac de Sam par les bretelles. Je traverse la pelouse du voisin de Painter, et les bretelles se défont soudain car je les tiens mal, le sac s'ouvre, tout son contenu se déverse sur la pelouse dans un fracas métallique.

« Merde ! »

Merde !

Je m'accroupis et replace tout dans le sac en prenant soin de ne pas me couper. Je n'arrête pas de regarder autour de moi pour voir si quelqu'un m'observe, mais il n'y a personne, du moins pas que je sache. Tout rentre sans problème dans le cartable, même la casquette que, pour une raison ou pour une autre, j'ai oublié de mettre sur ma tête. Je la saisis et me pique le doigt à la pointe d'un couteau.

« Ah merde ! »

Je secoue la main, suce mon pouce coupé. Ce n'est pas grand-chose, mais ça fait mal. Je me relève, avance de quelques pas. Je scrute la maison et me demande pourquoi elle ne ressemble pas à celle devant laquelle nous sommes passés il y a deux minutes, et je m'aperçois que ce n'est pas la bonne. Nous sommes allés du mauvais côté.

Nous faisons demi-tour et repassons devant la voiture en direction de la bonne maison. Comme je ne sais pas ce que je vais faire, j'attends que mon compagnon comble les vides, et c'est ce qu'il fait, car mon monstre a véritablement l'esprit d'équipe. Il prend les choses en main, nous fait emprunter l'allée jusqu'à la porte. Je m'appuie contre la maison tandis qu'il tend le doigt et appuie sur la sonnette.

18

Jolie maison. Jolie rue. Une rue pour les familles. Pas le genre de rue où vivent des racailles qui braquent des banques, mais je suppose que ces salauds ont les moyens d'habiter où ils veulent.

La maison n'a qu'un étage et est recouverte d'une de ces peintures couleur café au nom vaguement espagnol. Il flotte une odeur de pelouse tondue, des petits bosquets de lin de couleurs différentes – certains ont des feuilles rouges, d'autres des feuilles vertes – ont été disposés autour de la maison, si régulièrement que je parierais que tout a été mesuré. Ils sont entourés de calcaire d'un blanc jaunâtre au lieu de terre ou d'écorce, un jardin facile à entretenir planté sur des couches de paillis artificiel, le genre de jardin que Jodie voulait et le genre de jardin que nous allions avoir jusqu'à ce que Gerald Painter nous prenne tout. Il y a un bouleau argenté dont les racines ressortent du sol et fissurent l'allée.

C'est une maison de briques, une jolie maison bien solide dotée d'une jolie porte bien solide avec de minces bandes de verre sur la droite et la gauche, et une grosse poignée d'un mat argenté sur la droite. La sonnette est une petite boîte noire avec un bouton blanc, le genre de sonnette qui sonne tant qu'on garde le doigt dessus. Je l'entends retentir lorsque le monstre enfonce le bouton. Il n'ôte son doigt que lorsque nous voyons une ombre longer le couloir en direction de la porte. L'ombre avance lentement et pas vraiment en ligne droite, tous les détails de la silhouette sont distordus dans les bandes de verre.

La porte s'ouvre. Elle s'ouvre sur mon avenir et sur le sort de cet homme, cet homme au visage et au cou couverts de bleus qui ressemblent aux miens. Il a une petite attelle couverte d'un pansement sur le nez. Il plisse les yeux et penche le visage en avant pour voir qui est là, et nous avons envie de lui planter le couteau dans la tête.

Il écarquille les yeux en me reconnaissant – pas nous, juste moi – et il est clair qu'il ne voit pas le monstre, car un sourire apparaît au bas de son visage pansé, pas un sourire qui dit: *Votre femme est morte, c'est de ma faute et allez vous faire foutre*, mais un sourire triste et compatissant.

« Entrez, dit-il avant que nous ayons prononcé un mot.

– Merci, dis-je, et il referme la porte derrière nous.

– Je pensais que vous passeriez peut-être », ajoute-t-il.

Il marche devant nous, boitant légèrement. Il a tendance à dévier sur la gauche et doit constamment corriger sa course. Pour un couloir, celui-ci est tolérable. Des photos qui me paraissent floues, une bibliothèque, une plante en pot, rien que des conneries sans intérêt, à moins de vivre ici. Il me mène à un salon bien rangé. Je ne vois pas une seule bouteille de bière, pourtant il a l'air plus soûl que moi.

« Asseyez-vous », propose-t-il.

Il y a quelques tabourets devant le bar du petit déjeuner, nous nous asseyons sur l'un d'eux. Il fait un peu plus chaud que dehors, et des portes-fenêtres grandes ouvertes donnent sur une terrasse dotée d'un éclairage extérieur, d'un barbecue et d'une table de pique-nique qui a viré à un gris argenté au soleil. Il y a un sapin de Noël dans le salon, suffisamment grand pour toucher le plafond, et suffisamment massif pour supporter au moins cinq cents décorations.

« Vous... heu, vous pensiez que je... que je passerais peut-être? dis-je, en m'efforçant d'articuler convenablement.

– Je vous sers quelque chose à boire? Je n'ai pas d'alcool, précise-t-il. Avant, j'en avais, jusqu'à ce que ma femme vide tout dans l'évier. Ordre du toubib, bien sûr. Non pas que ça m'ait empêché d'essayer. J'ai du Coca ou du Sprite, mais ce n'est pas la même chose. Vous voulez quelque chose ?

– Pourquoi, pourquoi pensiez-vous... que... heu... que j'allais... » Je prends une profonde inspiration et expire bruyamment. «... que j'allais, heu, passer ?

– Je ne sais pas », répond-il en haussant les épaules.

Painter est légèrement flou. Comme si lui et son fantôme étaient assis au même endroit, presque parfaitement superposés, à quelques centimètres près. Lorsque je me frotte les yeux, le fantôme disparaît.

« Si, vous le savez. Vous n'auriez... » Je prends une nouvelle inspiration profonde et sens le goût de la bière sur ma langue, et j'ai soudain une furieuse envie de pisser. «... vous n'auriez rien dit sinon. »

Painter approche de la cinquantaine, il a le crâne rasé et des yeux sombres qui semblent peiner à se fixer sur les choses. Il s'assied sur un tabouret, lentement, soufflant fort et se raccrochant au bar. Je vois derrière lui un four à micro-ondes doté d'une horloge. L'heure affichée ne colle pas avec ma perception du temps, car elle laisse entendre que je suis ici depuis cinq minutes alors que je suis certain qu'une seule s'est écoulée.

« Depuis le... braquage, j'ai des problèmes, dit-il. Quelque chose s'est cassé là-dedans », ajoute-t-il en se tapotant la tête. Je m'aperçois alors que son crâne est rasé depuis peu. « Enfin, les médecins ont des mots plus savants pour ça, même si, au bout du compte, ils ne disent rien de plus. Je n'arrive pas à marcher droit. Je cherche à attraper quelque chose et je loupe mon coup. Quand je pisse, j'en fous partout par terre. J'ai un bourdonnement dans l'oreille qui ne veut pas s'arrêter, et parfois je me mets à pleurer sans raison. Et c'est permanent. Ils ont aussi des mots savants pour décrire ça, mais ils peuvent enrober le tout d'un foutu ruban, le cadeau est le même. Je vais me traîner ça toute ma vie, ajoute-t-il. Je ne pourrai plus travailler. Je ne peux plus conduire. Je peux à peine sortir en public. Je vais perdre ma maison, ça c'est sûr. J'ai une assurance pour ce qui m'est arrivé, mais elle couvre que dalle. Mais hé ! écoutez-moi me lamenter sur mon sort, ce qui m'est arrivé, c'est que dalle comparé à ce qui vous est arrivé à vous. À votre femme et au directeur de la banque. »

Je pose le sac sur le bar.

Ouvre-le, ouvre-le, ouvre-le.

Nous l'ouvrons. Ma vessie va exploser.

« Vous allez dire quelque chose ? demande-t-il.

– Qu'est-ce que... qu'est-ce que vous... vous voulez que nous disions ?

– Nous ? »

Nous ? J'ai dit « nous » ? Non. Impossible.

« J'ai dit "je".

– Vous avez dit "nous".

– C'était une... une erreur. Dites-moi. Qu'est-ce que vous voulez entendre ?

– Je ne sais pas.

– Vous avez dit que vous vous attendiez à ma visite, dis-je en me concentrant de toutes mes forces sur les mots que je prononce.

– Non, je ne m'y attendais pas vraiment. Je suppose que je l'espérais plutôt.

– Vous l'espériez ? Pourquoi ?

– Je ne sais pas, pas vraiment.

– Dites-moi. »

Il pousse plusieurs expirations tout en grimaçant. Il n'arrive pas à faire cesser les tremblements de ses mains.

« J'arrive à peine à dormir, dit-il, et, quand je dors, je fais toujours des rêves. Je n'ai vu personne mourir, mais je sais qu'ils sont morts. Je les ai vus après, vous savez, après coup. J'ai vu votre femme, enfin, je ne l'ai pas vue mourir, et j'étais toujours inconscient quand ils m'ont emmené à l'hôpital, mais je la vois

tout de même mourir. La raison pour laquelle je ne l'ai pas réellement vue, c'est que j'ai merdé et que je me suis laissé mettre
K.-O. sans me battre. Je veux dire, ils auraient pu me tuer à la
place, pas vrai? J'aurais préféré mourir en me battant plutôt
que... plutôt que ça. Je rêve d'eux, vous savez. Des hommes qui
ont fait ça. Je rêve de ceux qui sont morts. Votre femme vient
à moi la nuit, dans mes rêves.

– Qu'est-ce qu'elle dit?»

Ma curiosité est sincère. Elle n'est pas encore venue me voir.

«Elle me dit que je ne pouvais rien faire.

– Vous la croyez?

– Non.

– Vous êtes pathétique, dis-je, mais ces mots ne sont pas les
miens. Absolument pathétique.

– Je sais, répond-il, tentant de retenir ses larmes.

– Arrêtez de pleurer.

– Je ne pleure pas, dit-il d'une voix étranglée.

– Bon Dieu!» Je secoue lentement la tête, mais j'ai dessoûlé,
et je ne risque plus de vomir. «Vous auriez pu les arrêter, dis-je
d'une voix désormais puissante et claire.

– Vous croyez que je ne voulais pas? Ah merde! c'est pas
juste, enfin quoi, six types, tous armés, et moi, qu'est-ce que
j'ai?» Il s'essuie les yeux avant que les larmes ne se remettent
à couler. «Certainement pas la moindre arme. La banque me
fournit un uniforme, et ça s'arrête là. Enfin quoi, c'est pas
exactement ça qui va faire peur à des braqueurs professionnels.
Merde, je ne peux même pas empêcher les foutus skate-boarders
de rouler sur le trottoir. Je voulais en faire plus, je regrette de ne
pas en avoir fait plus, mais... ah merde!... Êtes-vous... êtes-vous
ici pour me tuer?

– C'est ce que vous voulez?

– Je... je crois.» Ses mains serrées tremblent. Des larmes
coulent sur son visage. «Je... je n'ai pas le courage de le faire
moi-même.»

Toutes ces choses qui me sont venues à l'esprit tout à l'heure mais qui n'étaient pas des souvenirs, plutôt divers scénarios qui défilaient dans ma tête, elles me viennent de nouveau, et à chaque fois il n'y a rien que cet homme aurait pu faire. Un vigile sans arme contre six hommes avec des fusils. Chaque fois qu'il essaie de nous protéger, une arme suffit à le remettre à sa place, et sa poitrine et sa tête explosent dans une boule de sang. Je m'entends dire : « Vous auriez pu sauver ma femme », même si je sais que ce n'est pas vrai.

J'enfonce la main dans le sac et en tire un couteau à steak. L'idée de mourir semble nettement moins le ravir qu'il y a cinq secondes, mais il ne bouge pas et n'oppose aucune résistance.

Il pleure de plus belle.

« Je suis désolé, dit-il. Ça aurait dû être moi, c'est moi qui aurais dû mourir.

– Vous avez raison. C'est vous qui auriez dû mourir.

– Je... je voulais le faire moi-même, reprend-il tandis que nous nous levons et nous approchons de lui. Mais je n'ai pas pu. J'avais trop peur. J'ai appris qui vous étiez et je me demandais si vous viendriez, si vous étiez comme votre père.

– Edward le Chasseur », dis-je. Je croyais que ma main tremblerait, mais non, elle est ferme, et nous serrons le couteau, parfaitement calmes. « Je ne peux pas m'opposer à mon destin.

– S'il vous plaît, faites vite.

– Nous allons faire vite.

– Merci », dit-il, mais je ne suis pas sûr qu'il le pense sincèrement.

19

Je me dirige vers la sortie, tremblant, tenant à la main mon sac dans lequel j'ai replacé le couteau. Je n'ai finalement utilisé aucun de mes outils. La prochaine fois, je voyagerai plus léger.

Je suis toujours dans l'entrebâillement de la porte lorsqu'une voiture s'engage dans l'allée. Elle ressemble à celle qui est déjà garée ici – même couleur, un peu plus petite, elle aussi étrangère. La portière côté passager s'ouvre et une petite fille descend, et je ne comprends tout d'abord pas ce qui se passe. Je suis aveuglé par les phares, il fait nuit, et l'espace d'un instant je crois qu'il s'agit de Sam. Ce qui n'a aucun sens – je suis chez un inconnu, Sam est chez ses grands-parents, au lit avec son ours en peluche, roulée en boule et endormie, rêvant de sa mère. Mais cette idée me traverse néanmoins la tête, et la petite fille court vers la maison en criant « Papa ! » avant de s'arrêter net et de me scruter de la tête aux pieds, puis de poser les yeux sur le sac orné du personnage de dessin animé que je tiens à la main.

Les phares s'éteignent et le moteur s'arrête de tourner, la portière côté conducteur s'ouvre. Une femme apparaît – la femme de Painter. Elle a vu que je me tenais là, mais ne s'est pas encore aperçue que je ne suis pas son mari.

« J'ai pensé que lorsque nous l'aurons couchée nous pourrions... commence-t-elle en approchant, puis elle se fige net comme sa fille. Qui êtes-vous ? demande-t-elle en plissant les yeux.

–Je m'en allais.

– Oh! mon Dieu! s'écrie-t-elle lorsqu'elle me reconnaît. Oh! mon Dieu! c'est du sang sur votre chemise? Qu'avez-vous fait à Gerald? »

Je ne réponds pas.

Elle soulève sa fille et la serre dans ses bras. Je fais quelques pas en direction de l'allée et elle recule vers sa voiture.

Elle hurle : « Gerald! »

Il ne répond pas.

« Qu'avez-vous fait à mon mari ?

– Rien.

– Qu'est-ce que vous lui avez fait ? » répète-t-elle.

Son dos heurte la voiture et elle sursaute comme si elle avait oublié qu'elle était là.

Je la contourne, et elle ne cesse de me regarder en pivotant sur elle-même. La nuit se rafraîchit et se couvre de nuages.

« Rien, dis-je une fois de plus.

– C'est bon, chérie, lance Gerald, qui apparaît à la porte. Il ne m'a rien fait.

– Tu vas bien ?

– Oui. Ça peut aller.

– Est-ce que tu pleures ? lui demande-t-elle, et elle se tourne vers moi. Le sang sur vos habits... commence-t-elle sans finir sa phrase.

– C'est le sang de ma femme. »

Je me dirige lentement vers ma voiture.

« Je sais qui vous êtes, dit-elle. Ce n'était pas de sa faute.

– Chérie, c'est bon, déclare Gerald. Vraiment, c'est bon.

– Je sais que ce n'était pas de sa faute », dis-je.

Ces mots sont désormais les miens, j'ai les idées claires, j'ai dessoûlé, ils viennent de moi. Et lorsque je passe à côté d'elle, la femme repose sa fille par terre, et la petite court jusqu'à son père et le serre férocement dans ses bras en lui demandant qui est ce monsieur bizarre.

« C'est pour ça que je suis venu. Pour lui dire que je sais que ce n'est pas de sa faute », dis-je. Je me tourne vers Gerald, qui serre fort sa fille. « Vous n'y êtes pour rien. Je le sais maintenant. »

Je me tourne de nouveau vers la femme. Sa colère commence à se dissiper, mais elle ne dit rien. Gerald continue de pleurer. Ce sont désormais des sanglots lourds, de grosses larmes qui suscitent en moi de la rage et des remords, et je n'ai qu'une seule hâte, partir d'ici. Je serre le sac plus fort et continue de me diriger vers la rue. Je le serre fermement pour être sûr qu'il ne va pas se vider comme tout à l'heure.

La femme reste adossée à la voiture, mais elle continue de m'observer.

« Ce n'était pas de sa faute, répète-t-elle.

– Je le sais.

– Vous le savez maintenant, après être venu ici, dit-elle en posant rapidement les yeux sur le sac. Mais quand vous êtes arrivé ? Est-ce que vous le saviez ? »

Je ne réponds rien.

« Nous allons déménager, déclare-t-elle. Nous mettons la maison en vente la semaine prochaine, mais je ne crois pas que nous attendrons qu'elle soit vendue. Ma sœur a été assassinée l'année dernière, elle rentrait du cinéma un soir, un dingue est entré chez elle par effraction et il l'a tuée. Ma sœur a passé sa vie dans un fauteuil roulant, mais tout ce que cette ville avait à lui offrir, c'était de se faire violer et assassiner. Un de mes collègues a disparu il y a quelque temps et on l'a retrouvé un mois plus tard, découpé en petits morceaux par une tondeuse à gazon. Nous devons partir. Je remercie Dieu qu'il ne soit rien arrivé de pire à Gerald. Ça a été pire pour vous, je le sais, mais mon mari, sa vie est brisée. Je l'aime toujours et je resterai toujours avec lui, mais il a lui aussi été victime de ces hommes. Ils l'ont tué tout en le laissant en vie. Mon mari est un homme foutu.

– Cette ville est foutue », dis-je avant de lui tourner le dos et de m'éloigner.

20

Espèce de lavette !

« Il n'avait rien à voir avec ce qui s'est passé. »

Il a laissé mourir ta femme.

« Ce n'était pas de sa faute. »

Tu sais quoi ? Arrête ton baratin. Tu n'es en rien comme ton père.

« Je ne veux pas être comme lui. »

Eh bien, tu vas devoir l'être si tu veux venger Jodie. Ou est-ce que ça n'a plus d'importance ?

« Bien sûr que si. »

Et alors la voix se tait.

Au début, je marche droit, mes jambes sont solides, mais je commence à chanceler un peu, puis un peu plus, et, lorsque j'atteins la voiture, je me tiens l'estomac et tout tourne autour de moi. Je tombe à genoux et m'agrippe au sol, probablement comme nous le faisions, Belinda et moi, en descendant du tourniquet. Je ne crois pas que je vomissais à l'époque, mais cette fois mon estomac se contracte, ma gorge se serre, puis du vomi chaud jaillit de ma bouche, rendu mousseux par la bière et la bile, formant une flaque près de la portière de ma voiture. Je me relève avec un atroce goût brûlant dans la bouche, je m'essuie les lèvres de la main et m'aperçois soudain de deux choses : *primo*, je ne sais pas où sont mes clés ; *secundo*, j'ai une fois de plus laissé tomber le sac. La sobriété que j'éprouvais lorsque le monstre était là m'a quitté lorsqu'il est parti, et tout à coup le monde tourne dans un sens tandis que ma tête tourne dans l'autre, ce qui n'est jamais une bonne combinaison, et je me sens très, très malade.

Le sac est quelques mètres plus loin. Je vais le récupérer. Je tapote mes poches, mais elles ne contiennent pas plus de clés que quand je les ai tapotées il y a vingt secondes. Je marche jusqu'à la voiture. Un chat noir et blanc assis sur le capot m'observe. Il me regarde tandis que je jette un coup d'œil à l'intérieur au cas où j'aurais laissé les clés sur le contact, mais elles ne sont pas là. Je m'aperçois que j'ai encore lâché le sac. Je fais le tour de la voiture et trouve les clés par terre, à côté de la flaque de vomi. Je les ramasse et les relâche aussitôt, et elles tombent en plein dans le mélange de bière et de bile. Je les récupère, dégoulinantes, et, lorsque j'essaie de les essuyer dans l'herbe, je manque de me casser la figure et ma casquette tombe par terre. Je récupère le sac et la casquette, et mets une éternité à déverrouiller la portière du côté passager. La voiture démarre et va se cacher derrière le premier buisson qu'elle trouve. Je balance tout mon attirail sur la banquette arrière.

La nuit s'est considérablement assombrie depuis mon arrivée, et les illuminations de Noël autour des maisons semblent plus vives. Mais pas suffisamment vives pour m'éclairer tandis que, debout à côté de la voiture, je me soulage la vessie en urinant sur une pelouse. C'était soit ça, soit pisser dans mon froc dans la voiture. Une demi-douzaine de Père Noël perchés sur des toits baissent les yeux vers moi, et tous se disent la même chose – ils préféreraient être ailleurs.

Quand j'ai fini, je m'affale à la place du conducteur et découvre qu'il y a devant moi deux volants et deux rues. Mais tout redevient normal quand je place ma main gauche sur mon œil droit. De petites gouttes de pluie apparaissent sur le pare-brise. Gerald Painter est chez lui, avec sa famille, probablement en train de pleurer. Je pose une main sur ma poitrine pour vérifier les battements de mon cœur. Je croyais qu'il battait à tout rompre, mais non. Je pourrais tuer en ce moment, et si le monstre avait son mot à dire, c'est ce que je ferais. La question est : Pendant combien de temps pourrai-je le faire taire ? Non, attendez – la vraie question est : Est-ce que je veux vraiment le faire taire ?

Je pose mes bras sur le volant, et ma tête sur mes bras. Je ferme les yeux quelques instants, et, lorsque je les rouvre, quelqu'un est en train de taper à ma vitre et il pleut à verse.

21

« Q u'est-ce que vous fabriquez ici, Edward ? »
demande Schroder.
Au fond de lui il sait déjà. Ou du moins il a
des soupçons. L'avertissement de Benson Barlow lui est resté en
tête toute la journée, un avertissement qu'il n'a pas été facile
de prendre à la légère – surtout depuis qu'Edward a rendu visite
à son père. Et maintenant ce même Edward est garé juste à côté
de la maison du vigile qui a été blessé durant le braquage.

« Qui... qui est-ce ? demande Edward en levant la main pour
se protéger les yeux bien qu'il n'y ait pas vraiment de lumière.

– Venez, je vous ramène chez vous.

– Quoi ?

– Asseyez-vous du côté passager, dit-il en ouvrant la portière.
Et dépêchez-vous. Je commence à être trempé. »

Edward descend de voiture. Il inspire à pleins poumons, mais
une douleur se réveille en lui et il se plie en deux, tombe à
quatre pattes, et commence à avoir des haut-le-cœur. Une flaque
de vomi apparaît. La pluie est violente, venue de nulle part
– il est clair qu'aucun météorologiste n'avait rien prévu de tel.
L'arrière de sa chemise est déjà trempé. Edward est secoué par
une quinte de toux et Schroder attend, et, quand il se dit qu'il ne
se relèvera jamais tout seul, il se baisse et l'attrape par l'épaule.

« Venez, nous devons y aller. »

Il aide Edward à se remettre sur pied, prenant soin de ne pas
marcher dans le vomi. Edward se contorsionne pour pouvoir
jeter un coup d'œil dans la rue. Il y a une voiture de patrouille

garée vingt mètres plus loin. Schroder lui fait faire le tour jusqu'au côté passager, où d'autres flaques de vomi diluées par la pluie maculent le trottoir.

« Qu'est-ce que vous fabriquez ici ? demande Schroder.

– Je dormais.

– Est-ce que ce sont les vêtements que vous portiez à la banque ?

– Peut-être.

– Ils sont couverts du sang de votre femme.

– Ah bon ?

– Montez », dit Schroder, manifestement pas amusé.

Edward monte côté passager et Schroder se hâte de prendre place derrière le volant. Une heure plus tôt, le moindre mouvement le mettait en sueur. Maintenant il frissonne. Une brume recouvre le pare-brise et il allume la clim pour la dissiper. La voiture qui l'a amené les suit. Il met les essuie-glaces en marche. La pluie diminue déjà, et à peine ont-ils parcouru quelques rues qu'elle a presque complètement cessé.

« Écoutez, Edward, dit-il d'une voix plus douce. Je sais que vous voulez des réponses, mais ce n'est pas en venant ici que vous les trouverez.

– Je sais.

– Alors, pourquoi êtes-vous venu ?

– Je ne sais pas.

– Hum. Gerald Painter n'a rien à voir avec le braquage. Il est autant victime que les autres.

– Pas autant que Jodie, réplique Edward, et Schroder sait qu'il n'a pas tort.

– Écoutez, je sais que c'est difficile, et que tout ça est moche, mais vous devez vous ressaisir. Il y a une petite fille qui dépend de vous.

– Je le sais. Pas la peine de me le rappeler. Vous croyez que le meurtre de ma femme me fait oublier Sam ?

– Bien sûr que non. Le problème est que vous avez besoin qu'on vous le rappelle. Sinon, vous ne seriez pas ici en ce moment. Vous ne seriez pas soûl et sur le point de vous tuer en voiture.

– Pourquoi êtes-vous venu ? demande Edward.

– La femme de Gerald Painter nous a appelés. Elle a dit que vous étiez passé le voir ce soir, et, à l'en croire, ce n'était pas vraiment une visite de courtoisie. Pourquoi y êtes-vous allé ?

– Vous n'avez qu'à lui demander.

– Elle n'en sait rien, et Gerald Painter ne dit pas grand-chose, mais je dois vous prévenir, Edward, ça ne me plaît pas de vous trouver ici. En plus, vous êtes soûl et vous portez des vêtements tachés du sang de votre femme. Mme Painter n'est pas la seule à nous avoir appelés – un autre voisin vous a vu tituber vers votre voiture et pisser sur une pelouse. Les agents dans la voiture derrière nous, ils sont venus pour vous embarquer. Le fait que je sois ici, c'est une faveur, Edward. Je suis venu pour vous ramener chez vous et vous épargner une nuit au trou. Je suis venu pour vous empêcher de faire d'autres bêtises.

– Vous voulez mes remerciements, maintenant ? Et si vous les méritiez en retrouvant les hommes qui ont tué Jodie ?

– Pourquoi êtes-vous venu ici ?

– Je n'en sais rien.

– Moi, je crois que vous le savez. »

Edward hausse les épaules.

« Je crois que vous en voulez à Painter de ne pas avoir sauvé votre femme. Je crois que vous vouliez le faire souffrir pour ce qui est arrivé, mais qu'en venant ici vous vous êtes aperçu qu'il souffrait déjà et qu'il n'y était pour rien. Je crois que si vous ne vous en étiez pas rendu compte, alors je ne serais pas là à vous accorder des faveurs. Nous aurions une conversation bien différente. »

Edward ne dit rien, il se contente de regarder la nuit à travers la vitre. Schroder reste un moment silencieux, songeant à Benson Barlow et à son avertissement.

«Dans un sens, vous me rappelez un ami, reprend Schroder. Il cherchait quelque chose qu'il n'aurait pas dû chercher, et ça lui a coûté cher. Il a cru que boire serait la solution, mais ça l'a foutu en l'air, ça a foutu son jugement en l'air. Il a pris sa voiture un soir et il a renversé une femme, il l'a presque tuée. Il va vous arriver le même genre d'emmerde si vous ne reprenez pas les choses en main. Mon ami avait été auparavant un flic avec la tête sur les épaules. Vous finirez par tomber dans le même abîme que lui, et cet abîme l'a envoyé en prison. Il a pris six mois pour ce qu'il a fait. C'est ce que vous voulez? Abandonner votre fille pour six mois?»

Edward ne répond rien.

«Ou alors ce sera pire. Vous prendrez le volant et votre fille avec vous. Vous l'entraînerez dans cet abîme et vous la tuerez.»

Toujours rien.

«Écoutez, Edward, nous allons attraper les hommes qui ont fait ça. Ces types se font toujours arrêter. Toujours.

– Et vous les relâchez à chaque fois, réplique Edward. Pas vrai? Vous allez retrouver ces types et vous vous apercevrez que vous avez déjà eu affaire à eux par le passé, que vous les avez déjà enfermés, et que vous les avez laissés ressortir.

– Ça ne se passe pas comme ça.

– Ah non? Et si vous m'expliquiez comment ça se passe?

– Votre père est toujours derrière les barreaux.

– Mais il est le seul, exact? Tous les autres sont libérés et ils peuvent faire tout ce qui leur chante.

– Vous croyez que je ne le sais pas? Vous croyez que c'est facile d'être flic dans cette ville? Qu'est-ce qui...» Il n'achève pas sa phrase. «Écoutez, quelle est l'alternative? Baisser les bras? Vous savez combien de flics nous perdons chaque année parce que tout le monde baisse les bras? L'année passée, Edward, l'année passée a été terrible. Avec tout ce qui s'est passé... bon Dieu! même moi, il y a des jours où j'ai envie de laisser tomber. Voilà ce que cette ville vous fait. Elle produit ces gens. Elle les arrête, elle les met en prison, puis quand elle les libère ils sont encore plus durs et violents qu'avant. Mais nous essayons, Edward, et nous faisons des progrès. Ça va changer. Nous faisons tout notre possible avec les moyens du bord, et je vous le promets, nous allons mettre la main sur les hommes qui ont tué votre femme. Et je vous promets qu'ils vont payer.

– Tout le monde croit que je suis comme lui.

– Quoi ?

– Mon père. Tout le monde croit que je suis comme lui. Les gens me reconnaissent après m'avoir vu à la télé et ils croient que je vais être le prochain tueur en série.

– Personne ne vous reconnaît, Edward, dit Schroder en se rappelant les paroles de Barlow. Quand vous êtes passé à la télé, c'était il y a vingt ans. Et vous n'y étiez pour rien à l'époque.

– Tout le monde est prêt à me déclarer coupable et à m'envoyer en prison pour le restant de mes jours. Tout le monde a peur de moi. Mais ces hommes, pourquoi n'avons-nous pas suffisamment peur d'eux pour les enfermer pour le restant de leurs jours ? Quand vous les retrouverez, inspecteur, et que vous les enverrez en prison, qu'est-ce qui va se passer ? Combien de temps avant que vous ne soyez obligé de les arrêter une fois de plus pour un autre meurtre ?

– Je vous promets qu'ils vont payer, Edward », répond Schroder.

Ils atteignent la maison et l'inspecteur se gare dans l'allée. Ils descendent tous les deux. La voiture qui les suit s'immobilise, ses pneus frottant contre le bord du trottoir. La partie inférieure du véhicule est recouverte de boue projetée par les roues.

Ils marchent jusqu'à la maison et Schroder ouvre la porte.

« Qu'est-il arrivé à votre ami ? demande Edward.

– Je vous demande pardon ?

– L'ami dont vous me parliez. Il cherchait quelque chose. Il s'est arrêté de boire et il l'a trouvé ?

– Oui. Il l'a trouvé, et des gens sont morts à cause de ça.

– Mais il n'a pas perdu sa famille à cause d'une bande de braqueurs, si ?

– Je vais garder ça cette nuit, déclare Schroder en agitant les clés de voiture d'Edward. Vous pourrez passer les chercher au commissariat demain matin. Où est le double ?

– Je n'en ai pas.

– Tout le monde a un double de ses clés.

– Pas moi, parce que je ne les perds jamais.

– OK, Edward. Allez dormir. Ne faites plus rien de stupide ce soir. Ne me faites pas regretter de vous avoir aidé. »

Il referme la porte, se dirige vers l'autre voiture et s'en va.

22

Je vais pisser, je récupère le double des clés, je vais pisser une seconde fois, j'attrape une bière, un blouson, et dix minutes après que l'inspecteur m'a déposé chez moi je suis de nouveau sur la route, ce qui est mieux qu'en prison, où j'ai cru que Schroder allait m'emmener à cause de ce que le monstre a voulu me faire faire ce soir. Le jeu comporte aussi un double des clés de voiture de Jodie, et pendant quelques secondes je ne sais pas lesquelles insérer dans le contact.

La voiture est plus difficile à contrôler que d'habitude, elle doit avoir un problème. Je conduis tout droit mais elle semble dévier vers la gauche, et à d'autres moments vers la droite. Ce n'est pas le moment d'avoir une voiture défaillante car la route devant moi n'est pas franchement claire. Je n'y vois que dalle, tout est flou, et, quand je plisse les yeux, je finis par voir double. Je perds le contrôle de la voiture et heurte le bord du trottoir. Je m'arrête J'aperçois ma maison dans le rétroviseur – je n'ai parcouru qu'une trentaine de mètres.

Je retente ma chance, plus lentement cette fois, en faisant un effort de concentration. La circulation est quasi nulle. Quelques personnes font leurs courses puisque, Noël oblige, les centres commerciaux ne ferment qu'à minuit. Statistiquement, certaines de ces personnes vont se retrouver sur la paille durant la période de Noël. Statistiquement, certaines d'entre elles vont retrouver leur maison cambriolée en rentrant, ou alors elles vont sortir du centre commercial et s'apercevoir qu'on leur a piqué leur voiture. Statistiquement, l'une de ces personnes sera découverte morte sur l'herbe d'un bas-côté, ce qui ne fera qu'alourdir la charge de travail de Schroder.

Je ne connais pas bien le quartier et me perds en me rendant au cimetière. Je grille deux ou trois feux rouges par accident, mais il m'arrive aussi de rester immobile alors que le feu est vert, ce qui, je suppose, rétablit l'équilibre. J'arrive à bon port et m'engage dans le cimetière. Dans l'obscurité, aucun détail de l'église n'est visible, elle n'est qu'une silhouette légèrement plus sombre que la nuit qui l'entoure. Je roule tout droit et ne tarde pas à me perdre. Je ne suis pas revenu ici depuis l'enterrement de Jodie, et ce jour-là je suivais les autres. Maintenant, c'est un dédale. L'église disparaît derrière la ligne des arbres, et tout autour de moi il n'y a que des tombes et de l'herbe, avec ici et là un arbre occasionnel. Peut-être que c'est pour ça qu'on appelle Christchurch la Ville-Jardin – le paysage est génial quand on est mort.

Je roule au hasard pendant cinq minutes environ avant de décider que je couvrirai mieux la zone à pied. J'attrape la bière, descends de voiture et m'appuie dessus pour refermer la portière, mais je glisse sur le sol détrempé. Je me retrouve par terre et m'érafle les genoux, la bière m'échappe des mains et il me faut une minute pour la retrouver. Je marche au milieu des tombes à la recherche de Jodie, finissant même après quelques minutes par appeler son nom. Au bout du compte, je suis trop fatigué pour continuer. Je m'assieds contre une tombe moins ancienne que les autres. L'herbe est absolument trempée et l'eau imprègne mon pantalon. La lueur de la lune perce entre les nuages, mais je ne vois pas la lune elle-même. Une légère brise plaque mes vêtements humides contre ma peau. J'ouvre la bière, qui gicle à cause de sa chute quelques minutes plus tôt. Ce qui ne gicle pas me réchauffe alors que la nuit continue de se rafraîchir. Je parle à Jodie bien que la personne sous moi ne soit pas ma femme, mais un type âgé d'une petite vingtaine d'années qui est mort il y a quelques mois, à en croire les inscriptions sur la pierre. Il n'y a aucune autre indication – peut-être que personne n'en avait rien à foutre, ou peut-être que les gens étaient contents qu'il meure.

« Je suis tellement désolé, Jodie. Pour tout. Je suis désolé que tu sois morte. Désolé que tout ait été de ma faute. Désolé d'avoir balancé des assiettes contre le mur de la cuisine. »

Jodie et le type en dessous m'ignorent. Le cimetière est d'un silence de mort, mais pittoresque. Le ciel s'éclaircit, le voile de nuages se retire pour révéler des milliers d'étoiles. Elles illuminent la nuit, faisant ressortir la silhouette des arbres, projetant leur lumière sur le sol où la mort et quelques-uns des amis qu'elle s'est faits au fil des ans gisent tout autour de moi. La brise est plus chaude et plus puissante, elle descend des Port Hills, au nord-ouest, sur lesquelles scintillent des réverbères et des maisons. Elle balaie des hectares de broussailles, d'herbe et de rochers avant de fondre sur la ville, et, lorsqu'elle atteint le cimetière, elle fait tourbillonner feuilles et pétales à la ronde, et me projette de la poussière dans les yeux, si bien que je suis obligé de lui tourner le dos. Bientôt les étoiles se voilent et je ne sens plus le goût de la bière. Je me réveille après ce qui ne devrait être que quelques minutes, mais je suppose que plusieurs heures se sont écoulées car le soleil a remplacé la lune dans le ciel. Sa lueur vive me brûle si fort les yeux que c'est comme si elle me perçait un trou à travers la tête. Je me roule sur le flanc pour enfoncer ma tête dans mon oreiller, mais il n'y a que de l'herbe et une dalle de pierre. Je me frotte les yeux et pendant deux secondes environ je ne sais pas où je suis, puis tout me revient soudain. La brise est retombée. Je suppose que je suis loin d'être le premier à m'endormir ici avec une bouteille dans la main et une personne aimée sous terre. Mes vêtements puent la sueur, le vomi et le sang.

J'ai mal partout lorsque je me relève, mes muscles sont raides et douloureux. Comme je ne sais plus trop où j'ai laissé ma voiture, je choisis une direction au hasard et me mets à marcher.

Rien n'est familier, et tout se ressemble. Je passe vingt minutes à décrire des cercles de plus en plus larges avant de la repérer. Les clés sont toujours sur le contact. Quelques personnes en deuil me lancent des regards soupçonneux, probablement parce que j'ai l'air de sortir de l'une de ces tombes. Le cimetière a besoin d'être entretenu – la pelouse est trop haute et envahie par une vague criminelle de mauvaises herbes. L'un des côtés de la voiture est en plein soleil, l'autre a des feuilles humides collées dessus.

Je rentre en empruntant des petites rues au lieu des grands axes car je suppose que ça ira plus vite, mais je me trompe. Je passe devant deux personnes qui érigent des clôtures, d'autres qui tondent leur pelouse – autant d'activités estivales qui semblent à mille lieues du monde dans lequel je vis désormais. Dès que j'arrive finalement chez moi, je fonce à la salle de bains et pisse en faisant mon possible pour viser la cuvette et non le sol ou mes pieds. J'ai l'impression de me vider de tous les fluides de mon corps.

Je titube jusqu'à la cuisine et ouvre le réfrigérateur. La date d'expiration du lait est passée, mais il a un goût normal et j'en bois un demi-verre avant de décider que la dernière chose que je veux pour le moment, c'est bien du lait. Je regarde la bière. Laisse tomber – le lait, c'est pas si mal que ça, après tout.

Je m'appuie au comptoir de la cuisine, désorienté et perdu, comme si je n'avais rien à faire ici, et j'ai un mal de chien à me souvenir exactement de ce qui s'est passé hier soir. Dans un sens, je n'ai pas l'impression d'être rentré chez moi : je suis coincé quelque part, peut-être dans quelque purgatoire où la date d'expiration du lait est toujours passée, où ma bouche est sèche et où ma langue colle à mon palais. Même mes dents me font mal à force de les avoir fait grincer dans mon sommeil. Je suspends mes vêtements ensanglantés et vais prendre une longue douche. Ça me réveille un peu, du moins physiquement, mais je me sens mentalement épuisé à mesure que les souvenirs de la nuit dernière me reviennent au compte-gouttes.

Surtout, j'ai honte de ce que j'ai fait.

Mon cœur s'emballe lorsque je me revois sur le point de trancher la gorge de Painter et écarter le couteau au dernier instant. J'ai de nouveau envie de vomir. Je ne sais pas ce que je suis allé foutre chez Gerald Painter. Je ne sais pas quel était le plan. Si je l'avais tué, est-ce que le monstre m'aurait aidé à garder toute ma tête, ou est-ce qu'il m'aurait abandonné dès que le premier jet de sang aurait heurté le plafond ? Que serait-il arrivé à sa femme et à sa fille si elles m'avaient surpris ?

Je remets la cuisine en ordre, vidant le reste de bière et de vin dans l'évier. Je me souviens de ce que Schroder m'a dit hier soir, puis, plus important, je me souviens de ce que je lui ai dit, et ces souvenirs semblent se télescoper joliment et tout embrouiller, et soudain ce que mon père m'a dit tandis qu'il s'éloignait prend tout son sens – *Il n'y a pas de mal à écouter la voix.*

Je suis toujours un peu ivre, et certainement au-dessus de la limite, mais le monde ne vacille plus trop tandis que je roule vers le centre-ville. Je trouve une place près du commissariat. Mes clés m'attendent derrière le guichet de la réception. On ne me pose pas de questions sur la nuit dernière. On me demande simplement une pièce d'identité pour prouver que les clés m'appartiennent bien. Schroder n'est pas dans les parages. Il est probablement à la plage ou en train de finir ses achats de Noël pendant que Jodie repose, froide, sous terre. Je m'aperçois que je n'ai pas encore acheté de cadeau pour Sam – Jodie et moi attendions toujours le dernier moment pour ce genre de choses. Un homme-sandwich est posté devant le commissariat, il agite une bible tout en prêchant d'un ton mauvais, et je me demande s'il connaît Henry le sans-abri.

Je prends la route de la prison, passe devant deux centres commerciaux en chemin. La circulation est dense à proximité des parkings, les achats de Noël battent leur plein, les gens poussent des caddies remplis de nourriture. Un panneau deux fois plus grand qu'un bus est planté dans le sol à la sortie de la

ville, annonçant la création d'un nouveau quartier décrit comme
« la banlieue du futur ». Je me demande ce que ça signifie. Je me
demande si le panneau implique que Christchurch est figée dans
le passé, ou si le nouveau quartier ressemblera à quelque chose
sorti tout droit des *Jetson*. De la fumée s'élève des champs où les
fermiers font brûler leurs déchets. De gros systèmes d'irrigation
arrosent les récoltes sous le soleil brûlant.

Le cartable de Sam est toujours sur la banquette arrière, rempli
de gentils petits outils de mort que je vais devoir remettre à
leur place. Si Schroder-le-Curieux y avait jeté un coup d'œil, les
choses auraient pu se passer différemment.

Ce coup-ci, je ne téléphone pas à l'avance. Je me gare au
même endroit, et la femme à qui je me suis adressé hier est
toujours derrière le guichet, son sourire – le genre de sourire qui
inciterait des baleines échouées à retourner à l'eau – s'effaçant
lorsqu'elle me reconnaît.

« Je viens voir mon père, dis-je, comme si je pouvais avoir
cent autres raisons d'être là.

– Il vous attend.

– Mais... je n'ai pas appelé à l'avance.

– Ça doit être un miracle », répond-elle.

Mais non, ce n'est pas un miracle. Et je ne sais que penser du
fait que mon père a deviné que je reviendrais. Son arrogance me
fout hors de moi, même si je soupçonne qu'*arrogance* n'est pas
le bon mot puisqu'il a eu raison.

Un gardien m'escorte jusqu'au parloir. C'est le même gardien
qu'hier, et il me rappelle les mêmes règles qu'hier, insistant sur
le « pas de cris », qu'il répète à deux reprises. Il y a moins de
monde qu'hier, ce qui devrait faire paraître le parloir plus grand,
mais ça a en fait l'effet inverse. Qu'il y ait moins de monde
rend la pièce plus froide, étouffante, bien plus déprimante, on
a l'impression que les murs se resserrent, et j'imagine à peine à
quoi peuvent ressembler les cellules. Le Boucher n'est pas là.
Personne ne prête attention à moi.

« Tu as écouté la voix », déclare mon père.

Je suis assis face à lui. Il semble différent d'hier. Moins vieux, peut-être – comme si toute cette histoire lui donnait un coup de jeune.

« Laisse-moi te poser une question, dit-il. Tu crois que sous prétexte que tu es comptable tu sais ce qui s'additionne pour constituer un homme ?

– Pardon ?

– Tu vois, après vingt ans ici, moi, je le sais. Un homme est constitué de nombreuses choses. Il y a celles au fond de son cœur. Elles sont façonnées par sa famille, ses amis, par le sang qui coule dans ses veines. Bien sûr, les événements le façonnent aussi. Ceux du passé et ceux à venir. Je suis la somme de nombreuses choses. Toi, ta sœur, ta mère, vous faites partie de moi, de même que la famille dans laquelle j'ai grandi. Mais ça ne suffisait pas. Je croyais que si, enfin, quand j'ai rencontré ta mère et que nous avons fondé une famille, je croyais que ça suffirait. Mais non. Toi et moi, on est constitués de la même manière.

– Tu racontes des conneries.

– Tu es mon fils. Tu ne peux pas nier qu'une grande partie de ce qui est en moi est aussi en toi.

– Tu te trompes. Je peux le nier parce que c'est faux. Toi, moi, on ne se ressemble en rien.

– Pourquoi es-tu devenu comptable ? » demande-t-il.

Je m'adosse à ma chaise, ne sachant où il veut en venir.

« Je ne sais pas, dis-je en haussant les épaules.

– Tu veux savoir ce que je crois ?

– Non.

– Eh bien, tu vas l'entendre tout de même – après tout, c'est pour ça que tu es venu.

– Alors, pourquoi poser la question ? dis-je en secouant la tête. Vide ton sac.

– C'était pour que je sois fier de toi. Tu voulais être comptable comme ton père.

– Attends...

– Pourquoi ? Tu ne peux pas le nier.

– Attends... tu étais comptable ?

– Tu avais 9 ans quand on m'a arrêté. Ne fais pas comme si tu ne savais pas comment je gagnais ma vie. Tu es exactement comme ton père. »

Je ne réponds rien. Je ne veux même pas penser à ça.

« Et la voix en est la confirmation. Ma noirceur et ton monstre – ils sont aussi similaires que nous.

– C'est dingue. Tu es dingue. Je ne sais pas pourquoi je suis ici. Je me déteste d'être venu hier. Je me tire, dis-je, sans pour autant bouger de ma chaise.

– Tu es venu ici pour apprendre, pas pour me contredire constamment.

– Non. Je suis venu parce que... »

Je n'achève pas ma phrase, soudain saisi par l'incertitude.

« Parce que tu veux des réponses. Tout ce qui s'est passé cette semaine... Tu entends la voix, n'est-ce pas, Jack ? Elle est revenue. »

Mon père sourit. C'est le même sourire que celui dont je me souviens dans mon enfance, et quelque part tout au fond de moi je voudrais le serrer dans mes bras, pleurer contre sa poitrine et lui demander d'arranger les choses.

« Tu es ici pour me demander de t'aider », ajoute-t-il.

Je me penche en avant et le gardien semble sur le point d'intervenir, mais il n'en fait rien lorsqu'il s'aperçoit que je ne me penche pas pour étreindre mon père ni pour lui coller un coup de poing. Je baisse la voix.

« Tu as dit que c'était une bonne chose que les flics ne sachent pas qui a tué Jodie. Qu'entendais-tu par là ? »

Il jette un coup d'œil en direction du gardien, qui nous observe ouvertement, et soudain nous sommes copains, nous nous murmurons des secrets – comme au bon vieux temps.

« Ça veut dire ce que tu crois que ça veut dire.

– Je crois que ça veut dire que tu es cinglé. Que tu n'as rien à foutre de ce qui est arrivé à ma famille. Ou même à ta famille.

– Non, tu ne crois pas ça, réplique-t-il. Ça veut dire ce que ça veut dire.

– À savoir ?

– Ça signifie que ces hommes sont toujours en liberté, attendant que justice soit faite, et qu'il n'y a aucune raison pour que la justice soit celle de la police.

– Aucune raison sauf la loi.

– Est-ce que la loi a sauvé ta femme ? Est-ce que la loi réchauffe l'autre côté de ton lit la nuit ? Est-ce qu'elle donne à ta fille quelqu'un pour s'occuper d'elle ? Est-ce qu'elle lui prépare ses déjeuners, la borde le soir et lui dit de faire de beaux rêves ? Est-ce que la loi est là pour préserver ta famille, tenir la main de ta fille et la rassurer ? Est-ce qu'elle était là pour empêcher le sang de couler quand Jodie s'est fait descendre ?

– Tais-toi ! Je ne veux pas que tu parles d'elle comme ça.

– Il y a vingt ans, fils, tu n'étais pas prêt à tuer ce chien, mais la noirceur, ton monstre, t'a fait passer à l'acte. Tu as tué ce chien et la police est venue fouiner chez nous avec ses questions. La noirceur te rend impulsif, fils, et, il y a vingt ans, elle a provoqué mon arrestation.

– Hein ? Qu'est-ce que tu racontes ?

– C'était ce foutu clebs. Tu l'as tué, et ce faisant tu as invité la police dans le quartier. Tu te souviens que tu as enveloppé le bout de viande dans un sac en plastique ? C'est la vérité, et quand tu as lancé le bout de viande au chien, tu as laissé tomber le sac en plastique. Ce sac provenait de la maison, fils, et il y avait mes empreintes dessus. Ils ont comparé les empreintes et ont découvert les mêmes sur les prostituées. Les flics ont obtenu un mandat pour fouiller la maison parce qu'ils savaient qu'un tueur y vivait. Ils ont débarqué avec leurs questions, puis ils sont revenus en poser d'autres. Ils ont fouillé le garage, fils. Ils cherchaient les objets acérés que tu avais mis dans le bout de viande, et ils les ont trouvés. Mais ils ont aussi trouvé autre chose. D'autres souvenirs.

– Tu gardais des souvenirs de tes victimes ?

– Des broutilles. Des boucles d'oreilles, surtout. Parfois un collier. Je ne pouvais pas m'en empêcher. Ils sont venus à la recherche d'hameçons et de clous, et ils ont trouvé ces souvenirs.

– Tu as été... attends, tu as été arrêté à cause de moi ?

– Ce n'était pas de ta faute.

– Honnêtement, je crois que je m'en fous que ce soit de ma faute ou non. »

Et c'est vrai. Suis-je heureux que mon père se soit fait arrêter et qu'il ne puisse plus tuer ? Oui. Est-ce que ça me fait de la peine qu'on l'ait emmené ? Absolument. Je songe à ce que ça signifie. D'un côté, je suis un héros. J'ai sauvé des futures victimes. D'un autre côté, j'ai trahi ma famille. Si je n'avais pas écouté la voix, si je n'avais pas tué ce chien, alors ma sœur et ma mère seraient toujours en vie. Je les ai tuées aussi sûrement que j'ai tué ce chien. La semaine dernière, j'ai sacrifié Jodie pour sauver une employée de banque. Il y a vingt ans, j'ai sacrifié ma famille pour sauver des prostituées. Qu'est-ce que ça fait de moi ? Un négociant de mort ?

« Fils, je ne t'en veux pas. Tu ne pouvais pas savoir, et tu étais trop jeune pour contrôler la noirceur. Depuis que tu as tué ce chien, combien de fois l'as-tu entendue ?

– Pourquoi me dis-tu tout ça ?

– Les hommes qui ont tué Jodie, ils ont eux aussi quelque chose en eux, pas une voix comme nous, mais quelque chose qui les rend différents. Chacun d'entre eux doit avoir une histoire criminelle, ajoute-t-il. Réfléchis-y, c'est évident. »

Je réfléchis. Je pense à ce que Schroder a dit hier soir, à notre gentille conversation à propos des gens qui étaient arrêtés puis aussitôt relâchés, à propos du fait que les prisons sont de nos jours de gigantesques passoires.

«Ils ont tous passé du temps en prison, poursuit-il. C'est sûr. Je parie que certains d'entre eux, voire tous, se sont probablement rencontrés en prison. Ça sert à ça, la prison, pas vrai? Pour moi, c'est ma maison. Je ne reverrai jamais l'extérieur, mais, pour ces hommes, c'est un endroit où l'on apprend de nouveaux talents, où l'on se fait de nouveaux amis. »

Je reste silencieux, mais je continue de l'écouter.

«La prison accueille des gens, elle leur fournit une éducation très, très dangereuse, puis elle les recrache dans la société. La plupart des tueurs de Jodie, si ce n'est tous, sont passés par ici pour divers délits.

– Et tu sais qui ils sont, exact? C'est pour ça que tu me dis ça. Tu veux que je les retrouve pour satisfaire ta noirceur.

– Je crois que nous pouvons nous entraider.

– Hors de question. C'est des conneries. Je ne t'aiderai pas.

– Ce serait si terrible que ça, fils? Ou est-ce que tu préfères que ces hommes restent libres? La voix peut être néfaste, fils, mais elle peut aussi être une bonne chose. Tu peux t'en servir pour que ces hommes payent pour ce qu'ils ont fait.

– Pour satisfaire ta noirceur?

– Non. Pour que tu ne deviennes pas fou. Si tu n'arrives pas à la contrôler comme je l'ai fait, tu vas faire du mal à de braves gens.

– Attends une seconde. Est-ce que tu es en train de dire que tu l'as contrôlée pendant toutes ces années?

– Bien sûr. Je m'y suis aussi abandonné, dans un sens, mais je l'ai contrôlée. C'est pour ça que je n'ai jamais tué de gens qui comptaient.

– Tu as tué onze prostituées. Comment peux-tu affirmer qu'elles ne comptaient pas?

– C'est un fait.

– Non.

– Par rapport à quoi? Par rapport à ma famille? À mes amis? À nos voisins? Elles ne comptaient pour rien par rapport à tous les gens que je connaissais. Une fois que tu sauras contrôler la voix, elle t'empêchera de faire du mal à de braves gens. Elle t'empêchera de dérailler et de perdre ta fille. Le monstre ne s'en ira pas, surtout s'il prend le contrôle et te force à faire des choses. Si tu n'arrives pas à le dominer, tu ressembleras plus à ton père que tu ne l'as jamais imaginé. Nous sommes des hommes de sang.

– Quoi?

– Les autres, ils s'intéressent à leur apparence ou à l'argent, ils veulent un bon boulot et toutes les choses creuses qu'offre ce monde. Les autres hommes sont attirés par les seins et les culs, les femmes, par les sourires et les yeux. Mais ton monstre et ma noirceur sont attirés par le sang. Cela fait de nous des hommes de sang.»

Il se lève, et je m'aperçois soudain que cette rencontre, pour autant que ce soit le mot qui convienne, est finie. Je me lève aussi. Mon père tend les bras et me saisit les mains.

«Interdiction de se toucher! lance le gardien, et, comme mon père ne me lâche pas, il vient jusqu'à nous et nous sépare. Ça suffit pour aujourd'hui!» ajoute-t-il, imposant son autorité.

Mon père s'éloigne.

«Je t'aime, fils, dit-il sans se tourner vers moi. Quoi qu'il arrive désormais, souviens-t'en.»

Ne sachant que répondre, je ne dis rien. Je m'éloigne à mon tour. Et ce n'est que lorsque je suis sur le parking que je regarde le bout de papier plié qu'il m'a glissé dans la main.

23

Ç a fait vingt ans que je n'ai pas revu l'écriture de mon père. Quand j'étais petit, il avait l'habitude de m'aider à faire mes devoirs. Nous nous asseyions par terre dans le salon avec la télé allumée mais le volume presque à zéro, et nous nous demandions pourquoi les abeilles faisaient du miel ou pourquoi 7 n'était pas divisible par 12. Il m'écrivait des choses, relisait mes devoirs et inscrivait des idées dans la marge, parfois il prenait des notes dans des livres pour répondre aux questions que je me posais. Il a une écriture élégante qui rappelle des caractères d'imprimerie ; les lettres ne se fondent pas les unes aux autres, chacune est séparée, facile à lire, facile à reconnaître même après toutes ces années. Il voulait constamment que je sois le meilleur à l'école. Ces jours me reviennent, l'odeur de la cuisine de ma mère, la télé allumée, les rires, le temps chaud, un chien qui aboie, des uniformes d'écoliers, la vie.

Une autre voiture pénètre dans le parking. Une Mercedes délabrée, pas assez vieille pour être cotée, mais loin d'être assez neuve pour être cool. Une longue rayure court en bas de la carrosserie du côté passager. Un type d'environ 20 ans en descend, ses dreadlocks rebondissant sur ses épaules.

« Salut, mec, ça gaze ? » demande-t-il tout en inclinant la tête vers le haut.

Je le déteste immédiatement. La phrase *J'ai mangé à la Perruche sanglante* est inscrite en lettres capitales sur le devant de son tee-shirt plein de trous. Pas d'illustration, pas d'explication, peut-être qu'il y a autre chose d'inscrit dans le dos, mais je ne regarde pas. Il se rend compte qu'il a eu tort de me parler car je ne lui réponds pas. Il hausse les épaules et franchit les portes vitrées.

L'air est si chaud dans la voiture que le bout de papier que mon père m'a donné se gondole presque. Je baisse la vitre mais ça ne change rien. Je lis deux fois ce qui est écrit dessus en me demandant ce que ça signifie.

ÉCOUTE LA VOIX, SHANE KINGSLY, 23 STONEVIEW ROAD.

Je rentre chez moi, mais la seule voix que j'entends est celle de la radio. Quand les informations arrivent, le présentateur ignore le braquage et ne mentionne aucune arrestation. Je me retrouve coincé derrière un nouveau camion qui se traîne alors j'emprunte un autre chemin, et cette fois je tombe sur une succession de travaux, la route est éventrée et l'air est chargé de poussière. Il y a des canalisations exposées et des machines, mais pas âme qui vive, les ouvriers sont en congé pour Noël et les travaux resteront en plan jusqu'au mois prochain. De minuscules débris projetés par les roues de la voiture qui me précède heurtent le pare-brise, sans toutefois le fendre. Mon téléphone portable se met à sonner. Je reconnais le numéro.

« Vous êtes retourné voir votre père, commence Schroder. Vous voulez me dire pourquoi ?

– C'est mon père. Je n'ai pas besoin d'autre raison. Et je n'ai certainement pas à me justifier auprès de vous.

– Vous semblez différent, Edward.

– Ah oui ?

– Oui. On dirait que vous avez une idée en tête, et je suis quasiment sûr qu'elle ne va pas me plaire. »

Bizarrement, je songe au contraire que Schroder est le genre de type qui pourrait apprécier ce que je pense – le problème, c'est que je ne peux pas le partager avec lui.

« Est-ce que vous m'appelez pour m'annoncer que vous avez arrêté les assassins de ma femme ?

– Nous y travaillons.

– C'est ce que je pensais. Alors pourquoi m'appelez-vous, à part pour me casser les couilles sous prétexte que je suis allé voir mon père ?

– Pour vous rappeler de ne pas avoir de mauvaises idées.

– Je ne sais même pas de quoi vous parlez.

– Je crois que vous le savez pertinemment. Je crois que vous êtes tellement perdu en ce moment que vous allez demander conseil à votre père, et, croyez-moi, c'est la dernière personne que vous voulez écouter.

– Je n'arrête pas de me dire que si vous passiez moins de temps à vous intéresser à ma vie, vous passeriez plus de temps à essayer d'attraper les types qui l'ont gâchée.

– Ne faites pas de bêtise, Edward.

– À qui voulez-vous que je fasse quoi que ce soit ? De toute manière, personne ne sait à qui je pourrais faire quoi que ce soit ! »

Je raccroche. Il ne rappelle pas.

De retour à la maison, je m'assieds à la table du salon et lisse le bout de papier sur le bois, appuyant avec mes doigts et mes paumes pour effacer les plis. Ma maison est toujours déserte. Pas d'ombres, personne, ma femme encore moins présente aujourd'hui qu'hier. J'ai un nom et une adresse, et je ne sais pas ce que je suis censé en faire. Quand Schroder m'a appelé, je n'ai à aucun moment envisagé de lui communiquer ces informations et, tout bien réfléchi, j'en suis ravi. Ce n'est pas la femme de Schroder qui a été assassinée. Est-ce que ça signifie que je suis en train d'écouter la voix ?

Je cherche à l'entendre. Il n'y a rien.

Je ne peux pas revivre la même chose qu'hier soir. Je ne peux pas aller chez ce type et... et quoi ?

Laisse-moi t'aider.

Et la revoilà.

« Non », dis-je.

Ma voix sonne creux dans la maison déserte.

Nous pouvons le faire.

« Non. »

Alors, laisse-moi le faire à ta place.

Je me connecte à Internet et lance une recherche sur Shane Kingsly. Je le trouve rapidement, car il a fait parler de lui dans la presse de temps à autre tout au long de sa vie. Rien de sérieux – il n'a jamais tué personne. Mais il a fait plein de coups foireux. Un tas d'arrestations pour vol. Quelques inculpations pour agression, et deux pour possession de drogue. Les informations disponibles ne suffisent pas à me dire combien de temps il a passé en tout derrière les barreaux. Lors de sa dernière condamnation, il a écopé de deux ans pour le braquage d'une station-service avec un fusil de chasse. L'article ne dit pas quand il a été relâché, mais il a dû avoir droit à une libération anticipée comme prisonnier modèle – ce qui n'est pas bien difficile, vu qu'il n'y a ni station-service ni fusil de chasse en prison. Cet homme faisait partie du groupe des six, mais ce n'est pas lui le cerveau. Est-ce lui qui a tué Jodie ? Possible.

Le téléphone sonne. C'est mon beau-père.

« Quand viens-tu chercher Sam ? demande-t-il. Tu lui manques.

– Je sais. Je suis désolé », m'entends-je dire. Je suis en pilotage automatique. « J'ai été pris. J'ai passé toute la matinée au commissariat.

– Est-ce qu'il y a... du neuf ?

– Pas encore.

– Tu vas bien, Edward ? Tu as l'air bizarre.

– Ça va. Je peux parler à Sam ?

– Bien sûr. Attends une seconde.

– Papa ?

– Bonjour, ma chérie. Papa-Nat et grand-mère s'occupent bien de toi ?

– Nous avons décoré le sapin de Noël, répond-elle. Ils m'ont laissée les aider. C'était super cool. Est-ce que le Père Noël va apporter quelque chose à maman cette année ? »

Mes jambes se mettent à flageoler et je m'assieds. Je m'aperçois soudain que je n'ai aucune idée de l'endroit où se trouve notre chat. Je ne me rappelle même pas la dernière fois que je l'ai vu, et je ne sais plus si je l'ai nourri ou s'il est toujours en vie. Bon Dieu! – j'espère que le monstre ne lui a pas réglé son compte quand j'étais soûl.

« Papa ?

– Pas cette année, chérie. Je vais venir te voir, d'accord? Dis à Papa-Nat et à grand-mère que j'arrive.

– D'accord, papa », répond-elle, et elle raccroche sans un mot de plus.

Je rassemble quelques vêtements. Jodie a acheté un sac il y a deux ans pour les fois où Sam passe la nuit chez ses grands-parents. J'ajoute quelques jouets, et je suppose que ça suffira. Tout le reste – pyjama, brosse à dents, etc. – est chez Nat.

Le soleil est toujours étincelant, et, bien qu'il fasse moins chaud qu'il y a quelques heures, je roule avec ma vitre baissée. Le temps à Christchurch a le don de changer d'un instant à l'autre. Il y a des arrêts de bus avec des files de gens qui attendent d'aller quelque part, des touristes avec des sacs à dos à moitié aussi grands qu'eux qui visitent la Ville-Jardin, des mères avec des poussettes et des sacs pleins de courses. Devant toutes les maisons, les boîtes aux lettres débordent de prospectus. Sur les pelouses, des gosses courent au milieu des arroseurs, quand ils ne s'assoient pas carrément dessus. Je passe à côté de hérissons aplatis par des voitures, et de chiens qui se promènent en liberté sur les trottoirs, reniflant les sacs de fast-food abandonnés dans le caniveau. Je contrôle la situation durant tout le trajet, et je la contrôle toujours lorsque je me gare dans l'allée et descends de voiture. Sam sort et me serre dans ses bras, puis elle me mène à l'intérieur pour me montrer fièrement le sapin de

Noël. C'est le même arbre que les autres années. Je souris en le voyant et je dis qu'il est joli, mais la vérité, c'est que je n'apprécierai probablement plus jamais Noël.

« Tu as vraiment une sale tête, déclare Nat, et je suppose qu'il dit vrai – je n'ai pas vérifié.

– Je peux te préparer quelque chose à manger ? demande grand-mère.

– Oui, merci. »

Je crois que je n'ai rien avalé depuis les céréales à même la boîte d'hier.

Je passe deux heures chez mes beaux-parents. Je ne suis pas vraiment mal à l'aise, mais j'ai constamment l'impression d'être un étranger, et, malgré tous leurs efforts, je crois que c'est peut-être la dernière fois que je leur rends visite – hormis pour déposer Sam ou passer la chercher. Je ne peux pas être ici avec eux et je ne sais pas pourquoi. Ils ne me jugent pas responsable de ce qui s'est passé, mais leur douleur est écrite sur leur visage. Je n'ai pas besoin de voir ça, pas maintenant, peut-être plus jamais. Après le dîner, Nat et moi nous rendons sur la terrasse. Il boit une bière et se demande pourquoi je n'en veux pas une moi aussi.

« Écoute, Nat, est-ce que vous pouvez encore garder Sam ce soir ? J'ai quelque chose à faire. »

Il boit une longue gorgée de bière avant de répondre.

« Tu sais, Eddie, je ne déconne pas quand je dis que tu as vraiment une sale tête.

– Je sais.

– La seule chose que tu devrais faire en ce moment, c'est t'occuper de ce qui te reste de famille.

– C'est ce que je fais.

– Hum, hum. Et comment fais-tu ça, exactement ?

– Est-ce que vous pouvez garder Sam, oui ou non ?

– Bien sûr que oui, Eddie, tu le sais bien. J'ai juste peur que tu n'envisages de faire quelque chose de stupide.

– Comme quoi ?

– Je ne sais pas. Quelque chose. Une bêtise.

– J'aide simplement la police avec deux ou trois choses.

– Tu as une fille qui a besoin de toi. Je ne te dis pas d'oublier ce qui s'est passé, mais tu dois laisser la police faire son boulot. Un homme a besoin de savoir quelles sont ses priorités.

– Je sais. Tu as raison. C'est juste pour ce soir, je te le promets.

– OK, Edward. Et ne t'en fais pas, tu n'es pas forcé de tenir ta promesse », ajoute-t-il, et il finit sa bière.

24

Je suis assis dans mon salon, les rideaux sont tirés, la chaîne stéréo et la télé sont éteintes, le téléphone est débranché. J'en ai marre du monde. Marre de mon téléphone – marre des messages laissés par les journalistes, par le psychiatre que je voyais il y a des années et par tous ces gens qui veulent prendre de mes nouvelles. Je regarde fixement la télé comme si elle était allumée. Au début, je vois mon reflet, mais plus le temps passe, plus il devient difficile à distinguer. Je n'ai rien à faire à part attendre qu'il fasse nuit. Je regarde le sapin de Noël et songe à l'enlever de là, mais je décide une fois de plus de le laisser pour Sam. La lueur du soleil pénètre à travers l'une des fenêtres du salon, elle grimpe le long des murs à mesure qu'il descend vers la ligne d'horizon, se réfléchissant sur les boules et les cloches brillantes du sapin, illuminant une photo de Sam, puis une photo de Jodie et moi le jour de notre mariage. La lueur orange se réfléchit à travers la pièce, elle faiblit, puis elle disparaît.

Je continue d'attendre.

L'obscurité s'installe. Une heure s'écoule. J'allume la télé et tombe sur un programme néo-zélandais avec des médiums. Ceux-ci essaient de résoudre des crimes que la police a échoué à élucider. Il y a peu, ce genre d'émission me dégoûtait. Ces gens qui gagnaient de l'argent en exploitant le malheur des autres – les médiums eux-mêmes, mais aussi tous ceux qui avaient quoi que ce soit à voir avec l'émission. Des femmes se faisaient violer et assassiner pour voir leur histoire racontée et reconstituée par des médiums qui cherchaient à se faire du fric, et les téléspectateurs adoraient ça – du moins en nombre suffisant pour que l'émission continue d'exister. Mais maintenant je vois les choses différemment. Si la police ne peut pas faire son boulot, peut-être que les médiums y arriveront. Avant que j'aie le temps de changer de chaîne, la devanture de la banque apparaît, puis deux photos côte à côte, une de ma femme, une du directeur. Jonas Jones, le principal médium de l'émission, est assis à un bureau qui pourrait se trouver à l'intérieur de la banque, des bougies brûlent autour de lui, il ferme les yeux et annonce que l'argent est toujours à Christchurch, quelque part à proximité d'une étendue d'eau, ce qui n'est pas franchement un exploit, vu que Christchurch se trouve au bord d'un océan. Pas étonnant que les médiums ne gagnent pas au loto toutes les semaines.

Minuit passe.

À une heure du matin, je me change. Ma chemise a séché depuis hier soir, elle est rêche et me démange, et elle sent la même odeur que ce matin. Je roule à travers les rues pour la plupart désertes à cette heure, puis je m'approche du centre-ville, où les personnes ivres et turbulentes créent un peu d'animation. Les illuminations de Noël clignotent dans ma direction depuis les fenêtres, les toits et les arbres, l'air nocturne est illuminé par les éclats rouges et jaunes, ainsi que par la lueur pâle de la nuit. Si Jodie était vivante, tout ça serait fantastique. À la place, c'est tape-à-l'œil et bon marché, des décorations produites par des ouvriers surexploités dans des ateliers du tiers-monde. Ça donne l'impression que les gens dans ces maisons se raccrochent désespérément au bonheur.

Si la capacité à lire un plan était l'un des tests de Darwin pour définir les plus aptes à la survie, il y a longtemps que j'aurais été baisé. Il me faut un moment, mais je finis par atteindre ma destination. Tracez une ligne droite sur un plan et relevez les différents quartiers qu'elle traverse, et ils empirent progressivement: de jolies maisons près du centre-ville, des maisons pas trop mal un peu plus loin, puis des baraques qui ne peuvent être arrangées qu'à coups de cocktail Molotov encore plus loin. C'est là que me mène le plan, dans le genre de quartier qu'on voit normalement aux informations, avec des insurgés en lutte contre une armée d'invasion. Je maintiens une allure régulière car je ne veux pas prendre le risque de ralentir. Je passe devant des voitures cabossées, de vieilles machines à laver stationnées sur le trottoir, des bouts de bois ici et là, des sacs-poubelle éventrés qui se vident de leurs détritus. La rue que je cherche n'est pas mieux. Chaque jardin est recouvert d'une herbe brune et de merde de chien. La moitié des réverbères sont hors service. Seules quelques maisons ont une clôture, et, quand elles en ont une, il n'en reste qu'un quart au plus car la plupart des planches ont été piquées ou ont servi à faire du feu. Des années plus tôt, un tel quartier n'aurait pas existé. Il y avait quelques coins moches, mais pas à ce point. Si vous observiez la ligne que j'ai tracée sur mon plan, vous verriez que ce quartier s'étale, qu'il est comme un virus, touchant d'autres quartiers, les infectant, les dévorant avant de passer au suivant. La femme de Gerald Painter a raison d'emmener sa famille loin de cette ville. Ils vivent à peut-être cinq kilomètres d'ici dans une jolie rue avec de jolies voitures et de jolis arbres, mais ce n'est qu'une question de temps avant que le virus n'arrive dans leur rue et ne s'installe chez eux.

Je passe devant la maison que je cherche, le cœur battant à toute allure, les mains moites, même si je suis uniquement venu pour voir la maison, peut-être pour apercevoir Shane Kingsly, avant de rentrer à la maison et de...

Eh bien, de rentrer à la maison et de faire quelque chose. Je ne sais pas quoi. Peut-être appeler la police. Peut-être aller me coucher. Peut-être noter son nom à côté de ceux de Dean Wellington et du type de la compagnie d'assurances.

Alors, pourquoi le cartable de Sam est-il toujours sur la banquette arrière ?

« J'ai oublié de le ranger. »

Mon kit de tueur est toujours dans le sac.

Alors, pourquoi t'es-tu changé ?

« Et si tu la bouclais ? »

Je me gare un peu plus loin sous un réverbère défoncé, cette fois de l'autre côté de la rue, avec la maison face à moi pour pouvoir la surveiller. C'est le plan. Rester ici un moment. Observer un moment. Puis repartir.

Ben, voyons.

Je m'aperçois immédiatement du problème. Ce n'est pas le genre d'endroit où je peux rester assis dans ma voiture. Je fais tache ici. Bientôt, l'un des voisins va venir me dépouiller ou me tuer. J'ai vu tout ce qu'il y avait à voir, et maintenant il est temps de partir.

Certainement pas. Laisse-moi t'aider.

« Non. »

Soit. Libre à toi. Laisse les assassins de Jodie s'en tirer. Retourne à ta vie et passe à autre chose. Bientôt, c'est ce que tout le monde te dira. Passe à autre chose.

« Qu'est-ce que tu veux que je fasse ? »

Nous descendons de voiture. Je fais un tour complet sur moi-même pour voir s'il y a quelqu'un dans les parages, n'importe qui, mais il n'y a personne. J'attrape le cartable de Sam et je le serre fermement.

Nous nous approchons de la maison. L'herbe sèche craque sous mes pieds. Je m'accroupis et mets ma casquette, puis je continue d'avancer. Il n'y a pas de lumière allumée à l'intérieur. Aucune des maisons de la rue n'est décorée. Le Père Noël ne sait même pas que cet endroit existe. La maison de Kingsly est un logement social qui doit avoir 60 ans, et les planches qui la constituent n'ont pas vu de peinture fraîche de tout ce temps. La gouttière couverte d'une moisissure sombre s'affaisse aux endroits où elle est fissurée et défoncée. Des touffes d'herbe poussent dessus. Une voiture délabrée est garée dans l'allée, une autre sur la pelouse, et si vous combiniez les parties qui fonctionnent de chacune, vous obtiendriez une voiture qui ne vous emmènerait probablement nulle part. Je m'approche lentement de la maison et tente de jeter un coup d'œil à travers les fenêtres. Je ne vois absolument rien.

Je contourne aisément la maison, marchant lentement, prudemment, au cas où il y aurait des chiens, mais je n'ai jusqu'à présent pas entendu le moindre aboiement. Je croyais qu'il y aurait mille clebs dans un tel quartier. Peut-être le virus a-t-il eu leur peau.

Je regarde par les fenêtres de derrière et obtiens le même résultat. La porte à l'arrière est verrouillée. Je ne sais pas comment entrer. Je suppose que frapper à la porte est la meilleure solution.

Non, certainement pas. Nous ne savons pas combien ils sont à l'intérieur. Nous ne savons pas qui va répondre. C'est plus facile que ça. Contente-toi de faire ce que je te dis.

Il n'y a pas beaucoup d'endroits où se cacher, mais je trouve un espace derrière une haie broussailleuse qui a envahi un coin du jardin derrière la maison. Je saisis un caillou, je vise et je le lance puissamment contre le toit. Il produit un bruit lourd, et je me baisse vivement derrière la haie, les branches m'éraflant et accrochant mes vêtements. Je reste absolument immobile. Rien ne se passe. Je lance un deuxième caillou vingt secondes plus tard.

Une lumière s'allume dans la maison. Juste une, dans une chambre. Ce qui pourrait signifier que les autres chambres sont vides. Ou que les autres personnes à l'intérieur ont le sommeil plus lourd. Quelques instants plus tard, j'entends la porte de devant s'ouvrir. Vingt secondes plus tard, elle se referme, et bientôt c'est celle de derrière qui s'ouvre. Un homme dont la silhouette se détache sur la lumière du couloir fait quelques pas dans le jardin. Il porte un pantalon de pyjama et est torse nu. Des tatouages à l'histoire probablement violente grimpent sur son corps depuis sa taille. Il est grand et maigre, et semble avoir passé trop d'années en prison, et les autres à se droguer. Il parcourt le jardin d'un œil habitué, hausse les épaules, puis retourne à l'intérieur. J'attends que les lumières s'éteignent, puis quelques minutes de plus, et je lance un troisième caillou, même force, même endroit, même genre de son.

La lumière s'allume bien plus vite cette fois. Toujours la même chambre. Porte de devant. Rien. Porte de derrière. Il sort dans le jardin.

« Qui est là ? » demande-t-il.

Il a probablement posé la même question à l'avant et reçu la même réponse, mais il croit sans doute parler à un chat ou à un opossum.

Nous ne lui répondons pas. Il ne s'aventure pas loin, reste près de la porte, se demandant s'il s'agit d'un animal ou d'une pomme de pin qui serait tombée quelque part. La seule différence avec tout à l'heure, c'est que cette fois il a une lampe torche. Mais il ne s'en sert pas comme telle, il s'en sert comme d'une arme. Elle n'est même pas allumée. C'est un cylindre d'acier noir à peu près grand comme son avant-bras, et je me dis que s'il avait eu une meilleure arme, il serait venu avec. On ne va pas à une fusillade armé d'une lampe torche. Il retourne à l'intérieur. La lumière s'éteint. Silence.

Nous attendons dix minutes. Suffisamment longtemps pour qu'il croie que le bruit ne se reproduira pas. Suffisamment longtemps pour qu'il croie être sur le point de se rendormir.

Cette fois, la lumière ne s'allume pas. La porte de devant ne s'ouvre pas. Juste la porte de derrière, qui s'ouvre soudain violemment, et il se précipite dehors, tapant dans la paume de sa main avec sa lampe torche. Il est désormais habillé. Jean noir, haut noir, tout noir.

« Qui est là ? hurle-t-il. C'est toi, Reece ? C'est pas marrant. »

Il s'engage plus avant dans le jardin, allume la lampe torche et illumine des endroits au hasard. Le faisceau balaie la haie, mais il ne s'accroupit pas, il n'écarte pas les branches, il ne s'approche pas. Il ne va pas regarder derrière. Il croit que l'objet qui heurte son toit arrive là par accident, ou alors qu'il est lancé depuis un autre jardin. Il va d'un côté, puis de l'autre, il regagne la porte, jette un regard dans notre direction sans nous voir, puis il referme la porte. La lumière de sa chambre s'allume et s'éteint, mais il n'y est pas, il est dans le couloir, attendant que le bruit retentisse de nouveau, prêt à se ruer aussitôt dehors.

Je m'écarte de la haie, lentement, car un mouvement lent et assuré sera moins susceptible d'attirer son attention s'il observe depuis la fenêtre. Je place plus de distance entre la maison et nous, m'engageant à reculons sur la propriété voisine – même maison dans un même état de délabrement, mêmes planches gondolées, même jardin couvert de terre, probablement le même genre d'habitant à l'intérieur. Je prends soin de toujours laisser la haie entre moi et Kingsly. Je longe lentement le côté de l'autre maison et regagne la rue. Ma voiture est toujours là où je l'ai laissée. Les quatre roues sont toujours à leur place. Je suppose que, dans le coin, c'est comme gagner à la loterie. Je me dirige vers l'avant de la maison de Kingsly et longe l'allée, recroquevillé sur moi-même, avançant lentement. Je pose le cartable au beau milieu de l'allée, entre la maison et la route. Je marche jusqu'à la porte de devant, je m'accroupis et je laisse passer quelques instants, histoire de me calmer, puisant de la force dans le monstre.

Je frappe. Une fois. Deux coups lourds, sonores. Des pas martèlent le couloir. Je m'éloigne en courant, toujours recroquevillé sur moi-même, et regagne l'arrière de la maison avant qu'il n'ouvre la porte. Je l'entends dire quelque chose. Je ne distingue pas exactement ses paroles, mais elles ressemblent à : « Qu'est-ce que c'est que ce bordel ? » Je marche jusqu'à la porte et place la main sur la poignée, certain que Kingsly, dans sa volonté de sortir aussi vite que possible, ne l'aura pas fermée à clé. Et en effet, la poignée tourne et la porte s'ouvre. Je n'y vois rien à l'intérieur. Le couloir forme un coude, si bien que je ne vois pas non plus Kingsly. Il est dehors. Je l'entends contourner la maison jusqu'à l'arrière, demandant qui est dehors, quand il devrait poser une tout autre question. Il devrait demander qui est dedans. Je referme la porte, prends la direction de la chambre où la lumière s'est allumée et éteinte tout à l'heure, avançant à tâtons, trébuchant presque sur des cordes qui traînent par terre. Kingsly reste encore une minute dehors avant de revenir dans le couloir. La porte de devant se ferme.

Nous attendons dans le noir qu'il regagne sa chambre.

25

Kingsly retourne dans le jardin. Il tourne en rond une minute, jurant bruyamment sans savoir ce qu'il cherche. Il sait qu'il n'est plus question de pommes de pin. Il rentre finalement dans la maison, fait quelques allers-retours dans le couloir obscur. Je ne sais pas pourquoi, mais je sens à ce moment que j'ai commis ma première erreur. Le couteau ne le fera pas parler. Il ne va pas débarquer ici, voir le couteau à steak et vider son sac.

Je ne vois rien, mais je l'entends. Tout ce que je distingue, ce sont les nombres sur le radio-réveil et un petit rougeoiement qui provient de l'interrupteur d'une chaîne stéréo. Kingsly connaît sa maison par cœur, il sait où marcher sans rien heurter. Et puis il a sa lampe torche à la main, ce qui l'aide, je suppose. Mais ça m'aide aussi.

Le faisceau arrive au niveau de la chambre, éclairant une partie du lit depuis la porte. La lumière grossit à mesure qu'il approche. Je m'accroupis et je l'attends, mon couteau pointé devant moi. En entrant dans la chambre, il braque la lampe torche sur l'interrupteur et tend la main dans sa direction.

Il appuie dessus à l'instant précis où je bondis en avant. Je ne dois pas le tuer. J'ai besoin de lui. J'ai besoin de noms, d'adresses, d'informations qu'il ne pourra pas me fournir si je lui enfonce le couteau dans la gorge. Alors, je vise son épaule. Il m'entend venir, se retourne, lève le bras. Mon geste est dévié. Le couteau pénètre dans sa main et la repousse contre le mur, puis il poursuit son chemin et traverse aussi le placoplâtre, la lame s'enfonçant jusqu'au manche et sectionnant les câbles électriques derrière l'interrupteur.

Chaque muscle de mon corps se crispe, ma tête percute son menton, mon bras droit est engourdi par la douleur, mais je ne dois pas lâcher le couteau. Chaque muscle de Kingsly se crispe également, sa main qui tient la lampe torche bat l'air au hasard, le boîtier de métal m'atteint violemment à l'épaule et je bascule en arrière. Ma main lâche le couteau, je tombe à la renverse, heurtant le lit et repoussant le matelas.

Puis rien.

Kingsly est presque immobile. Des veines saillent sur son cou et sur son front. Il tient toujours la lampe torche, levant le bras en l'air comme s'il voulait poser une question. Il ne crie pas. Il ne cherche pas à ôter le couteau. J'entends un bourdonnement sourd, deux étincelles jaillissent du mur derrière sa main, puis plus rien. Pas de craquement électrique. Un silence presque parfait – hormis le bourdonnement.

Je m'aperçois alors qu'il bouge, qu'il est agité par de petits mouvements furtifs, que presque tout son corps tremble imperceptiblement d'avant en arrière, comme s'il avait des convulsions, une crise d'épilepsie à laquelle il n'aurait pas l'énergie de s'abandonner complètement. Il ne peut pas ôter sa main, tout ce qu'il peut faire, c'est danser cette danse de mort tandis que l'électricité traverse son corps. Ses pieds semblent rivés au sol. La lumière dans la chambre diminue, puis elle devient extrêmement vive, puis elle diminue de nouveau. Une ampoule grille, l'autre vacille brutalement.

Le visage de Kingsly est une grimace crispée, ses lèvres sont retroussées et ses dents se sont refermées sur sa langue, dont l'extrémité pendouille de sa bouche telle une limace. Son corps continue de trembler, plus violemment désormais, les spasmes agitant sa grande carcasse, le sang éclaboussant son nez et son visage, et coulant sur son menton. Le bout de sa langue se détache, la partie ensanglantée heurte le mur et y adhère, et elle glisse lentement vers le sol telle une tranche de cornichon sur une vitre chez McDonald's. Elle heurte le sol. L'avant de son pantalon s'assombrit. Je perçois une odeur de merde. Une odeur de barbecue. Ses yeux sortent de leurs orbites. Il n'y a de fumée nulle part.

Une petite flamme jaillit du mur et s'éteint tout aussi vite. Le bourdonnement cesse. La lumière s'éteint. La lampe torche tombe par terre mais reste allumée. Lentement, Kingsly glisse le long du mur, comme le bout de langue avant lui. Il glisse autant que le permet sa main clouée au mur, ses genoux se pliant, son visage frottant contre le montant de la porte, sa lèvre supérieure s'accrochant au passage au loquet et s'étirant avant de se déchirer. Sa tête dodeline sur ses épaules, ses yeux me fixent sans la moindre expression. Excepté la lèvre déchirée et le bout de langue ensanglanté, il n'est pas en trop sale état. Mais il suffit bien sûr d'un simple coup d'œil à ses yeux vides pour comprendre immédiatement qu'il n'est pas en forme.

Quelque chose cède alors dans sa main. Je ne sais pas exactement quoi, mais elle s'ouvre en V à mesure que le poids de son corps la tire vers le bas malgré la lame du couteau qui reste planté dans le mur, et il continue de glisser, puis bascule en avant, recouvrant la lampe torche de son corps et me plongeant dans l'obscurité.

J'entends ma propre respiration. Une respiration rauque. Douloureuse. Paniquée.

Je n'entends pas Kingsly. Je ne le vois pas. Mon bras me fait souffrir, et ma poitrine aussi. Je ressens une vive douleur à la base de la gorge. Mon cœur cogne. Je compte les secondes. Une. Deux. Mon corps entier est en sueur. Trois. Je m'écarte de lui en rampant, reculant jusqu'au coin du lit. Quatre. Je ne comprends pas pourquoi les plombs n'ont pas sauté et coupé le courant. Cinq.

Je sors mon téléphone portable de ma poche et apprends une autre leçon. Apporter un téléphone portable est une erreur, à moins qu'il ne soit éteint. Si quelqu'un m'avait appelé pendant que je me cachais derrière la haie ou dans la chambre, les choses se seraient passées très différemment. Je pointe l'écran en avant, et il éclaire environ un mètre devant moi. Je ne vois pas grand-chose à part mes pieds et le sol. Je m'agenouille et m'approche de Kingsly. L'électricité est coupée, mais je ne le touche pas. Je le pousse du pied pour libérer la lampe torche et y voir clair.

J'ai tué un homme.

Et tu as aimé ça.

Il y a une longue entaille sur la paume de ma main droite ; pas très profonde, mais très irrégulière. La lame du couteau a traversé mon gant quand j'ai glissé en avant après l'avoir poignardé. C'est aussi pour ça que j'ai reçu un choc électrique. S'il ne m'avait pas frappé avec la lampe torche, je serais peut-être par terre à côté de lui. Je touche le côté de son visage et le pousse du doigt. Sa tête bascule sur le côté et ne se redresse pas. Il a le visage bouffi, les lèvres retroussées, et des lambeaux de chair provenant de son bout de langue ensanglanté pendouillent entre ses dents. Les plombs auraient dû sauter. Le disjoncteur aurait dû fonctionner. Tout cela n'aurait pas dû arriver.

Je saisis la lampe torche. Il y a du sang sur le mur et le sol, sur le couteau et sur son bras, et une partie de son sang s'est mêlée à la blessure de ma main. Je recule soudain jusqu'au lit, je roule sur le flanc, j'ai des haut-le-cœur, j'ouvre la bouche, et...

Et rien. Il ne se passe rien. Mes haut-le-cœur cessent. Je sens le goût de la bile dans ma bouche, mais je ne vomis pas. Je me soulève du sol et m'assieds sur le lit, laissant une traînée de sang derrière moi. Je pose la main sur le lit, mon sang se répand dessus, et je comprends que ce coup-ci je suis foutu.

« C'est toi qui m'as fait faire ça », dis-je.

Toi ? Je suis toi !

Je continue de regarder fixement Kingsly, attendant qu'il fasse quelque chose. Mais il ne fait rien. J'attends que quelqu'un apparaisse. Personne n'apparaît. Et personne n'apparaîtra.

Je me rends dans le couloir et trouve presque immédiatement le disjoncteur – il s'avère que les cordes sur lesquelles je marchais tout à l'heure sont en fait les câbles d'alimentation qui serpentent par terre. Ils sont reliés au disjoncteur au moyen de pinces crocodiles. Le disjoncteur est un de ces modèles anciens avec des connecteurs reliés par un fil électrique, sauf que, dans ce cas précis, il n'y a pas de fil électrique ; les fusibles ont été remplacés par des clous de cinq centimètres de long. L'un d'eux a fondu au milieu. Un fusible aurait grillé en un dixième de seconde. Le clou a pris trente secondes. J'essaie les lumières du couloir et elles s'allument. Le seul endroit sans lumière est la chambre.

Je suis les câbles qui traînent par terre jusqu'à une autre chambre. La porte est lourde et chaude sous ma main. Lorsqu'elle s'ouvre, je vois un épais morceau de mousse isolante fixé à la base de la porte, et la lumière orange qui s'allume aussitôt me chauffe le visage. La pièce a été reconvertie en serre pour faire pousser de la marijuana. Des tables s'étirent d'un mur à l'autre, couvertes de plants. Des lampes chauffantes sont suspendues au plafond au-dessus d'eux. Tous les rideaux sont tirés, et, devant les rideaux, de grandes plaques de contreplaqué bloquent la vue depuis l'extérieur. Je fais un pas à l'intérieur ; l'air s'épaissit. Il y a des arrosoirs, des sacs d'engrais, tous les ustensiles que possèdent les vieilles femmes à la main verte. Chaque plant mesure environ trente centimètres de haut. Je me demande combien de temps ils mettent à pousser, combien d'argent a été investi ici. Je me demande ce qui va arriver maintenant que Kingsly est mort. J'envoie promener quelques plateaux, ils heurtent le sol et les plants se répandent par terre, leurs racines exposées, la terre explosant dans tous les sens. Je les piétine, j'écrase les tiges et les feuilles, je détruis la drogue en espérant que ça expliquera le meurtre de Kingsly. Que la police n'ira pas chercher plus loin qu'un règlement de comptes lié à la drogue.

Je sors de la pièce et referme la porte.

La lumière du couloir éclaire une petite partie de la chambre, et j'utilise la lampe torche pour le reste. Une épaisse liasse de billets pointe sous le bord du matelas que j'ai tout à l'heure poussé dans ma chute. Je le soulève et découvre des liasses de billets neufs, vierges, rien que des 100 dollars. Il doit y en avoir pour un demi-million. Je tends la main vers les billets pour savoir ce que ça fait de toucher autant d'argent, mais je me ravise aussitôt. C'est à cause de ces billets que ma femme est morte. Dans un sens, cet argent devrait me revenir. Mais il est également clair que je ne peux pas le toucher, et encore moins l'emporter. C'est l'argent du sang. Je laisse retomber le matelas dessus.

Des magazines porno sont empilés sur une vieille chaise en bois à côté du lit. Le radio-réveil est posé sur la pile, c'est un modèle gros et laid qui pourrait valoir un paquet de fric, vu que c'est probablement le premier qui ait jamais été fabriqué. Le lit est double, un drap d'un gris bleuâtre et couvert de cheveux est roulé en boule dessus, le matelas s'affaisse en son centre. Je suppose que si je tirais le drap du dessous et exposais la surface du matelas, j'aurais l'appétit coupé pendant quinze jours. La chaîne stéréo dont le bouton rougeoyait dans l'obscurité est flambant neuve, sa boîte, en travers de laquelle le nom de la marque est imprimé en grosses lettres, est posée juste à côté. C'est la seule chose dans cette pièce qui ait été fabriquée durant la dernière décennie.

Il y a un vieux bureau sur lequel sont posés un petit miroir et une lame de rasoir; il est constellé de fines traces de poudre blanche. Près de la fenêtre, un caddie de supermarché est rempli de sacs en plastique contenant de la marijuana séchée. Sur une étagère fixée à même le mur se trouvent du papier à rouler, du tabac, des ciseaux et du papier aluminium. L'étagère est légèrement inclinée et le tout semble sur le point de glisser par terre. Des posters de bagnoles tunées et de filles à poil ornent les murs, ainsi qu'un miroir publicitaire qui me dit quel alcool Kingsly aimait boire.

Et ce qui relie tout ça, c'est un homme mort qui gît par terre avec des yeux écarquillés et les dents fermement serrées sur un moignon de langue sanguinolent. La moquette est usée jusqu'à la trame et maculée de taches qui ressemblent à de la graisse, comme si quelqu'un avait essayé d'ôter la poussière en passant des morceaux de poulet frit dessus au lieu d'un aspirateur.

Je trouve la salle de bains, me débarrasse de mon gant en lambeaux et passe ma main sous le robinet pour ôter mon sang et celui de Kingsly, mais la plaie continue de saigner. Je renfile le gant et enroule autour de ma main une taie d'oreiller que je récupère dans la chambre, conscient que l'infection de cette maison, de ce quartier, est désormais en moi.

Je passe les placards de la cuisine en revue, puis finis par trouver de l'eau de Javel dans le garde-manger. J'ôte le bouchon et me mets à arpenter la maison en aspergeant les endroits où mon sang a goutté pour détruire l'ADN – du moins j'espère que c'est ce qui va se produire. L'infecte odeur âcre et piquante me brûle le nez. Je déloge le couteau du mur. Il n'y a plus de dents à l'extrémité de la lame, qui est noircie et fondue. Une bulle d'air apparaît sur les lèvres de Kingsly. Je l'observe, attendant qu'elle éclate, mais à la place elle se dégonfle, comme s'il inspirait de nouveau l'air. Je verse de l'eau de Javel sur le couteau et me rends à la cuisine, où je l'enveloppe dans un torchon. Le cartable de ma fille est près de la porte d'entrée. Il a été renversé et son contenu est répandu par terre. Kingsly a-t-il compris qu'il s'agissait d'un kit de tueur ?

Comme l'odeur d'eau de Javel me donne la nausée, je respire avec mon bras replié au-dessus de mon nez, tentant de tenir le coup. J'effectue une fouille plus approfondie de la maison, à la recherche de tout ce qui pourrait me donner d'autres noms, mais je ne trouve rien. Bon sang ! je ne sais même pas si Kingsly était impliqué dans le braquage. C'est possible. Je ne passe pas trop de temps à m'interroger sur les sentiments que m'inspire l'accident, car sa mort n'est que ça, un accident. Je décide que je suis encore indécis. Cependant, plus je pense à son passé, à ses condamnations pour trafic de drogue, aux vols à main armée, plus ce qui lui est arrivé m'indiffère.

Ils vont tous avoir des accidents ?

Peut-être. Je ne sais pas.

Il n'y a pas d'ordinateur. Pas de carnet d'adresses. Je lis le moindre bout de papier sur lequel je mets la main, certain qu'il y a d'autres noms ici, et plus mes recherches sont infructueuses, plus je me sens découragé. Et furieux. Il était mon seul lien avec ces hommes. Et je l'ai tué. Je ne trouve pas non plus de cagoule, mais je suppose que s'il était l'un des six braqueurs, il aura déjà jeté la sienne.

Tu es encore novice, mais tu t'en sors à merveille. Réfléchis. Réfléchis. Comment ces hommes communiquent-ils avec lui ?

«Un téléphone portable», dis-je.

Prenant soin de ne pas marcher dans le sang, je m'accroupis au-dessus de Kingsly et palpe les poches de son jean. Il y a quelque chose dans celle de droite. J'enfonce la main, et trouve un téléphone portable et un jeu de clés de voiture. J'asperge Kingsly d'eau de Javel avant de me diriger vers la porte de derrière, essuyant les poignées en chemin, portant le cartable de ma fille par-dessus mon épaule.

Je vérifie la voiture de Kingsly. C'est une vieille Holden au moins deux fois aussi grosse que n'importe quelle berline moderne. Je fais attention à ne pas laisser de traces de sang ou d'empreintes sur la portière. Il y a une tige de métal sur la banquette arrière, à peu près de la taille d'un pied-de-biche, mais beaucoup plus fine. C'est un de ces outils dont les voleurs se servent pour forcer les serrures des voitures. J'inspecte la boîte à gants, mais mon examen s'avère aussi fructueux que ma fouille de la maison. Je vais voir dans le coffre : il y a quelques outils, mais rien d'autre.

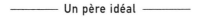

Je retourne à ma voiture et n'en finis pas d'être surpris – surpris que ma voiture soit toujours là, surpris qu'il soit près de 4 heures du matin, surpris que le monstre en moi n'ait pour le moment rien à dire. Je fais un crochet par le cimetière sur le chemin du retour et ne réussis pas plus qu'hier soir à trouver la tombe de ma femme.

26

C'est leur première piste sérieuse.

Quinze billets de 100 dollars accrochés à une corde à linge au fond de la blanchisserie. Un bac rempli d'eau et d'eau de javel à côté. La plupart des billets sont tachés à l'encre rouge, l'eau de Javel n'a pas permis de les nettoyer, mais quelques-uns sont en bon état et les numéros de série correspondent aux billets volés à la banque. Les autres sont endommagés, certains de façon irrécupérable. Ils proviennent des liasses au sein desquelles avaient été insérées les bombes de teinture.

Shane Kingsly a un casier qui remonte à près de vingt ans. Il commence par un vol à l'étalage et s'achève par un vol à main armée, et comporte une succession de condamnations pour cambriolages entre les deux. En fait, les rares fois où Kingsly ne s'est pas attiré de problèmes, c'est quand il était en prison.

Schroder sait déjà qu'aucun des voisins n'a rien vu. Il le sait avant même d'aller leur poser la question. Ce n'est pas un quartier où la police est la bienvenue. Personne ici n'ouvre gentiment sa porte en proposant des informations ou un café.

La maison est un piège à rats, et, à en croire le légiste, Kingsly aurait survécu à l'agression s'il n'y avait pas eu l'électrocution. Schroder s'imagine vivant dans un tel endroit, mais il ne se l'imagine pas longtemps – l'idée suffit à lui donner envie de rentrer chez lui pour prendre un bain. Des câbles courent depuis le disjoncteur jusqu'à la pièce où se trouve la marijuana pour alimenter les lampes chauffantes. La maison pue la crasse, et dans une pièce l'air est si sec qu'il craint qu'elle ne s'embrase. Dans une autre, l'atmosphère est froide et humide bien qu'il fasse plus de 30 degrés dehors. Il y a des traces de moisissure sur presque chaque mur, et tous les plafonniers sont couverts de toiles d'araignées.

« Qu'est-ce que tu en dis ? demande Landry. Une histoire de drogue ? »

Landry semble fatigué, il a des cernes noirs sous les yeux. Il a l'air d'avoir encore plus besoin de vacances que tous les autres.

« Peu probable. Ils auraient pris la drogue. Si Kingsly a participé au braquage, alors celui qui l'a tué a embarqué sa part du butin, en supposant qu'elle était ici pour commencer. Donc, c'est soit un membre de son équipe, soit quelqu'un d'autre.

– Tu penses à Hunter ?

– Je ne veux pas que ce soit lui, mais il y a autre chose. »

Il entraîne Landry dans le couloir jusqu'à la porte de derrière. Dehors, près de la marche, se trouve une solide boîte en aluminium aux parois de deux centimètres et demi d'épaisseur, suffisamment grande pour placer un ballon de football dedans.

« Qu'est-ce que c'est ? demande Landry. Une espèce de coffre-fort ?

– Il n'y a pas de verrou. Même pas de loquet. Juste un couvercle. Ouvre-la. »

Landry soulève le couvercle.

« Bon Dieu, c'est du sang ?

– De la teinture.

– De la teinture ? Elle provient des bombes de teinture qui ont explosé ?

– Exact.

– Donc les braqueurs ont isolé les liasses avec les bombes de teinture pour protéger le reste de l'argent, reprend Landry.

– Ils étaient préparés. La boîte devait être dans la camionnette, et ils savaient qu'ils ne disposaient que de deux minutes pour y transférer les liasses piégées.

– Ils savaient vraiment ce qu'ils faisaient, déclare Landry.

– Seulement ça n'a aucun sens. Pourquoi ne pas balancer les liasses par la vitre ? Pourquoi prendre la peine de les garder, et, même dans ce cas, pourquoi ne pas laisser la boîte dans la camionnette ? Pourquoi la rapporter ici ?

– Peut-être qu'ils comptaient s'en resservir ?

– Peut-être, mais je ne crois pas que ce soit ça, répond Schroder. Il y avait des centaines de liasses de cash dans ces sacs. D'après toi, comment ont-ils identifié celles qui étaient piégées ?

– Peut-être qu'ils avaient une espèce de détecteur de métaux ?

– Oui, et, dans ce cas, pourquoi le cacher ?

– Je ne te suis pas...

– Je crois qu'ils avaient un complice à l'intérieur de la banque.

– Quoi ?

– Réfléchis. Quand les quatre employés sont descendus à la chambre forte, ils savaient que les bombes de teinture devaient être placées dans les sacs. Si l'un d'eux oubliait, il paraissait suspect. Mais si quelqu'un les plaçait à un endroit précis ? Au-dessus du reste, ou en indiquant leur présence d'une manière ou d'une autre ? Les braqueurs emportaient les sacs dans la camionnette et sortaient immédiatement les liasses piégées pour les placer dans la boîte métallique. Ils ne pouvaient pas les balancer par la fenêtre parce que alors nous nous serions demandé comment ils avaient identifié les liasses piégées parmi tout cet argent. Et ils ne pouvaient pas laisser la boîte dans la camionnette parce que nous nous serions posé la même question.

– Bon sang, tu crois qu'un employé de la banque était dans le coup ?

– Ça semblerait logique, répond Schroder.

– Tu crois que c'est cette personne qui a tué Kingsly ?

– Elle aurait pris la boîte.

– Peut-être qu'elle ne l'a pas vue, suggère Landry.

– Peut-être. L'autre possibilité, c'est que la personne qui a tué Kingsly cherche aussi à s'en prendre aux autres. Nous devons recenser ses complices connus. Voir si nous trouvons un lien entre l'un d'eux et la banque.

– Donc tu penses que Hunter est capable de ça ? demande Landry en désignant Shane Kingsly de la tête tandis que le corps de celui-ci, enveloppé dans une housse, est porté hors de la maison sur une civière.

– Je n'en sais rien. » Schroder pense à Benson Barlow et à son avertissement. « J'espère que non, ajoute-t-il, mais nous allons le découvrir. »

27

Des coups frappés à la porte me réveillent. J'ai débranché le réveil hier soir puisque l'heure n'a plus guère d'importance ces jours-ci. Je me lève, j'écarte les rideaux, et le soleil de cette veille de Noël est suffisamment haut dans le ciel pour suggérer qu'il doit être aux alentours de midi. Je savais qu'on viendrait frapper aujourd'hui, je ne savais simplement pas quand. Je me suis débarrassé des vêtements que je portais la nuit dernière. De même que de l'arme du crime – ou l'arme de l'accident, pour être précis. J'ai nettoyé ma main, posé un pansement propre sur ma blessure. Ça fait mal, mais c'est le prix à payer, je suppose. La première chose que le monstre m'a fait faire quand nous sommes rentrés cette nuit, ç'a été de balancer un verre par terre dans la cuisine alors que je voulais juste prendre un antalgique.

J'enfile un jean et une chemise. Mon épaule me fait souffrir et je me la masse. Mon corps est raide et endolori. On frappe de nouveau.

Je marche jusqu'à la porte pieds nus. Toutes les fenêtres sont fermées, et l'air est chaud et rance. J'ouvre la porte et une lumière vive s'engouffre à l'intérieur, le pare-brise de la voiture garée devant chez moi m'en reflétant un bon paquet en pleine face. Je lève la main pour me protéger, plissant les yeux, exposant le pansement au regard des hommes qui se tiennent dehors.

« Nous avons du neuf, annonce l'inspecteur Schroder.

– Quel genre de neuf ? »

Et tandis que je pose cette question, je m'aperçois que je n'ai pas prononcé un mot depuis que j'ai laissé Sam chez ses grands-parents hier soir. Ma voix est râpeuse, ma bouche est sèche et les mots accrochent. Je suis obligé de répéter ma phrase.

« Ça vous ennuie qu'on entre ? demande Schroder. Voici l'inspecteur Landry. »

Landry a l'air trop petit pour ses vêtements et un peu trop fatigué pour être en train de travailler. Je les fais entrer et nous nous asseyons dans le salon. Du moins Landry et moi, car Schroder reste debout près du sapin de Noël, ce qui me tape sur les nerfs. Je ne leur offre pas à boire. Ce n'est pas une visite de courtoisie.

« Vous avez trouvé l'homme qui a assassiné ma femme ?

– Nous avons retrouvé une partie de l'argent sur une scène de crime ce matin, répond Landry. Un dealer qui s'est fait assassiner.

– Alors, quelqu'un lui a acheté de la drogue avec de l'argent volé ?

– Vous allez un peu vite, déclare Schroder.

– Ça me plaît, fait Landry. Quelqu'un qui réfléchit vite.

– Mais non, reprend Schroder, il ne s'agit pas de ça. L'argent retrouvé provenait de la banque. Il était taché à la teinture et endommagé.

– Je ne vous suis pas », dis-je.

Schroder m'explique alors que certaines liasses étaient piégées avec des bombes de teinture, et tout ça semble faire sens. Mais j'ai constamment l'impression qu'il me cache quelque chose. Peut-être qu'ils ont trouvé un objet qui m'appartenait sur les lieux. Ou alors est-ce qu'un voisin a pu me voir ? Ça semble improbable, il faisait trop sombre. Et pourquoi ne parle-t-il pas du reste de l'argent ? Les liasses de billets sous le matelas n'étaient pas tachées.

« Combien d'argent avez-vous retrouvé ?

– Je ne peux pas vous le dire, répond Schroder.

– Est-ce que c'est l'homme qui a tué Jodie ?

– Non, dit Landry.

– C'était l'un des six ?

– L'un des sept, corrige Schroder.

– Quoi ?

– Six hommes ont pénétré dans la banque, mais un autre est resté au volant de la camionnette.

– Pour préparer leur fuite ?

– Un chauffeur, confirme Landry.

– Alors, l'un d'eux l'a tué.

– Peut-être.

– Qui l'a découvert ?

– Pourquoi demandez-vous ça ?

– S'il faisait partie du gang qui a tué ma femme, peut-être que la personne qui l'a découvert en faisait aussi partie.

– Elle n'aurait pas donné l'alerte, observe Schroder. C'est son agent de probation. La victime ne s'est pas rendue à son rendez-vous ce matin, et son agent de probation est venu le chercher.

– Alors, qu'est-ce que vous êtes en train de dire ? Qui l'a tué ?

– Nous ne savons pas, répond Landry. Ça n'a aucun sens que quelqu'un le tue et laisse toute cette drogue derrière lui. »

Et l'argent.

« À moins qu'il n'ait été tué pour une autre raison, reprend Schroder.

– Quelque chose de plus personnel, ajoute Landry.

– Comme une vengeance, dit Schroder, les deux flics se renvoyant désormais la balle.

– Mais vous devez connaître ses complices, exact ? dis-je. Il a dû travailler avec ces hommes par le passé.

– Nous cherchons de ce côté, répond Schroder.

– Je ne comprends pas, pourquoi êtes-vous venus m'annoncer ça ?

– Nous pensions qu'il était important de vous tenir au courant », déclare Schroder.

Je n'en crois pas un mot. Et il le sait.

« Vous ne m'avez pas exactement appris quoi que ce soit, si ce n'est que quelqu'un qui a pu prendre part au braquage s'est fait tuer. Comment savez-vous que c'était lui le chauffeur, et pas l'un des autres membres du gang ?

– La taille.

– Pardon ?

– Il était grand. Aucun des six hommes dans la banque n'était aussi grand que lui. Les braqueurs étaient tous de taille moyenne, alors que ce type mesurait plus de 1,80 mètre.

– Ça ne signifie pas pour autant qu'il conduisait la camionnette, dis-je.

– C'est lui qui conduisait, réplique Schroder. Et il était dans le coup.

– Alors, quoi ? Ça signifie que vous allez bientôt arrêter les autres, exact ?

– Nous avons quelques pistes », répond Schroder. Mais la manière dont il dit ça me laisse penser qu'ils ont des pistes concernant l'identité de l'assassin de Kingsly, pas concernant celle des types qui ont dévalisé la banque. « Qu'est-ce que vous vous êtes fait à la main ? ajoute-t-il.

– J'ai cassé un verre hier soir, dis-je en me tournant vers la cuisine où j'ai fait tomber le verre en prévision de cette question. Je me suis coupé en ramassant les morceaux. J'aurais dû me faire recoudre.

– Hum, hum... Et votre fille ? Où est Sam ?

– Chez ses grands-parents.

– Alors, vous étiez seul ici hier soir ?

– On dirait que vous avez quelque chose à me demander ? »

Le téléphone portable de Schroder se met à sonner. Il l'ouvre et s'éloigne de quelques mètres tout en parlant à voix basse.

« Oui, dit Landry. Nous voulons savoir comment vous pouvez être à deux endroits à la fois.

– Pardon ?

– Vous allez nous dire que vous étiez chez vous hier soir, n'est-ce pas ?

– En effet.

– Nous avons une description de vous et de votre voiture devant la maison de notre victime hier soir. D'ailleurs, nous prévoyons une séance d'identification plus tard dans la journée, à laquelle vous participerez.

– Je n'étais pas là-bas, dis-je, faisant tout mon possible pour ne pas me mettre à transpirer.

– Nous pouvons prouver le contraire.

– Non. C'est faux. Parce que je n'y étais pas. Ma femme a été assassinée et vous venez ici me traiter de cette manière ? Allez vous faire foutre, inspecteur, dis-je, mon cœur battant à tout rompre. Mais vous savez quoi ? Je suis content que ce type soit mort. Peut-être que vous pourriez retrouver le coupable et lui demander de descendre les six autres.

– Intéressant que vous vous exprimiez ainsi, observe Landry. Vous voyez, quand vous dites "les six autres", et non les "cinq autres", ça suggère que vous ne croyez pas que l'assassin soit un membre du gang. »

Je ne réponds rien. Avant qu'il puisse continuer à s'acharner sur moi, Schroder referme sèchement son téléphone.

« Il y a du neuf, dit-il, manifestement mal à l'aise. Je veux dire, un incident.

– Quel genre d'incident ?

– C'est votre père », répond-il, et il regarde fixement par la fenêtre avant de se tourner de nouveau vers moi. Et avant même qu'il ait ouvert la bouche, je sais ce qui est arrivé. « Vous allez devoir nous accompagner. »

28

Il fait chaud à l'arrière de la voiture, même avec la clim allumée. Le seul bruit est celui des pneus sur la chaussée, aucun des deux inspecteurs ne semble d'humeur bavarde – pas comme il y a vingt minutes. Ils ne savent probablement pas quoi dire. Comme nous sommes dans une berline banalisée, je n'ai pas l'air d'un homme en état d'arrestation, même si c'est l'impression que j'ai, assis là sur la banquette arrière. Ne manquent que les menottes. Je regarde le paysage changer à mesure que nous traversons divers quartiers en direction du centre-ville. Le soleil cogne dur, certains quartiers sont jolis, d'autres moins, et il y a ceux qui donneraient des envies de suicide. Nous sommes retardés au début, un accident sans gravité devant le golf de Hagley Park ayant provoqué un ralentissement: une balle de golf sortie des limites du terrain a traversé le pare-brise d'une voiture, et le chauffeur a fait un tête-à-queue. Des joggeurs courent à travers le parc sur des sentiers bordés de cerisiers. Je songe au téléphone portable que j'ai pris à Kingsly la nuit dernière. Il était vide. Pas de liste d'appels entrants ou sortants. Pas de SMS. C'était un téléphone neuf. Un téléphone jetable.

Nous nous garons à l'arrière du bâtiment à côté d'une voiture de patrouille, et voyons sur une pelouse proche des canetons qui semblent avoir perdu leur mère. Nous prenons l'entrée de derrière, pénétrons dans un couloir froid avec du lino au sol et des murs de plâtre, le tout agrémenté de quelques décorations de Noël fixées à la hâte avec des bouts de scotch. Aucun de nous ne dit un mot. Nous marchons en file indienne, un flic devant moi, l'autre derrière.

Une infirmière aux yeux bleu vif nous accueille et me regarde en fronçant les sourcils avant de s'adresser à Schroder. Elle lui indique le chemin et je me désintéresse de la conversation. Je ne peux m'empêcher de regarder les patients éparpillés à travers le rez-de-chaussée, certains se promenant avec leurs intraveineuses, d'autres se dirigeant vers la sortie pour aller tirer sur une cigarette, et je ne vois pas une seule personne dans cet hôpital qui n'ait pas l'air de s'ennuyer à mourir, comme si ce n'était qu'un jour de plus dans une série de jours sans fin. Si l'hôpital possède une climatisation, elle est sans doute enterrée quelque part, peut-être dans la salle des infirmières, car il doit faire 40 degrés là-dedans.

Nous empruntons un ascenseur vers un étage supérieur. Les portes s'ouvrent sur un couloir qui donne sur plusieurs services. Deux agents de police se tiennent devant l'une des chambres. Le plus grand des deux s'approche, et il doit connaître Schroder car il lui adresse un hochement de tête et ne nous demande pas de nous identifier. Landry reste en retrait pour passer un coup de téléphone. Et je me retrouve là à fixer mes pieds.

« Dans le coin, derrière le rideau », dit l'agent.

Il y a six lits dans la chambre, tous séparés par une distance égale, trois de chaque côté. L'hôpital de Christchurch n'est pas exactement à la pointe du progrès médical, mais il fait avec les moyens du bord, même si tous ses équipements semblent avoir été commandés dans les années 1980 dans un catalogue de vente par correspondance. Tous les lits sont occupés, mais un seul est entouré d'un rideau. Il y a un espace suffisamment grand entre le rideau et le sol pour distinguer les pieds d'un médecin, et, tandis que nous nous approchons, celui-ci écarte le rideau et – ta da ! – mon père apparaît. L'espace d'une seconde, je suis certain qu'il ne sera pas là, mais, naturellement, il est là, cloué sur son lit par des tuyaux et des menottes fixées à son poignet droit.

Les yeux de mon père sont fermés, son visage n'a plus ni chaleur ni couleur. Ses traits sont affaissés, comme si la proximité de la mort avait provoqué un effondrement interne et que son corps se rabougrissait sur lui-même. Cet homme est un tueur de sang-froid, mais c'est aussi mon père, et, en le voyant ainsi, eh bien, je ne sais pas ce que je ressens. Il est en prison parce que j'ai tué un chien il y a vingt ans.

« Ce n'est pas aussi grave que ça en a l'air à première vue, annonce le médecin après que Schroder lui a dit qui nous étions. Une blessure avec un objet pointu sur le côté du torse. Le poumon gauche n'a pas été percé, mais si l'arme avait été plus longue, qui sait ? Ça a l'air sérieux – et, croyez-moi, ça l'est – mais ça aurait pu être bien pire. L'opération s'est déroulée aussi bien que possible. Il est toujours sous sédatifs, il ne se réveillera pas avant ce soir.

– Il va s'en sortir ? demandé-je. Il va récupérer complètement ?

– Il devrait, répond le médecin en désignant mon père de la tête. Nous allons le garder deux jours, et après ça nous vérifierons son état tous les deux ou trois jours, mais oui, votre père a encore le restant de sa vie devant lui. Bien entendu, nous en saurons plus ce soir quand il se sera réveillé. La seule chose à craindre à ce stade, c'est une infection. Nous vous tiendrons au courant », ajoute-t-il, puis il s'éloigne pour aller voir le patient suivant.

Je me tourne vers Schroder et demande :

« Qui a fait ça ?

– Personne ne le sait. Une bagarre a éclaté à l'heure du déjeuner. Les détenus se sont agglutinés, et, quand ils ont été séparés, les gardiens l'ont découvert. Il a été poignardé avec une brosse à dents, c'est facile à tailler en pointe, efficace. » Il a l'air de débiter un argumentaire commercial, comme s'il gagnait un dollar pour chaque brosse à dents taillée en pointe plantée dans un détenu. « La question est : pourquoi quelqu'un voudrait-il sa mort ?

– Il a tué beaucoup de femmes.

– Et les gens ont eu vingt ans pour essayer de le tuer en prison. Pourquoi maintenant ? Pourquoi le lendemain de votre deuxième visite ? »

Je hausse les épaules pour signifier que je n'en sais rien.

« Vous voyez, le timing en dit long, Edward. Votre père sait pertinemment que les prisons sont des endroits rêvés pour que les crapules se rencontrent. Je crois qu'il a mené sa petite enquête. Nous avons consulté des casiers judiciaires et trouvé quelques noms, et nous continuons de travailler dans cette direction, et les choses avancent et nous avons des pistes vraiment sérieuses, mais votre père a fait plus vite que nous à l'intérieur. Pour qui travaillait-il ? Voulait-il ces noms pour vous les donner ? Ou à nous ?

– Je n'en sais...

– Vous voyez, Edward, ça fait réfléchir. Ça m'incite à penser qu'il vous a donné un nom. Et notre victime de la nuit dernière avait une blessure à la main provoquée par un couteau, une grosse blessure infecte similaire à la vôtre.

– La seule personne qui sait ce que faisait mon père, c'est mon père, dis-je. Et il a cessé d'être mon père il y a vingt ans.

– Pour vous peut-être. Pas pour lui.

– Eh bien, vous pourrez peut-être lui demander quand il se réveillera.

– Ne vous en faites pas, c'est ce que nous ferons. Mais nous allons d'abord fouiller sa cellule.

– Eh bien, en attendant, si ça ne vous ennuie pas, j'aimerais passer une minute avec lui. Seul. »

Les inspecteurs s'éloignent. Je tire le rideau derrière moi pour avoir un peu d'intimité, puis je fais face à mon père. C'est la troisième fois que je le vois en trois jours. Ma femme a été assassinée la semaine dernière, mon père a failli être assassiné cette semaine – qu'est-ce qui va se passer la semaine prochaine ?

On dit : *jamais deux sans trois*. Le comptable en moi a toujours su que c'étaient des foutaises – mais si c'était vrai ?

J'essaie de m'imaginer ce que j'éprouverais si le couteau avait pénétré différemment, s'il s'était enfoncé dix millimètres plus profond, atteignant ce qu'il a raté aujourd'hui – serais-je heureux, triste ou indifférent ?

Je tends la main vers celle de mon père, mais n'achève pas mon geste. Je ne veux pas le toucher. Cet homme n'est même pas mon père. Il l'a été, jadis. Puis il est devenu autre chose. Je l'ai peut-être appelé *papa* au cours de ces derniers jours, mais ce n'est pas vraiment mon père, plus maintenant. Je ne sais pas trop ce qu'il est. Toutes ces années... Ajoutez toutes les parties qui constituent un homme, et vous obtenez un tueur en série. Un démon. Tout le monde s'accorde à dire qu'il méritait ce qu'il a eu. Moi y compris.

29

Deux choses séparent mon père de la morgue. Premièrement, deux étages de béton et d'acier. Deuxièmement, dix millimètres de chance. Schroder et Landry m'emmènent au sous-sol, et je ne pose pas de questions. Je leur emboîte le pas – nous descendons dans un ascenseur qui s'ouvre sur un couloir où la température doit être quatre fois moins élevée que dans les étages supérieurs. Nous marchons dans le même ordre que précédemment, moi au milieu. Le couloir me rappelle la prison, des blocs de béton sans décorations de Noël, une ligne peinte sur le sol que nous sommes censés suivre. Il y a une porte qui donne sur un bureau, puis une grande double porte. Nous franchissons la double porte, et l'air se refroidit encore plus.

Je n'ai encore jamais vu de morgue. Jamais vu pour de vrai ce que j'ai vu dans des douzaines d'émissions criminelles et de films policiers au fil des années, les carreaux blancs et austères, et les instruments à pointe émoussée, les scies modernes mais au design archaïque, les lames acérées conçues dans un but bien précis. Et puis il y a les types qui bossent à la morgue – des gens compatissants, des gens qui semblent prendre chaque décès à cœur, mais aussi des gens qui mangent leur sandwich en plaisantant et en discutant du « ceci et du cela » de l'anatomie.

Un homme d'une petite trentaine d'années s'approche, les mains profondément enfoncées dans ses poches. Il pousse un gros soupir.

« La journée a été longue », déclare-t-il. Je ne peux m'empêcher de jeter un coup d'œil à ma montre et j'observe qu'il n'est même pas 14 heures. « Vous êtes ici pour voir notre dernier arrivant ?

– C'est lui, là-bas ? » demande Schroder en désignant de la tête un cadavre sur un lit roulant.

Le type est nu, il a la peau grise, et il ne ressemble en rien à ce dont je me souviens de la nuit dernière.

« C'est lui. Je ne me suis pas encore penché sur son cas. Je suis à la bourre avec tous les suicides de Noël qui commencent chaque année de plus en plus tôt. Dès qu'il y a des sapins et des guirlandes dans les centres commerciaux, les gens se mettent à sauter des ponts.

– C'est la saison, observe Landry.

– Nous n'en aurons que pour quelques minutes, reprend Schroder.

– Prenez votre temps », dit le type, et il s'éloigne en direction d'un bureau en secouant lentement la tête.

Nous marchons jusqu'au cadavre. Pendant quelques instants, j'ai peine à croire qu'il s'agisse du même homme. Les tatouages semblent s'être dilués sur sa peau. Ses yeux sont clos et sa blessure à la main est béante. Elle est vilaine, à vif, et court depuis le centre de sa paume jusqu'au côté de sa main. Il l'aurait senti passer s'il avait été en vie. Les bords de la plaie ont noirci.

« C'est l'homme que vous croyez que j'ai tué ?

– Personne n'a dit ça, réplique Landry.

– Vous pouvez arrêter votre baratin. Sinon, pourquoi je serais ici ?

– Nous étions dans le quartier, répond Schroder. Et j'ai pensé que ce serait bon pour vous.

– Comment ça ?

– Ça aurait tout aussi bien pu être vous, dit-il.

– Non. Ça n'aurait pas pu être moi. Ce n'est pas moi qui ai fait ça.

– Je croyais qu'on arrêtait le baratin. Écoutez, Eddie, vous devez comprendre que vous jouez au con avec les mauvaises personnes. Je ne parle pas des flics, je parle de ces gens, ajoute-t-il en pointant le doigt en direction de Kingsly. Aujourd'hui, c'est lui qui est ici, mais, demain ou après-demain, ce sera vous. C'est ce que vous voulez ?

– Bien sûr que non.

– Alors, il serait temps que vous jouiez franc-jeu et que vous nous disiez ce qui s'est passé.

– Je ne l'ai pas tué.

– En êtes-vous sûr ? »

Ils me ramènent au rez-de-chaussée et nous retrouvons le soleil à l'extérieur de l'hôpital. Nous roulons environ deux cents mètres, puis ils prennent la direction opposée à celle de ma maison. Après quelques minutes, je comprends clairement où nous allons. Je ne me plains pas. C'est comme si on faisait une balade à travers la ville. Le trajet jusqu'à la prison est à peu près similaire à celui de l'hôpital. Autant de conversation silencieuse, autant de chaleur dispersée par la clim. La seule chose qui diffère, c'est le paysage. Des fermes entourées d'herbe calcinée. De grands champs pleins d'animaux amorphes qui cuisent au soleil, chacun d'entre eux avec un sombre avenir devant lui, l'abattoir et la casserole pour seul horizon. Je ne peux pas m'imaginer conduisant un tracteur, labourant des champs, trayant des vaches, me levant tôt et me couchant tôt, travaillant la terre avec de la crasse sous les ongles et un dos en compote – mais peut-être que si j'avais pu me l'imaginer il y a cinq ans, j'aurais vécu dans une ferme avec Jodie, loin de la ville, loin des banques et des braqueurs.

Ce sont ces mêmes paysages que les détenus voient s'ils parviennent à se faire la belle – mais ils n'ont pas vraiment besoin de s'échapper quand on les libère aussi vite, quand la politique de la passoire les relâche dans la nature sous prétexte qu'il n'y a pas de place pour eux, ou quand personne n'ose vraiment remettre le système en cause et dire que ça suffit.

Nous nous garons après l'entrée des visiteurs et traversons l'asphalte brûlant jusqu'à une porte à l'arrière. Le sol entre nous et les ouvriers chatoie – on dirait qu'il est recouvert d'une couche d'eau.

«J'espère que ça ne vous ennuie pas, dit Schroder.

– Pourquoi? Vous croyez que venir ici est également bon pour moi?»

On nous escorte à travers le dédale de couloirs en béton, où il fait près de 10 degrés de moins que dehors, puis nous atteignons le quartier des cellules, où nous retrouvons le même genre de température qu'à l'hôpital. À mesure que nous avançons, je sens l'odeur de la sueur, de la haine, du sang, du mal. Les cellules ont des murs en parpaing et de lourdes portes métalliques. Ce sont de vrais fours par une telle chaleur. Il y a des judas étroits à hauteur de tête, et, pour le moment, nombre de ces judas sont obstrués par des yeux qui m'observent.

Derrière les portes, certains prisonniers hurlent sur notre passage, d'autres nous ignorent, d'autres encore nous demandent des cigarettes; les plus chanceux sont probablement tombés dans les pommes à cause de la chaleur. Nous atteignons la cellule de mon père. Elle est identique à toutes celles devant lesquelles nous venons de passer. Il y a quelque chose de surréaliste à découvrir l'endroit où mon père a vécu au cours des vingt dernières années. Un bunker en béton avec une porte métallique, un petit lit rivé au sol surmonté d'un vieux matelas, deux posters scotchés au mur pour ajouter une touche de couleur, quelques livres empilés par terre, chaque chose à sa place et bien rangée, une cuvette de toilettes en inox dans un coin. Je me tiens à l'extérieur avec quatre gardiens tandis que Schroder et Landry commencent à la fouiller, mettant tout sens dessus dessous et créant un véritable foutoir. Ils prennent leur temps même s'il n'y a pas beaucoup d'endroits où chercher, me laissant attendre dans le couloir pendant que les détenus les plus proches m'interpellent. L'un d'eux m'appelle Eddie, puis il explique aux autres qui je suis, et ils se mettent tous à me dire la même chose : à savoir que je serai bientôt parmi eux. L'un d'eux en vient à me siffler, et les autres éclatent de rire. Tout ce que je vois, ce sont leurs yeux qui m'observent, et aussi les doigts d'honneur occasionnels qui jaillissent du judas. C'est pour ça que Schroder m'a amené ici – pour me donner un aperçu de mon avenir. Il est en train de me dire que je vais finir soit à la morgue, soit en prison. Je m'imagine passant vingt ans dans une de ces cellules, et ce n'est pas une idée plaisante. Je me demande comment mon père a tenu le coup. Je me demande ce qui l'a maintenu en vie, ce qui l'a retenu de fabriquer une corde avec son drap et de se pendre.

Le directeur arrive. Il porte un costume qui ne doit pas coûter 100 dollars, et il a l'air d'un type qui en a ras le bol de voir tout le temps les mêmes conneries – comme si le fait que mon père a failli se faire assassiner était la chose la plus banale qui soit. Il a dans les 55 ans et, tel un homme aguerri par les années, il me dévisage avec un mépris total. Sans un mot, il pénètre dans la cellule et déverse son courroux sur Schroder.

« Qui vous a dit que vous pouviez amener un civil ici ? demande-t-il suffisamment fort pour que la plupart des prisonniers alentour l'entendent. Vous êtes fou ? C'est une violation absolue des règles et ça va vous coûter votre plaque ! »

Je n'entends pas la réponse de Schroder – sa voix est basse et vigoureuse, et c'est sur le même ton que le directeur lui répond à son tour. Je fais mon possible pour écouter ce qu'ils disent, mais je ne perçois pas grand-chose à part deux noms, dont un que j'ai déjà entendu. Leur dispute silencieuse se poursuit pendant quelques minutes, et, lorsque le directeur ressort de la cellule, il n'est pas plus heureux que quand il y est entré. Il passe en trombe devant moi, suivi des deux gardiens qu'il avait amenés avec lui, sous les acclamations de quelques prisonniers.

Les deux inspecteurs continuent de fouiller la cellule de mon père comme si elle comportait une douzaine de compartiments secrets, et après trente minutes ils en ressortent bredouilles. Ils finissent par s'en aller, abattus, comme s'ils avaient espéré une raison d'arrêter de nouveau mon père. Et nous longeons sous escorte les mêmes couloirs que ceux que nous avons empruntés à notre arrivée.

Dans la voiture, Schroder résume la situation. Il n'y a pas de suspect pour ce qui est de l'agression de mon père – hormis les cinquante hommes qui se sont empilés au-dessus de lui. Il semble peu probable que ce nombre diminue, et encore moins probable qu'ils cherchent à le faire diminuer. Quand mon père se réveillera, il pourra peut-être les aider – mais, dans l'immédiat, ils ne peuvent pas faire grand-chose.

Je me rappelle ce que mon père m'a dit hier quand il m'a donné ce nom. Il savait qu'il se mettait en danger. Je crois qu'après vingt ans il en avait assez de cet endroit, et que, comme il avait revu son fils, il avait vu une chance d'être un vrai père et savait qu'il n'en aurait pas de meilleure.

Nous croisons deux camionnettes des médias qui foncent en sens inverse en direction de la prison; la nouvelle de l'agression dont a été victime mon père s'est déjà répandue en ville. On va en parler aux informations du soir, avec la prison en toile de fond, et on citera aussi mon nom. Même chose dans les journaux de demain. On va probablement m'accuser une fois de plus d'avoir tué ma femme. Bien sûr, ce sont juste des journalistes qui jouent aux journalistes et se foutent de savoir si ce qu'ils racontent va foutre ma vie en l'air. Chaque année, la compétition est de plus en plus acharnée, ce qui les force à laisser de côté leur éthique – et ce soir ils spéculeront sur le fait que les chats ne font pas des chiens.

Nous atteignons ma rue et il n'y a pas un journaliste à l'horizon. Mais je sais qu'ils vont débarquer, avec leurs caméras, leurs projecteurs et leurs kits de maquillage. C'est Landry qui conduit. Il se gare devant la maison et je descends de voiture.

« Attends une seconde, Bill, dit Schroder à l'intention de Landry, puis il descend à son tour. Vous pourriez grandement nous faciliter la vie, Edward, si vous me disiez de quoi votre père et vous avez discuté. Vous ne le voyez probablement pas, mais ça pourrait véritablement nous aider à attraper les hommes qui ont tué votre femme.

– Qu'est-ce qui vous fait croire que c'est ce dont nous avons parlé ?

– À ce que je sais, vous avez pu avoir tout un tas de sujets de conversation – mais, vu le timing, il est assez clair qu'il a établi une liste de noms. Écoutez, Edward, vous feriez bien de réfléchir sérieusement à ce que vous voulez faire maintenant. Vous voyez, ça s'annonce mal pour vous. Vous allez voir votre père hier, et aujourd'hui l'un des braqueurs est mort. Et en plus votre père a un contrat placé sur sa tête.

– Je n'y peux rien.

– Je le sais, Edward. Mais vous ne voyez pas les choses dans leur ensemble.

– C'est-à-dire ?

– Je ne dis pas que vous avez tué notre victime de la nuit dernière. Nous le saurons bientôt – il y avait tellement de sang sur les lieux que quelqu'un a cru pouvoir le nettoyer à l'eau de Javel, mais il n'a pas tout nettoyé. Nous comparerons le sang à celui de votre père, nous vérifierons les marqueurs d'ADN – comme ça, nous n'aurons pas besoin de mandat pour faire un prélèvement sur vous. Le problème pour vous, c'est que je ne suis pas le seul à croire que vous étiez là-bas. Ils ont essayé de réduire votre père au silence avant qu'il n'obtienne d'autres noms. Ce qui signifie qu'ils vont aussi essayer de vous réduire au silence. Vous allez vous noyer dans ce bordel, Edward, à moins que vous ne commenciez à nous aider.

– Vous vous trompez », dis-je. Je songe aux petites cellules en béton, aux hommes à l'intérieur, et je m'imagine y passant les dix prochaines années. « Il y a une autre alternative.

– Ah oui ?

– Ces gens ont tué leur complice pour je ne sais quelle raison. Drogue, argent, une question de loyauté à la con, ou autre chose. Ils l'ont tué, et ça signifie qu'ils n'ont aucune raison de s'en prendre à moi. Ils savent que je suis innocent.

– J'espère vraiment pour vous que c'est ce qui s'est passé », dit-il.

J'ouvre la bouche pour répondre, mais je ne sais pas comment. Je pense à Sam et je pense aux cellules, et je me dis que la meilleure solution pour tout le monde serait que j'aille chercher ma fille et que je me tire. Aujourd'hui. Que je foute le camp de cette ville. De ce pays.

« Le sang nous dira si vous étiez là-bas la nuit dernière. Vous pouvez vous épargner beaucoup d'ennuis en me disant la vérité. Vous êtes sûr que vous voulez continuer sur cette voie ? »

Je ne réponds rien.

« Alors, vous feriez mieux de faire attention à vous », dit-il, puis il tourne les talons et retourne à la voiture.

30

Je rentre chez moi. C'est une journée magnifique, mais je referme la porte dessus. Nat et Diana comptaient emmener Sam au parc aujourd'hui, ils doivent donc être en train de la pousser sur une balançoire, ou de s'assurer qu'elle ne tombe pas d'un toboggan. Ils n'ont pas de téléphone portable. Enfin, si, mais ils l'utilisent différemment du reste du monde – ils ne l'allument que quand ils ont besoin de passer un coup de fil, pour économiser la batterie, une habitude qui est, je crois, répandue chez les retraités. J'essaie de les appeler, mais le téléphone est éteint.

Je compose leur numéro de fixe au cas où ils seraient chez eux, mais personne ne répond et ils ne possèdent pas de répondeur. Ils sont donc au parc, à la piscine ou au centre commercial. Et quand Sam rentrera à la maison, qu'est-ce que je vais faire ? Est-ce que je vais dire la vérité à Schroder et vivre les dix prochaines années de ma vie comme mon père a vécu les vingt dernières de la sienne ? Je ne peux pas faire ça, mais je ne peux pas non plus prendre le risque que Sam devienne une cible. Je déteste l'idée d'abandonner ma femme, mais elle comprendrait. Elle voudrait ce qu'il y a de mieux pour Sam – et ce qu'il y a de mieux pour Sam, c'est un endroit comme l'Australie ou l'Europe. La nuit dernière était un accident, mais Schroder ne le croira jamais. Il n'y aura cependant plus d'accidents. La police a un nom, elle a maintenant un point de départ, et elle trouvera les autres assassins de Jodie. Ils passeront huit ou dix ans derrière les barreaux, et c'est ce que je peux espérer de mieux.

Il y aura d'autres braquages, d'autres victimes, mais je n'y peux rien.

Prendre la décision de partir est difficile à certains égards, facile à d'autres – mais, une fois la décision prise, il n'y a aucune raison de la repousser. Je sais que ça me fera paraître coupable. Merde, j'aurais dû prendre l'argent chez Kingsly, ça faciliterait grandement mon départ. Je fais les cent pas dans le salon mais ne perds pas de temps à me dire que bientôt je ne reverrai jamais cette maison, mes beaux-parents, cette ville infecte qui a pris ma femme. Quand je pense à ça, mon quartier semble différent – plus sombre, sordide, le genre de banlieue où il suffit d'une mauvaise journée pour qu'elle se transforme en zone de guerre. Je longe l'allée et scrute les deux côtés de la rue à la recherche de la voiture qui, j'en suis certain, y est garée. Et elle est bien là, à cinquante mètres, avec deux silhouettes d'hommes derrière le pare-brise, mais trop éloignée pour que je puisse distinguer leur visage. Ils vont jouer les baby-sitters, rapporter le moindre de mes mouvements à Schroder – ce qui signifie que j'atteindrai peut-être l'aéroport, mais qu'on ne me laissera jamais monter à bord d'un avion.

Je grimpe dans ma voiture, commence à rouler dans la rue tout en observant la berline dans mon rétro. Elle ne bouge pas, pas avant que j'aie atteint le croisement, et alors elle s'écarte du trottoir. Je tourne à l'angle. Vingt secondes plus tard, la voiture tourne aussi. Je n'ai jamais été filé jusqu'à présent, et je ne sais pas si le type qui conduit fait du bon boulot ou non. Puis je songe que la question est de savoir s'il se fout ou non d'être repéré. Schroder estime probablement que si je sais que je suis filé, je leur poserai moins de problèmes. Que moins de gens mourront.

Je passe devant un vieux minigolf qui était flambant neuf la seule et unique fois que mon père m'y a emmené, quand j'étais gosse. Les pancartes ont perdu leur éclat et leur couleur au fil des ans, et il ne reste plus grand-chose du thème du Far West original, ce n'est plus qu'un terrain vague où tout est avalé par les mauvaises herbes et la mousse. Deux voitures sont garées devant, mais je ne vois personne jouer à travers la clôture grillagée. Je me rappelle clairement mon père et moi allant d'un trou à l'autre, les obstacles d'eau et les rampes miniatures au milieu d'une ville fantôme miniature, je nous revois notant nos scores au moyen de crayons miniatures. Les choses étaient plus simples à l'époque. Plus petites, dans un sens.

Je me demande ce que mon père ferait s'il était encore en liberté et s'il se savait suivi. Ça a aussi dû lui arriver, vers la fin, lorsque l'étau s'est resserré. Il n'a probablement même pas senti la pression.

Il me faut quinze minutes pour me rendre chez mes beaux-parents. Je me gare dans l'allée et la berline passe sans s'arrêter. Je descends et frappe à la porte, mais personne ne répond. Je sors mon téléphone portable et essaie une fois de plus de les appeler. Toujours pas de réponse. Je contourne la maison, franchis le portail coulissant qui donne sur le jardin. Je regarde à travers les fenêtres, craignant de voir des meubles retournés et du sang sur la moquette, retenant mon souffle tandis que je passe d'une fenêtre à l'autre, l'avertissement de Schroder prenant vie dans mon imagination – mais tout est à sa place. J'essaie la porte. Fermée à clé. Je me dirige vers le garage et plaque mon visage contre la fenêtre, et, lorsque je l'en éloigne, j'aperçois le reflet de la berline grise qui s'immobilise. Elle reste là, moteur allumé. Je me tourne dans sa direction. Je ne vois pas à l'intérieur, jusqu'à ce que la vitre du côté passager s'abaisse. Un visage pâle avec un nez rougi par le soleil me regarde à travers des lunettes de soleil sombres.

« Eddie Hunter ? » demande le type, et sa question me rend nerveux.

Si c'étaient des flics, ils sauraient qui je suis. Ils sauraient où je viens de les amener. Des journalistes le sauraient aussi.

« Qu'est-ce que vous voulez ?

– Nous savons qui a tué votre femme, dit-il, et mon corps se fige instantanément. Si vous y mettez le prix qui convient, nous pouvons vous donner son nom.

– Quoi ?

– Rien n'est gratuit dans ce monde. J'ai ici quelque chose à vous montrer, ça prouvera ce que je dis. »

Je fais un nouveau pas en avant, mais une voix dans ma tête me hurle que je fais une erreur, que le type est en train de m'appâter. Je me déporte sur le côté, m'éloignant de la voiture, le canon d'un fusil de chasse apparaît par la vitre ouverte et un coup de feu retentit.

31

C'est une question de priorités. Si l'un des employés de la banque était dans le coup, ils le sauront bientôt. Schroder est certain qu'une série d'interrogatoires leur fournira des réponses avant la fin de la journée. Bon Dieu ! peut-être même que toute cette histoire sera résolue avant Noël.

Il roule jusqu'à la maison de Kingsly en compagnie de Landry et le dépose. Le plan est que Landry débute les interrogatoires pendant que Schroder retournera à la prison. Leur premier voyage là-bas n'a pas donné grand-chose. Ils ont trouvé des médicaments dans la cellule de Hunter, et le directeur a expliqué qu'il avait deux cachets à prendre chaque jour. Mais vu le nombre de cachets retrouvés, il semblerait qu'il ait cessé de les prendre le jour du braquage. Et au lieu de les jeter dans les toilettes, il les gardait. Peut-être, songe Schroder, qu'il comptait les mettre de côté et les avaler tous d'un coup.

Lorsqu'il arrive à la prison, Theodore Tate l'attend déjà. Tate a été flic jusqu'à il y a quelques années de cela, puis il est devenu détective privé, après quoi il s'est reconverti dans le crime. Le parloir est vide à l'exception de Schroder et Tate, plus un gardien qui se tient contre le mur opposé, prêtant à peine attention à eux. Ça fait quelques mois qu'il n'a pas revu Tate. Celui-ci n'a pas beaucoup changé, si ce n'est que ses cheveux sont plus courts et qu'il a perdu un peu de poids.

« Merci de me recevoir, Tate, dit-il en s'asseyant face à lui.

– Ton coup de fil m'a étonné. Enfin, au début. Je croyais que tu m'appelais pour prendre de mes nouvelles, pour voir comment je me portais. C'était une surprise, agréable même. Mais il s'est avéré que tu voulais quelque chose.

– Écoute, Tate, je comptais passer te voir depuis quelque temps », dit Schroder, et il a beau être sincère, il sait aussi qu'il ne l'aurait jamais fait. Il n'y a rien de pire que de voir un collègue flic en prison – même si ce n'est plus un collègue. « Je... tu sais... je n'ai pas eu l'occasion de le faire. Tu sais comment c'est.

– À vrai dire, non. Tu pourrais m'expliquer. On pourrait échanger nos places et voir comment ça se passe.

– Je comprends que tu sois amer, mais ce n'est pas de ma faute si tu es ici.

– Je le sais. Seulement c'est parfois plus facile si je peux en vouloir à une autre personne que moi. Merde, ça a même un effet thérapeutique, ajoute-t-il avec un sourire. Alors... quoi de neuf ? Comment se porte Christchurch ? C'est toujours une ville dévastée ?

– Ce n'est pas une ville dévastée », réplique Schroder.

Et il le pense sincèrement. Vraiment, absolument, il le pense presque.

« Ouais, ben, moi, je crois que c'est une ville dévastée, de quelque côté des barreaux que tu sois. Alors, qu'est-ce que tu veux, Carl ?

– Ton aide. Tu es au courant pour Hunter, n'est-ce pas ?

– Tout le monde est au courant.

– Tu as entendu autre chose ? Comme qui l'a poignardé ?

– Rien. Pourquoi ?

– Je crois qu'il a été poignardé parce qu'il a recueilli quelques noms.

– Quels noms ?

– Je crois qu'il établissait la liste des hommes qui ont braqué la banque la semaine dernière.

– Et on l'a poignardé pour ça ?

– On l'a poignardé parce qu'il a donné les noms à son fils, répond Schroder.

– Et tu crois que le fils va essayer de retrouver ces types?

– Je suis quasiment sûr qu'il a déjà commencé. L'un des braqueurs a été retrouvé mort ce matin. C'était celui qui conduisait la camionnette. Le timing colle parfaitement. Le père donne le nom au fils, le type est retrouvé mort, et le lendemain le père se fait poignarder. La scène de crime ce matin était assez bordélique. Il a été tué par quelqu'un qui n'avait aucune idée de ce qu'il faisait. La façon dont les choses ont tourné a pu être un accident ou un coup de pot.

– Tu crois que le fils en est capable?

– À toi de me le dire. Tu crois qu'un homme peut tuer pour venger sa famille?

– Ça dépend de l'homme.

– Eh bien, cet homme a un père qui est un tueur en série. Son psy est venu me voir hier. Il croit que Jack Hunter est atteint d'une maladie qu'il a pu transmettre à son fils. Schizophrénie paranoïde – il affirme que ça peut être héréditaire. Que c'est un trouble médical. Il m'a dit qu'Edward avait le potentiel pour devenir un criminel. Je n'en étais pas si sûr, du moins pas sur le coup – mais maintenant je le crois aussi.

– Alors, arrête-le.

– C'est ce qu'on va faire, quand on aura plus d'indices. Landry a essayé de le bluffer en prétendant qu'on avait un témoin, mais il n'a pas mordu. Cependant, nous avons du sang. Ça nous en dira plus.

– Bon, quelle est ma place dans ton équation?

– Deux choses. Tu peux découvrir qui a poignardé Hunter. Ça nous mènera peut-être au gang de la banque. Ou alors peut-être que tu peux nous obtenir des noms. Hunter y est parvenu, alors peut-être que tu y parviendras aussi.

– Personne n'acceptera de me parler.

– Il y a plus de chances qu'ils te parlent à toi qu'à moi.

– Alors, pourquoi je te rendrais ce service? Pourquoi je me mouillerais comme ça?

– Parce que c'est la bonne chose à faire.

– Pour toi, peut-être. Pas pour moi. La meilleure chance que j'ai de survivre ici, c'est en faisant profil bas, ce qui est sacrément difficile quand cet endroit est truffé de types que j'ai arrêtés à l'époque.

– Il y a aussi une gamine dans l'équation. Edward Hunter a une fille. »

Tate acquiesce lentement.

« Et tu attendais pour m'annoncer ça, en te disant que ça marcherait.

– Ça a marché ? »

Tate se lève et Schroder l'imite.

« Je vais voir ce que je peux découvrir. »

32

J e me jette au sol lorsque retentit le coup de feu, et je suis
de nouveau à la banque. L'air climatisé a été remplacé par
de l'air véritable, les plantes en pot par des buissons et des
arbres, les six hommes par deux types dans une voiture. Un trou
apparaît dans la porte du garage à peu près à l'instant où mes
genoux heurtent violemment le béton.

La portière de la voiture s'entrouvre. Je n'ai nulle part où
m'enfuir, aucune idée de ce que je dois faire. Mais je m'aperçois alors que je ne suis pas seul ; mon monstre est avec moi et
lui sait quoi faire. Nous passons aussitôt à l'action. Je me lève
et cours droit devant moi, le monstre me montrant le chemin.
C'est désormais lui qui contrôle tout, et moi qui obéis. Nous
nous approchons de la voiture. Ça ne me semble pas la meilleure
tactique, mais je ne suis pas en position de discuter. Une jambe
sort de la voiture et se pose sur le trottoir : un jean et une botte
à coque métallique. Je me baisse vivement et projette tout mon
poids sur la portière, épaule en avant, pour la refermer violemment sur la jambe. Le type à l'intérieur hurle et le fusil retombe
quelque part dans la voiture, ce qui me fait gagner quelques
secondes. Mais je ne m'attarde pas. Je fonce dans la rue, traverse
derrière la voiture afin qu'ils aient plus de mal à me tirer dessus.

La voiture démarre en marche arrière. La transmission gémit
bruyamment à mesure que la distance se réduit. Des invectives
jaillissent par la vitre tandis que les deux hommes s'injurient.
Ils ne sont pas sur la même longueur d'onde. Peut-être que le
passager voulait sortir et me tirer dessus alors que le conducteur

voulait me percuter avec la voiture. Je cours en zigzag sur le trottoir opposé. La voiture s'arrête dans un crissement de pneus et fait un tête-à-queue de sorte que l'avant me fait désormais face. Les portières s'ouvrent d'un coup et les deux hommes bondissent du véhicule, mais le conducteur a oublié de détacher sa ceinture de sécurité, il est tiré en arrière et se retrouve de nouveau dans la voiture, écarquillant de grands yeux confus.

Le passager contourne la voiture au pas de course et fait feu une nouvelle fois tandis que je plonge en avant pour m'abriter derrière une voiture en stationnement, et bang! du métal est arraché à la carrosserie à l'instant où je touche le sol. Je me relève et me remets à courir, me faufilant entre les bouleaux qui bordent la rue, attendant le prochain coup de feu. Mais il ne vient pas, et tout ce que j'entends, ce sont les bottes qui martèlent le sol derrière moi.

Toutes les maisons de la rue sont similaires, construites il y a environ dix ans, en bon état mais un peu fatiguées, et aucune d'entre elles – par chance – n'est protégée par une clôture. Je traverse une pelouse et contourne une maison, défonçant de l'épaule le portail du jardin et faisant voler en éclats le loquet qui le maintenait fermé. Je passe, le portail se referme, et sa partie supérieure explose dans un nuage d'éclats de bois lorsque retentit un nouveau coup de feu. Je tourne à gauche, coupe à travers le jardin, traverse la terrasse, passe devant des portes vitrées et franchis un petit bac à sable dans lequel se trouvent des camions miniatures jaune vif. J'atteins le coin de la maison et tourne encore à gauche, retournant vers la rue. Cette fois, il y a une barrière devant moi, mais pas de portail. Je me tapis dans la niche de la porte de derrière. C'est une porte en verre qui donne sur la blanchisserie, et, comme mon pansement me protège des coupures, je la brise du poing. Le verre vole en un millier d'éclats minuscules. Je passe la main par la vitre brisée, déverrouille la porte, et je me précipite à l'intérieur, mes pieds dérapant sur le verre. Je prends un couloir sur la gauche alors que les hommes entrent dans la maison à ma suite. Les propriétaires ne sont pas chez eux. J'entre dans une chambre et ferme la porte derrière moi. Je la bloque avec une commode, qui se met à vibrer quand les hommes essaient de pousser la porte. Elle tremble dans son chambranle, mais la chaîne de sécurité est en place et permet seulement de passer un bras à l'intérieur. J'attrape l'objet le plus proche, qui s'avère être un radio-réveil, je l'arrache de la prise et m'en sers pour cogner sur la fenêtre. Elle se lézarde au troisième coup, puis vole en éclats au quatrième. Un coup de feu rugit dans le couloir et un grand trou apparaît dans la porte, qui s'effondre au coup de pied suivant. Je n'attends pas de voir la suite. Je prends mon élan et saute par la fenêtre en faisant mon possible pour éviter les bouts de verre, mais ma cuisse droite accroche un tesson acéré planté dans le montant.

Je me relève et me mets à courir vers la rue tandis que ma chaussure se remplit de sang. J'entends un bruit de verre lorsque l'homme qui me suit brise le reste de la fenêtre avec son arme pour faciliter son saut. La porte principale de la maison s'ouvre alors que je passe devant, et l'homme qui n'a pas d'arme jaillit et se lance à ma poursuite. Je baisse la tête et m'aide des bras pour aller aussi vite que possible, je m'engage à toute allure dans l'allée, mon pied clapotant dans la chaussure, émettant un bruit de succion à mesure que le sang déborde par terre. Le seul avantage que j'ai sur ces types, c'est qu'ils portent de grosses bottes lourdes et pas moi, et je suppose aussi que mon désir de survivre est plus fort que leur désir de me buter – même si je n'en suis pas totalement sûr. Mes jambes brûlent, mon torse encore plus, à chaque inspiration j'ai l'impression d'avaler de la fumée.

J'atteins leur voiture. Les deux portières sont toujours ouvertes, les clés sont sur le contact, le moteur tourne au ralenti. Je bondis à l'intérieur, j'écrase l'embrayage et l'accélérateur, et la voiture démarre alors même que le type me rejoint et saisit mon épaule. Les pneus crissent, la voiture accélère brutalement et la portière se referme violemment sur ses doigts.

Il pousse un cri, et, comme la voiture démarre sur les chapeaux de roues, il tombe en avant et se retrouve traîné à côté de la voiture. La vitre est remontée mais je l'entends hurler, j'entends ses genoux racler le bitume et ses pieds battre le sol. Je fais des zigzags pour me débarrasser de lui, les os de ses doigts craquent comme des coups de feu. Je monte à 50. Puis 60. Je continue de zigzaguer, tentant toujours de me débarrasser de lui.

Non, tu mens. Si tu voulais te débarrasser de lui, tu ouvrirais la portière et tu le regarderais tomber. C'est toi qui as les choses en main maintenant.

J'enfonce brutalement la pédale de frein et la voiture fait une embardée. Mon passager, entraîné par son élan, est projeté en avant. Sa main se replie complètement sur elle-même puis – shrip! – un bruit humide retentit lorsque ses doigts se détachent. Seulement ils ne se détachent pas du tout, ils sont toujours coincés dans la portière. La chair se déchire depuis la base de ses doigts jusqu'au milieu de son avant-bras, comme une pomme qu'on épluche, exposant muscles et tendons, et le type libéré part en volant devant la voiture. Sa main n'est plus qu'un bout de viande sans rien d'autre qu'un petit doigt et un pouce. Il heurte violemment le sol, roule plusieurs fois sur lui-même avant de se figer, serrant sa main ensanglantée contre sa poitrine. Il ne se relève pas, il reste juste étendu là à se demander comment les choses ont pu si mal tourner et pourquoi il souffre autant.

La voiture s'immobilise en travers de la route. Le type au fusil de chasse court derrière moi, je le vois qui approche par la vitre du côté passager. Il est à environ deux cents mètres, distance qu'il pourrait parcourir en dix-neuf secondes environ si c'était un athlète olympique avec des chaussures de course. Mais ce n'en est pas un, il porte un jean, de lourdes bottes, un fusil, et il est solidement charpenté ; rien de tout cela ne joue en sa faveur. Je suppose qu'il ne me rejoindra pas avant trente secondes, mais il n'a pas besoin de couvrir toute la distance pour m'avoir dans sa ligne de mire.

Je redémarre soudain et le volant part en vrille quand je veux tourner dans sa direction. Je perds le contrôle, la voiture continue de tournoyer et je me retrouve à lui tourner le dos. Le moteur cale. La lunette arrière explose, un déluge de bris de verre criblant l'arrière de mon siège et le tableau de bord tandis que je me recroqueville sur moi-même. Ma main trouve la clé et je la tourne sèchement. Un nouveau coup de feu atteint une de mes roues arrière alors que la voiture reprend vie. Je redémarre à toute vitesse et l'arrière de la voiture s'affaisse tandis que le pneu part en lambeaux. Je sens le sol vibrer à travers la jante et le châssis, ma jambe écharpée saigne de plus belle. Un crissement haut perché à l'arrière de la voiture me fait tressaillir. Le volant me résiste, mais je maintiens une ligne droite et la voiture avance lourdement. L'une de mes roues avant écrase les jambes du type aux doigts coupés, puis – shloc ! – ma jante nue lui passe dessus.

Ses hurlements recouvrent le vrombissement de la voiture. Dans le rétro, je le vois rouler sur le flanc, mais sa jambe gauche ne bouge pas et reste au même endroit, sectionnée. Sa jambe droite suit en revanche le mouvement et le sang gicle vers le ciel telle une fontaine. Il se met à ramper et laisse sa jambe coupée environ cinquante centimètres derrière lui avant d'abandonner.

Son partenaire passe en courant devant lui et fait feu une fois de plus, mais aucune balle n'atteint la voiture tandis que j'enfonce l'accélérateur et tourne à l'angle de la rue dans une rafale d'étincelles, le laissant derrière moi. J'atteins les 60 à l'heure, franchis à toute vitesse deux intersections, tourne brutalement à droite avant de m'arrêter.

J'essaie une fois de plus d'appeler Nat sur son portable. J'ai du sang sur les mains et j'en fous plein le téléphone. Je n'arrête pas d'enfoncer les mauvaises touches et prends deux profondes inspirations avant d'essayer de nouveau. Je tremble tellement que je dois tenir le téléphone à deux mains pour parvenir à mes fins. Toujours pas de réponse. Ils vont sûrement bien. S'il leur était arrivé quelque chose, ça se serait produit chez eux, pas en public.

Jodie a été tuée en public.

Ce qui veut dire ?

Ce qui veut dire que toi et tous tes proches êtes en danger.

La couverture médiatique a été considérable, les hommes qui ont tué Jodie savent donc probablement tout à mon sujet, et ils se disent sans doute que je suis à leurs trousses. Ils savent que j'ai tué leur ami. Ils savent que mon père m'a donné un nom, et ils soupçonnent qu'il a dû m'en donner plus d'un.

Je m'écarte du trottoir, commence à rouler en direction de chez moi, puis je décide que ce n'est pas le meilleur endroit où aller si je ne veux pas qu'on me retrouve. Le type au fusil de chasse a pu passer un coup de fil, et deux autres types sont peut-être déjà en route vers ma maison.

Je change de direction. Vu l'état de la voiture, dont la jante crisse sur le bitume, et mon bras qui me fait souffrir à force d'essayer de la contrôler, je n'y serais de toute manière proba-blement jamais arrivé. D'autres voitures ralentissent et les gens me regardent.

J'immobilise la voiture. J'ai mis environ deux minutes entre moi et mon poursuivant. Lorsque j'ouvre la portière, les trois doigts qui étaient coincés se délogent, reliés entre eux par le dos de la main du type et un long morceau de peau qui ressemble à du papier peint arraché. Ils heurtent le sol, le majeur faisant plus de bruit que les autres à cause de la bague en argent qui l'entoure. La bague a été aplatie, elle est ornée d'une tête de mort ; peut-être est-ce elle qui a empêché les doigts de se libérer de la portière. Je descends de voiture. Ma jambe est couverte de sang qui, à force de couler dans ma chaussure, suinte désormais à travers la toile. Je suis pris de vertiges et m'agrippe à la voiture pour conserver mon équilibre. J'essaie une fois de plus d'appeler Nat, mais il n'y a toujours pas de réponse.

Je remonte en voiture. Des pas de danse rouge sang maculent le sol à l'endroit où je viens de me tenir. Je commence à avoir des étourdissements, puis la fatigue me gagne. J'ouvre la boîte à gants et farfouille dedans. Mouchoirs en papier, carte routière, lunettes de soleil de femme. Il y a un sac de sport à l'arrière, couvert de bris de verre. Je l'ouvre et découvre à l'intérieur des vêtements de femme. Il est clair qu'aucun des deux hommes n'est le propriétaire de cette voiture.

Je repose ma tête contre l'appuie-tête. Même quand je ferme les yeux, le monde semble vaciller. Je serre ma jambe à deux mains, le sang est chaud, et le monde s'évanouit, m'entraînant avec lui.

33

De nouvelles réglementations fiscales étaient mises en place, l'administration fiscale voulait à tout prix prendre plus d'argent aux pauvres, aux riches, et à tout le monde au milieu. Des séminaires étaient organisés par des enthousiastes en costume, le genre de types qui essaient de nous refourguer du matériel de gym et des équipements de cuisine futuristes tard le soir à la télé. Le plus marrant, c'est que nous devions tous payer pour assister aux séminaires et nous tenir au courant des nouvelles lois – et, naturellement, comme les séminaires étaient organisés par le personnel de l'administration fiscale, c'était un autre moyen pour eux de gagner de l'argent.

Je me trouvais dans une salle en compagnie d'une centaine de personnes – vous pouviez regarder le long de la rangée où vous étiez assis et observer que tout le monde avait autant l'air de s'emmerder que vous, comme si nous étions tous là pour assister à un spectacle de mime de douze heures. J'ai jeté un coup d'œil le long de l'allée, et au même instant une femme a fait la même chose. Je l'ai regardée avec l'air de dire : « Bizarre, hein ? », et le regard qu'elle m'a adressé en retour semblait signifier : « C'est des conneries, mais qu'est-ce qu'on peut y faire ? » Il y avait une réception bidon après coup, où nous faisions tous le pied de grue en buvant du jus d'orange sans toucher aux friands à la viande mal cuits. Je crois qu'on nous a délibérément servi de la nourriture immangeable pour pouvoir la resservir au prochain séminaire, puis au suivant – réduction des coûts oblige. Je me suis présenté à la femme dont j'avais croisé le regard. Elle s'appelait Jodie.

J'étais timide avec les femmes. Je n'avais pas vraiment d'expérience, et j'avais peur que chaque femme que je rencontrais ne se dise que j'allais essayer de la couper en deux. Jodie ne semblait connaître personne d'autre – et je me suis dit qu'elle était peut-être elle aussi un peu empruntée en société à sa manière. Tout ce que je savais, c'est qu'elle était super mignonne et seule, et que le sourire qu'elle m'avait adressé m'avait bizarrement fait me sentir bien. Avant de me rendre compte de ce que je faisais, je l'ai invitée à dîner.

Lors de notre premier rendez-vous, j'étais tellement abruti par la nervosité que j'ai à peine été capable de la regarder dans les yeux. La deuxième fois, nous sommes allés au cinéma puis avons passé des heures dans un café – et encore une fois je n'ai pas la moindre idée de ce dont nous avons parlé. Tout ce que je savais, c'est que cette femme avait quelque chose qui me donnait foi en l'avenir.

C'est presque comme si ça se produisait maintenant – la première fois que je l'ai vue, le premier rendez-vous, la première fois que nous nous sommes retrouvés au lit ensemble. C'est un souvenir et un rêve, et en même temps ça se déroule devant mes yeux pour la première fois, chaque image est neuve, fraîche, magnifique. Jodie est en vie et elle est de nouveau dans mon monde, et je veux qu'elle y reste.

À notre troisième rendez-vous, elle est différente, mais je n'arrive pas à voir en quoi. Comme quand quelqu'un porte pour la première fois des lunettes ou s'est fait couper les cheveux ; un changement qui reste subtil jusqu'à ce qu'on vous explique, et alors ça devient évident.

Quatrième rendez-vous – un déjeuner, en l'occurrence – et il y a encore une différence sur laquelle je n'arrive pas à mettre le doigt. Elle semble plus légère, dans un sens. Non qu'elle ait perdu du poids – c'est quelque chose d'indéfinissable.

Je revis le cinquième rendez-vous quand je comprends de quoi il s'agit : elle est plus pâle, presque diaphane. À notre sixième rendez-vous, la peau sous ses yeux est grise et le bout de ses doigts a viré au bleu. La fois suivante, ses cheveux sont emmêlés et ses vêtements froissés, et la peau sur le dos de ses mains est bouffie, lâche, comme si elle les avait trempées dans de l'eau chaude pendant une éternité. Il y a des formes sombres sous la surface de sa peau, elles rappellent des bleus mais ce n'en sont pas. Tandis que nous marchons, je pose ma main sur son dos, et il est trempé de sang. Sa foulée est hésitante, ses muscles sont crispés, comme si elle portait pour la première fois des talons. Ses bras bougent avec raideur.

Puis, un soir que nous dînons ensemble, elle peine à porter la nourriture à sa bouche, et quand elle y parvient elle découvre qu'il lui est impossible de mâcher. Quand elle boit une gorgée de vin, il déborde de sa bouche et coule sur son menton, formant sur la nappe une flaque qui s'élargit. Sa peau est encore plus grise, et elle se détache par endroits, révélant une chair sombre. Ses traits ne sont plus que de longues lignes. Après ça, nous ne sortons plus beaucoup. Nous nous regardons à peine. Et chaque fois que je la touche, elle est de plus en plus froide.

Puis la dernière fois que je la vois, alors que nous déjeunons ensemble un vendredi après-midi avant un rendez-vous à la banque, je m'aperçois que la femme avec qui je suis est morte. Sa peau s'est tirée autour de son visage, ses globes oculaires ressortent, ses lèvres sèches craquent, son nez est comme une grosse ampoule, et elle dégage une odeur de terre, de vers, de pourriture.

« Tu dois être prudent, Eddie », dit-elle.

Sa bouche bouge à peine quand elle parle, on dirait au son de sa voix qu'elle a du gravier dans la gorge. Je vois les cordes vocales bouger derrière la peau fine de son cou.

« Quoi ?

– Tu dois choisir ce qui est le mieux pour toi.

– Je sais.

– Et pour Sam.

– Je sais.

– Ne laisse pas le monstre choisir pour toi.

– Quel monstre ? »

Elle tend la main à travers la table. Je suis certain qu'elle essaie de m'atteindre depuis son monde, qu'elle est venue me chercher. Sa main se referme sur la mienne, elle est froide et moite, un gant de peau lâche qui glisse sur les os. Son sourire s'affaisse, entraînant son visage dans sa chute, ses yeux s'écarquillent, et quelque chose bouge en dessous, quelque chose qui ressemble à des vers. Quand ses lèvres s'écartent pour poursuivre la conversation, une autre main se resserre autour de mon épaule, une autre voix se mêle aux nôtres, et le restaurant disparaît, les menus se volatilisent. Ma femme s'accroche quelques secondes, ses traits délabrés trahissant son effort. Sa silhouette se dessine sur un fond parfaitement blanc, tel un écran de cinéma lumineux.

J'ouvre les yeux. Je suis toujours dans la voiture. Une femme avec des cheveux gris attachés en queue-de-cheval et un chemisier blanc fraîchement repassé aux plis nets est accroupie près de moi et exerce une pression sur ma jambe. Un homme a les mains sur mes épaules, puis il les passe sous mes aisselles, ses doigts s'enfonçant dans ma peau. Le monde tangue étrangement tandis qu'on me soulève sur le brancard. Je vois le visage de l'homme et me demande si c'est le même secouriste qui a essayé de sauver Jodie. On exerce plus de pression sur ma jambe, et, quand j'essaie de baisser les yeux vers le bas de mon corps, je ne peux pas. Je ne peux même pas soulever la tête sans avoir envie de vomir. Je fixe le ciel. Ciel bleu, pas un nuage, un jour parfait pour... pour quoi ? Pour tuer un homme ? C'est probablement ce que se disaient les deux types qui m'ont pris en chasse.

Je sens le brancard bouger, mais je n'ai aucun repère dans le ciel et ne sais pas à quelle vitesse nous allons, et c'est comme dégringoler brusquement sur des montagnes russes. L'ambulance apparaît et on me hisse à l'intérieur. On me plante une intraveineuse dans le bras, on exerce de nouveau une pression sur ma jambe, tout le monde autour de moi s'active. Je ferme les yeux. Les portières de l'ambulance se referment et je n'entends pas la sirène.

Lorsque je rouvre les yeux, je suis à l'hôpital et les lumières d'un couloir défilent à toute vitesse autour de moi. Il y a deux nouveaux visages au-dessus de moi. On me pousse jusqu'au service des urgences, on me fait quelques piqûres, et ma jambe s'engourdit complètement. On m'ôte mes chaussures et on découpe mon pantalon. On essuie le sang, révélant une profonde entaille, mais avec un peu de chance le fait que le sang ne se mette pas à gicler signifie qu'aucune artère majeure n'a été sectionnée.

« Pas aussi moche que ça en a l'air, déclare un médecin en remplissant une seringue. Nous allons vous remettre sur pied en un rien de temps. Vous n'allez rien sentir », ajoute-t-il.

Mais il se trompe. Certes, je ne sens pas l'aiguille et le fil transpercer ma peau, mais je sens la colère et la peur et... et autre chose.

De l'excitation.

Non. Je ne crois pas que ce soit ça.

Si. Arrête de te mentir. Tu es excité parce que tu as buté un homme de plus. Il n'en reste plus que cinq. Lève la main et sois fier.

« Fier de quoi ?

– Pardon ? demande le médecin.

– Rien. »

Je n'ai pas le temps d'être fier.

« Qu'est-ce que vous fabriquez ? demande le médecin lorsque j'essaie de me lever.

– Je dois partir d'ici.

– Hors de question, dit-il. Mon vieux, je n'ai même pas commencé à vous recoudre.

– Je dois...

– Rallongez-vous ou vous allez continuer de saigner, et si vous ne vous videz pas de votre sang, vous allez attraper une infection et vous perdrez votre jambe. C'est ce que vous voulez ? »

Ce n'est pas ce que je veux. Il se remet au travail, et il n'a pas encore fini de me recoudre lorsque Schroder pénètre dans la pièce.

34

« **V**ous ne vous rappelez pas qui a placé les liasses
piégées dans les sacs ? »

Étant donné qu'aucun des employés de la banque
n'était officiellement suspect, Landry et deux autres inspecteurs
interrogeaient trois de ceux qui étaient descendus à la chambre
forte, pendant que Schroder s'occupait du dernier – William
Steiner. Les entretiens étaient menés chez les employés – ce qui
permettait aux inspecteurs de se faire une meilleure idée de la
personne à qui ils parlaient, et notamment de voir si elle pouvait
avoir besoin de quelques centaines de milliers de dollars en plus.
Ou alors peut-être qu'ils repéreraient un sac rempli d'argent
quelque part.

Steiner avait dans les 35 ans, un teint pâle qui soulignait
les cicatrices d'acné autour de son cou. Il ne semblait pas
nerveux, et il n'eut pas le temps de répondre à la troisième question de Schroder – celle qui concernait la personne qui avait
chargé les liasses piégées – car le téléphone de l'inspecteur se
mit à sonner.

« Excusez-moi un moment », dit celui-ci.

Il se leva du canapé, se rendit dans le couloir et ouvrit son
téléphone. Et il n'eut pas le temps de prononcer deux mots
qu'on lui annonça la nouvelle. Edward Hunter. Une fusillade.
Un mort.

Ça, c'était il y a dix minutes. Le trajet jusqu'au centre-ville a
été plus rapide qu'au cours des derniers jours, la plupart des gens
ayant fini leurs achats.

«Un beau carnage, Edward, dit-il en contournant le médecin et en baissant les yeux vers la jambe.

– Ça va guérir.

– Je ne parle pas de votre jambe. Je parle de la scène que vous avez laissée derrière vous. »

Hunter est nerveux. Il a les mains qui tremblent, les yeux exorbités, on dirait qu'il est sous amphétamines.

«J'ai été obligé de le laisser là, répond-il. Si je ne m'étais pas enfui, je serais mort à l'heure qu'il est. »

Schroder acquiesce. C'est en effet ce qu'il a entendu, et ce que les indices suggèrent. Dès qu'il quittera l'hôpital il se rendra sur place.

«Beaucoup de gens vous ont vu vous enfuir pour sauver votre vie, déclare-t-il. Il y a beaucoup de témoins.

– Et aucun n'a songé à m'aider ?

– Qu'est-ce que vous croyez ?

– Je crois que vous êtes ici quand vous devriez être là-bas, à rechercher les assassins de Jodie. »

Schroder ignore cette réflexion.

«Je crois que vous avez de la chance d'être encore en vie, reprend-il, mais que votre chance ne va pas durer si vous ne me dites pas la vérité.

– Je veux voir ma fille.

– Bien sûr, Edward, pas de problème. Dès que vous m'aurez dit ce qui s'est passé.

– Je veux la voir maintenant.

– Où est-elle ?

– Avec ses grands-parents. Je ne sais pas où ils sont.

– Où sont-ils censés être ? » demande Schroder.

Y a-t-il un risque que les hommes qui s'en sont pris à Edward s'en prennent aussi à sa fille ? Non... sûrement pas...

«Je ne sais pas. Chez eux. »

Schroder sent son estomac se nouer. Il affiche un visage de marbre, tentant de dissimuler son inquiétude.

« Et vous n'avez pas eu de leurs nouvelles ?

– C'est ce que je me tue à vous dire. »

Schroder saisit son téléphone portable et s'éloigne de quelques mètres. En attendant que son interlocuteur décroche, il observe le médecin, qui n'a pas dit un mot depuis son arrivée et se contente de recoudre Edward en silence. Il a probablement déjà entendu des centaines d'histoires similaires. Schroder informe son interlocuteur de la situation avec Sam, puis il revient à Edward.

« Bon, nous allons envoyer quelqu'un qui la ramènera ici, dit-il, tentant de ne pas paraître inquiet. En attendant, dites-moi ce qui s'est passé. »

Edward lui relate les événements depuis le moment où Schroder l'a déposé jusqu'à sa fuite dans la voiture volée, lorsqu'il a écrasé l'un de ses agresseurs au passage.

« OK, OK, c'est bien, Edward. Ce dont j'ai vraiment besoin maintenant, c'est que vous me racontiez ce qui s'est passé la nuit dernière. Ne me forcez pas à attendre les résultats sanguins. Nous n'avons plus le luxe du temps, surtout maintenant que ces gens sont après vous.

– Je ne sais rien, sauf que deux hommes ont essayé de me tuer. Malgré tous ces gens qui ont appelé les flics, malgré les coups de feu, le sang, le chaos, personne n'est arrivé à temps pour arrêter le deuxième type, je me trompe ?

– Écoutez, Edward, la voiture va révéler tout un tas d'empreintes. Le type qui est mort ne portait pas de gants, donc le tireur n'en portait probablement pas non plus. Leur plan devait être d'effacer les empreintes sur la voiture ou alors de la brûler. Nous le retrouverons, et ça nous mènera aux autres. Tous. Quel est le verdict ? demande-t-il en se tournant vers le médecin.

– Rien de sérieux. La lacération est profonde et il a perdu beaucoup de sang. Nous allons lui faire un bandage et le mettre sous perfusion pendant quelques heures – mais il n'y a aucune raison pour que nous ne le libérions pas ce soir. De toute manière, il ne va pas pouvoir se lever pendant deux ou trois jours.

– Allez, Edward, reprend Schroder lorsque le médecin les a laissés seuls. Vous êtes vraiment dans la merde. Vous devez absolument me dire ce qui s'est passé hier soir avec Greensly.

– Vous voulez dire "Kingsly", corrige Edward, et une expression horrifiée apparaît aussitôt sur son visage dès qu'il se rend compte de son erreur.

Schroder agite deux fois la tête d'avant en arrière. Bizarrement, il se sent trahi. Il voulait vraiment croire que Hunter était innocent.

« Kingsly, répète Schroder, laissant le nom flotter dans la pièce pendant quelques secondes. C'est exact, Edward. Kingsly, pas Greensly. Je ne vous ai jamais dit son nom et les médias ne le connaissent pas encore. Vous n'aviez qu'un moyen de connaître ce nom, Edward, c'est si votre père vous l'a donné.

– Il m'a donné le nom, mais je n'y suis jamais allé. »

Schroder sait qu'il ment. Il sait qu'il est allé là-bas, et peut-être qu'il n'avait pas l'intention de le tuer, ou peut-être que si – mais dans un cas comme dans l'autre, le résultat est le même, et c'est parfaitement injuste. Edward Hunter devrait être en train de fêter Noël avec sa femme et sa fille. Le plus simple maintenant est d'obtenir une confession de Hunter et de le placer en état d'arrestation.

« Écoutez, Edward, dit-il en parlant à voix basse. Je vous explique – les deux dernières années ont été infernales. Trop de foutus psychopathes en liberté. Deux longues années, et j'en ai marre, vraiment marre de cette merde. Je regarde cette ville et je veux croire que c'est une bonne ville, et elle l'est, elle l'est vraiment, il reste beaucoup de bonnes choses ici, Edward, beaucoup de choses qui valent la peine qu'on les défende. Il y a tant de gens qui croient que cette ville est partie en couilles, mais c'est faux. C'est ma ville, j'aime cette ville – mais, comme je n'arrête pas de vous le dire, elle est au bord d'un précipice. Seulement, elle n'est pas forcée de tomber. Nous pouvons sauver cette ville, la rendre comme elle était avant. Quand j'y repense, il y a des choses que j'aurais voulu faire différemment. Des choses qui auraient pu... accélérer des enquêtes. Des choses qui auraient pu sauver des vies. Si je pouvais repartir à zéro, il y a des règles que j'enfreindrais. Parfois la fin peut justifier les moyens, vous savez ? Parfois vous devez faire quelque chose de mal pour arriver à quelque chose de bien. Des choses qui peuvent sauver la ville.

« Tuer Kingsly, c'était mal, mais vous avez contribué à défendre la ville en le faisant. Tout ce que vous avez à faire, c'est dire qu'il vous a attaqué et que vous vous êtes défendu. Un jury ne vous condamnera pas pour ça, surtout s'ils savent que ce salaud est un des types qui ont tué votre femme. Un scénariste quelconque débarquera et vous demandera de faire un film sur votre histoire. Et moi... si c'était ma famille qui avait été touchée, j'aurais fait la même chose. Vous ne pouvez pas nier que vous étiez là-bas, Edward, le sang le prouvera. Et ces gens sont après vous, et ils ne vous lâcheront pas. Laissez-moi vous placer en détention provisoire. Laissez-moi vous aider. »

Edward détourne le regard et fixe le plafond pendant un long moment.

« Amenez-moi d'abord ma fille. Je veux la voir, répond Edward, et après nous parlerons. »

Le rideau s'entrouvre et une infirmière apparaît, poussant un chariot couvert de bandages et de compresses. Elle sourit à Edward.

« Ça a l'air vilain, dit-elle, mais nous allons vous remettre sur pied en un clin d'œil. Ça ne prendra pas longtemps.

– Je vous laisse, dit Schroder.

– Amenez-moi Sam.

– Oui. Je le promets », répond-il en espérant qu'il n'est pas déjà trop tard.

35

Encore une scène de crime confuse, le genre de scène de crime où les tueurs ne savaient pas vraiment ce qu'ils fabriquaient. La maison où s'est déroulé l'essentiel de l'action appartient à une famille avec deux gosses, qui avait la chance d'être à la plage et non chez elle. Schroder sait que les choses auraient facilement pu tourner très différemment – que le légiste aurait facilement pu se retrouver avec plusieurs cadavres sur les bras. Il y a du verre brisé devant et derrière la maison, une porte défoncée à l'intérieur, du sang en divers endroits de l'allée. Il y a des impacts de balle sur les clôtures et sur l'aile d'une voiture qui était en stationnement.

La rue a été bloquée pour empêcher les badauds d'approcher. Même les reporters sont maintenus à l'écart, leurs caméras braquées bien qu'il n'y ait pas grand-chose à voir. La victime a été recouverte et son corps est abrité des regards par des voitures de patrouille. Ça fait une jolie toile de fond pour les caméras, mais c'est à peu près tout. La voiture que les deux hommes ont volée et dans laquelle Hunter a pris la fuite a déjà été chargée à l'arrière d'une camionnette à plateau et est en route pour le commissariat où elle sera examinée.

«Donc le tireur a tué son partenaire», dit Schroder.

Sheldon, le légiste, acquiesce lentement, comme s'il craignait de se déchirer un muscle en bougeant trop vite.

«Une balle en plein visage, dit-il. Et une dans chaque main.

– Ce qui confirme les dires des témoins.

– Vous parlez d'une façon de mourir, dit Sheldon.

– Nous avons vu bien pire. Est-ce qu'il aurait survécu à ses blessures après s'être fait rouler dessus ?

– Jambe gauche complètement sectionnée, jambe droite à demi sectionnée, à moitié écrasée. Je dirais que ses chances étaient entre très minces et nulles. »

Comme il ne pouvait emmener son partenaire avec lui et craignait d'être identifié, le tireur a fait tout ce qu'il fallait pour tenter de dissimuler l'identité du mourant en lui faisant exploser le visage et en détruisant ses empreintes digitales. Mais ça n'a pas fonctionné : l'équipe scientifique a déjà vidé les poches de la victime, découvrant quelques pièces, un briquet et un paquet de clopes – tous couverts d'empreintes. Ils auront un nom dans moins de deux heures. Et puis ils ont aussi la voiture avec des séries d'empreintes à analyser. Il regarde la bosse sous le drap de toile à l'endroit où se trouve la jambe sectionnée. L'extrémité du membre, sur laquelle se trouve toujours une chaussure, dépasse du drap, qui n'est pas assez grand pour dissimuler tout le sang qui s'est répandu par terre. On dirait que le type a été attaqué par un ours.

« Bon sang ! fait Landry, qui s'approche tandis que Schroder s'éloigne. La famille Hunter doit vraiment être maudite.

– Où en sont les interrogatoires ?

– On est toujours dessus. La vidéo de surveillance de la chambre forte ne donne pas la moindre indication. On voit juste quatre personnes paniquées qui remplissent des sacs d'argent.

– Oui, eh bien, avec les noms que nous allons obtenir grâce aux empreintes, je pense que nous aurons identifié tous les braqueurs avant la fin de la journée. Aucun signe des beaux-parents et de la fille ? demande Schroder.

– Aucun. Tu crois que ces hommes les tiennent ?

– J'en doute. Je crois qu'ils sont quelque part, complètement inconscients du risque qu'ils courent. De toute manière, je ne vois pas pourquoi les braqueurs s'en prendraient à la fille de Hunter. Ça ne leur rapporterait rien – et ça les mettrait en danger.

– Et Hunter ?

– Il est à cran, mais ça va.

– Il a lâché quoi que ce soit à propos de Kingsly ?

– Rien, répond Schroder.

– Tu crois que c'est lui qui l'a tué ?

– Il est clair que les braqueurs en sont persuadés. Hunter père et fils en une journée. Nous devons retrouver sa fille. Hunter a dit qu'il nous parlerait quand nous l'aurons mise à l'abri.

– Une description a été envoyée à toutes les voitures de patrouille. Nous l'aurons bientôt récupérée.

– J'espère, dit Schroder, pour tout le monde. »

36

On me pousse jusqu'à une autre salle après m'avoir recousu. Chaque point de suture m'a rendu plus fort. Il y a ici trois autres hommes dans divers états de souffrance et de malheur. L'un a les deux jambes plâtrées, suspendues au-dessus de lui. Un septuagénaire ronfle, des sutures sont visibles sur une zone rasée sur le côté de son crâne. Le troisième homme lit un magazine et tousse toutes les quinze secondes. Il y a deux flics devant la porte soit pour me protéger, soit pour m'empêcher de m'enfuir. Je songe à mon père – il est dans un autre service, lui aussi sous bonne garde.

Ma jambe me fait un mal de chien. Après une heure, une infirmière entre dans la pièce et me montre un graphique sur lequel sont représentés cinq visages. Le premier est jaune et sourit. Le dernier est violet, il fronce les yeux et fait la moue. Les trois visages intermédiaires sont de couleurs diverses et leurs expressions vont du plutôt heureux au plutôt malheureux.

«Montrez-moi celui qui représente ce que vous ressentez», dit-elle.

Je cherche le visage heureux du type dont la femme s'est fait assassiner la semaine précédente, mais je ne le trouve pas.

«Donnez-moi juste quelques antalgiques, dis-je, et ça ira.»

L'infirmière, qui est ronde avec des seins gros comme des boules de bowling, me laisse une chance de plus de donner une réponse précise.

«Montrez-moi», répète-t-elle.

Je désigne le visage souriant.

« Je peux y aller maintenant ?

– Bientôt », répond-elle, et elle me tend un petit gobelet en plastique qui contient des cachets. Je les verse dans ma main et elle me donne un gobelet d'eau. « Buvez », ordonne-t-elle, comme si je ne savais pas ce que je suis censé faire.

Elle prend ensuite ma pression sanguine et le résultat ne semble ni la satisfaire ni l'inquiéter. Je ne comprends rien aux nombres qu'elle m'indique.

Schroder pénètre dans la pièce.

« Nous avons retrouvé votre fille », annonce-t-il.

L'espace de quelques brèves secondes je suis terrifié, j'ai littéralement une trouille bleue car je ne sais pas comment il va finir sa phrase. L'ont-ils retrouvée au parc pendant qu'elle jouait sur une balançoire avec son ours en peluche, ou baignant dans son sang avec la gorge tranchée ? La pause marquée par Schroder est tellement brève qu'elle est à peine sensible, mais pour moi elle dure une éternité.

« Ils étaient allés au cinéma, ajoute-t-il. Ils sont rentrés maintenant.

– Alors... alors, ils vont bien ?

– Ils vont bien. Mais ils ont pensé que venir ici à l'hôpital risquait de trop l'effrayer. Nous avons un homme posté chez eux pour les surveiller jusqu'à notre arrivée.

– Seulement un ?

– C'est la veille de Noël. Nous n'avions que lui, mais ça suffira. C'est vous la cible, pas eux. »

Il me lance un pantalon. Il est vieux, mais au moins il est en meilleur état que le mien. Il a aussi apporté une paire de baskets qui ne sont pas pleines de sang, alors je ne me plains pas. L'infirmière aux seins en boules de bowling revient et ôte l'intraveineuse de mon bras.

« Dix minutes, déclare Schroder. C'est le marché. Je vous accorde dix minutes avec votre fille, puis vous venez au poste et vous me dites tout. »

La douleur se réveille instantanément lorsque je me lève ; c'est une douleur lancinante, et je manque de m'écrouler. Tout le sang afflue vers le bas et j'ai des vertiges. L'infirmière me pousse vers le lit pour que je m'étende, mais je me ressaisis et me redresse.

« Vous voyez, dis-je en désignant mon visage. Un sourire heureux. Je vais bien.

– Vous n'avez pas l'air d'aller bien.

– Ça va aller. »

Il me faut plus longtemps que d'habitude pour m'habiller, et, au lieu de me laisser marcher, on me pousse vers la sortie dans un fauteuil roulant. Toutes les personnes qui semblaient être là cet après-midi sont rentrées chez elles pour Noël. Nous ne croisons que deux infirmières, un garçon de salle, et personne d'autre, pas même un visiteur. On me rend le contenu de mes poches dans un sac en papier, que je ne prends pas la peine d'ouvrir. Parvenu aux portes de l'hôpital, j'abandonne le fauteuil roulant. Ma jambe est raide à cause des sutures récentes.

Schroder a garé son véhicule sur l'un des emplacements pour handicapés situés à proximité de l'entrée. Le parking est désert à l'exception de deux autres voitures. Je crois qu'il comptait me faire asseoir à l'arrière, mais il décide de me laisser prendre place à l'avant. Il sait que j'ai tué deux personnes au cours des vingt-quatre dernières heures, et je suis certain qu'il tentera de le prouver dès que je serai dans la salle d'interrogatoire. Je ne sais pas comment, mais le jour a laissé place à la nuit. Je n'ai plus ma montre – je ne sais même pas si elle est dans le sac en papier, ou si je l'ai perdue lors de mes péripéties d'aujourd'hui. Ou alors peut-être qu'un secouriste me l'a volée. Il doit être environ 21 h 30.

Il souffle une brise chaude. Ciel dégagé. C'est le temps idéal pour Noël, et si j'étais à la maison avec Sam, si j'avais toujours une famille, nous regarderions la télé pour suivre l'arrivée du Père Noël en Nouvelle-Zélande, et je sentirais l'excitation de ma fille croître. Je ne lui ai toujours rien acheté, mais Nat et Diana s'en sont chargés. Les centres commerciaux sont tous fermés et je regrette de ne pas avoir de cadeau pour elle. Bon Dieu, je suis un père indigne ! Comment ai-je pu ne pas faire cet effort ? Quelques jouets, une poupée, quelque chose pour la réconforter. Je suis obsédé par la vengeance, et pas par les choses qui ont de l'importance.

La vengeance a de l'importance.

« Vous parlez de défendre la ville comme si c'était une guerre, dis-je en regardant par la vitre tandis que nous traversons le centre-ville où des adolescents ivres errent dans les rues.

– Je pourrais parler de cette ville pendant cinq heures et vous n'apprendriez rien que vous ne sachiez déjà. Des milliers et des milliers de gens vivent ici, sans percevoir la violence qui couve dans l'âme de cette ville, jusqu'au jour où elle les touche. Vous le saviez probablement à cause de votre père. Mais ce n'est que la semaine dernière que vous l'avez vraiment ressenti.

– Je l'ai toujours ressenti. Quoi que vous pensiez, je déteste mon père pour ce qu'il a fait. Je le déteste pour l'héritage qu'il m'a laissé. »

Nous atteignons la rue de mes beaux-parents et approchons de l'endroit où l'homme que j'ai écrasé s'est fait abattre. Il n'y a pas de cordon de police. Ils ont probablement dû l'enlever dès que possible pour s'en servir ailleurs. L'endroit grouillait sans doute de journalistes et de flics, mais ils sont tous partis, et il ne subsiste aucune trace de ce qui s'est passé cet après-midi. Il fait trop sombre pour l'affirmer catégoriquement, mais je suis sûr que le sang a été nettoyé. Je me demande ce qu'ils ont ramassé en premier : l'homme mort ou sa jambe ? Je me demande combien pèse une jambe.

Un téléphone portable se met à sonner dans le sac en papier.

Ce n'est pas le mien, car je ne reconnais pas la sonnerie.

« Vous allez répondre ? » demande Schroder.

Je déplie le haut du sac et enfonce la main dedans. L'écran du téléphone que j'ai pris à Kingsly est allumé.

« Allô ? dis-je, mon cœur cognant à se rompre.

– Écoute attentivement. Si tu dis un mot de plus, je tue ta fille.

– Qui...

– Ferme-la ! Un mot de plus et elle est morte. Je ne plaisante pas. Maintenant, dis *oui* si tu comprends. »

Mon esprit se vide complètement, puis tout me revient violemment, le braquage, les cadavres, ma fille... ma fille quoi ?

« Oui », dis-je.

Le mot sort difficilement car j'ai la bouche sèche, et je dois reprendre mon souffle. Ma main tremble, mais Schroder est trop concentré sur la route pour le remarquer. Il se gare derrière la voiture du flic.

« Ta fille, nous la tenons. Elle est avec nous. Et si tu ne fais pas exactement ce que je dis, tu ne la reverras jamais. Tu saisis ?

– Oui.

– Bien. Dis-moi quand Schroder descendra de voiture. »

Je me mets à transpirer.

« Attendez ici pendant que j'ai un mot avec l'agent », dit Schroder.

Je ne l'écoute pas vraiment et me contente d'acquiescer.

« Il est sorti, dis-je à mon interlocuteur.

– Dans un instant, il se précipitera vers la maison. Je veux que tu l'accompagnes. Quand il attrapera son téléphone portable, je veux que tu le lui arraches des mains.

– Vous comprenez que je suis en état d'arrestation.

– Bien sûr que nous le savons, nous t'avons surveillé tout l'après-midi, répond la voix. Raison de plus pour ne pas louper ton coup, Eddie. Ne merde pas. Tu as d'autres instructions une fois à l'intérieur. Maintenant, vas-y ! »

Il raccroche alors que Schroder revient vers moi en courant.

37

Bon Dieu, ça craint! Ça craint vraiment. Un agent mort devant la maison, et qui sait combien de cadavres à l'intérieur. Du sang partout dans la voiture de patrouille. Il aurait fallu deux flics pour surveiller la maison, bon sang! il en aurait fallu quatre, mais le budget ne permettait pas de payer le personnel nécessaire, et personne ne voulait se farcir cette corvée la veille de Noël, et merde, merde, il aurait vraiment dû insister parce que maintenant il a le sang de cet agent sur les mains ainsi que celui de tous les morts à l'intérieur. Son entraînement lui dit d'attendre les renforts, mais son instinct le pousse à entrer dans l'inconnu. De toute manière, maintenant qu'il voit Edward boiter en direction de la porte, il sait qu'il n'a pas le choix.

« Retournez dans la voiture! » hurle Schroder, mais Edward l'ignore.

Il se met à courir et agrippe Edward au niveau de la porte.

« Retournez dans la voiture! » ordonne une fois de plus Schroder.

Il tente de porter son téléphone portable à son oreille tout en tenant Edward, mais celui-ci pivote soudain et le lui arrache des mains.

« Qu'est-ce que vous fabriquez? » demande-t-il. Edward replie le téléphone et le jette par terre. « Bon sang, Eddie, qu'est-ce que vous fabriquez? »

Il pousse Edward contre la maison.

« Sam n'est pas là, annonce ce dernier.

– Comment le savez-vous ? Nous n'avons pas encore fouillé la maison. » Schroder plaque Edward contre la porte. « Comment le savez-vous ?

– Ils m'ont appelé et ils me l'ont dit. Et ils avaient l'air impatients !

– Nous devons appeler des renforts. »

Quelque chose ne tourne pas rond, mais il voit la peur dans les yeux d'Edward et il sait qu'il dit la vérité.

Il lâche Edward et le laisse ouvrir la porte. Toutes les lumières sont éteintes. Il entre et prend la direction du salon, avec Edward à sa suite. Il n'y a personne à l'intérieur. Il allume toutes les lumières et tout semble à sa place.

« Le flic dehors. Comment va-t-il ? demande Edward.

– Mort. Pourquoi avez-vous cassé mon téléphone ? Qui vous a appelé ? »

Edward ne répond pas. Schroder ouvre la porte du couloir. La seule lumière provient de la salle de bains.

« Restez derrière moi », dit Schroder.

La baignoire est remplie d'eau. Un plateau en plastique flotte à la surface, un coin calé contre le bord de la baignoire. Sur le plateau se trouve une liasse de billets. Schroder pénètre dans la salle de bains et baisse les yeux vers l'argent, et il sait, il sait immédiatement qu'il a fait une erreur, une erreur qui va lui coûter cher, et avant qu'il ne puisse la réparer il entend quelqu'un armer un fusil.

Schroder ne bouge pas. Il reste face à la baignoire et fait la grimace, attendant la détonation. Il se demande s'il survivra suffisamment longtemps au coup de feu pour voir l'avant de son torse éclabousser le carrelage. Comme rien ne se produit, il lève lentement les mains et se retourne. Un homme solide avec des tatouages sur les mains et un épais chandail noir qui recouvre probablement ceux qu'il a sur les bras braque un fusil de chasse et tient en respect aussi bien lui qu'Edward.

« Qu'est-ce que vous voulez ? demande Schroder.

– Où est ma fille ? demande Edward.

– Où est l'argent ? demande le type.

– Quoi ? fait Edward.

– L'argent que tu as volé hier soir.

– Qu'est-ce que vous racontez ?

– Je parle de l'argent que tu as pris chez Kingsly.

– Quoi ? fait une fois de plus Edward, et il semble réellement confus.

– Te fous pas de moi, mec. Tu as répondu au téléphone. Le seul moyen que tu as eu de te le procurer, c'est en le prenant à Kingsly. Donc tu as aussi pris l'argent. Tu me le rends, et on te rend ta fille.

– Attendez, attendez un moment, intervient Schroder. L'argent, nous l'avons saisi comme pièce à conviction ce matin. Edward n'y est pour rien.

– Non. Ce que vous avez pris, c'est 2 000 dollars. Moi, je parle de 400 000.

– Edward… dit Schroder.

– Je ne l'ai pas pris !

– Retourne-toi et agenouille-toi.

– Pourquoi ? demande Edward.

– Pas toi. Toi, le flic, sur tes putains de genoux et les mains derrière la tête.

– Écoutez, nous pouvons…

– Maintenant, connard ! »

C'est la dernière chose que Schroder veut faire, mais il ne voit pas d'alternative. Pas moyen de sauter sur le type et de lui arracher son arme. Ce serait une mort assurée. Se retourner et mettre les mains sur sa tête n'est guère plus prometteur, mais, pour le moment, c'est la seule option qu'il a. Il s'exécute donc.

« Attrape ses menottes et passe-les-lui. »

Edward fouille dans les poches de Schroder, il en sort les menottes et les lui passe.

« Noie-le.

– Quoi ? s'écrie Edward, et Schroder est aussi abasourdi que lui.

– Enfonce-lui la tête sous l'eau et noie-le.

– Attendez ! lancent Schroder et Edward à l'unisson.

– Vous m'avez entendu. Noie-le ou ta fille ne verra pas demain. »

Schroder tente de se lever, mais il ne va pas loin avant que son torse heurte le rebord de la baignoire. Edward appuie de tout son poids, poussant son visage vers l'eau.

« Je ne peux pas, dit Edward.

– Maintenant. Fais-le. Fais-le maintenant ! hurle le tatoué.

– Je ne peux pas.

– Tu le peux si tu veux sauver ta fille.

– Edward... » implore Schroder, mais il ne sait qu ajouter.

Il n'y a rien à dire. Il sait ce qui l'attend et il prend une profonde inspiration.

« Je suis désolé », murmure Edward avant de lui enfoncer la tête sous l'eau.

38

Les menottes empêchent Schroder de se débattre et de refaire surface, mais il semble voir les choses différemment. Et si j'étais plus léger, il y parviendrait probablement. Sa tête cogne contre le fond de la baignoire et l'eau prend une teinte d'un rouge très pâle. J'entraîne une plus grande partie de son corps dans la baignoire. Je le tiens par le cou, poussant de toutes mes forces, je sens ses muscles se crisper – c'est comme maintenir un taureau mécanique. Ses pieds battent le sol, la pointe de ses chaussures trace des lignes noires sur le carrelage. De l'eau éclabousse les murs et je suis déjà à moitié trempé. Le pansement sur ma main est saturé d'eau et se met à glisser. J'essaie de m'imaginer que je noie un chien, pas une personne – ce clebs galeux d'il y a vingt ans –, et ça m'aide, pas énormément, mais suffisamment pour ne pas le laisser remonter à la surface. Schroder commence à moins se débattre. Ses pieds cessent de marteler le sol. Son corps s'affaisse un peu plus dans la baignoire.

« Continue de le tenir. »

J'obéis. Quelques bulles montent à la surface. Les jambes de Schroder s'immobilisent, mais il continue de bouger la tête, de lutter pour sa survie. Les secondes s'écoulent. Cinq de plus. Encore cinq. Les bulles cessent. Après un ultime tressaillement, Schroder arrête de se débattre. Je le lâche et il reste sous l'eau, sans chercher à remonter à la surface. Mes mains tremblent et je tombe à genoux, secoué par des haut-le-cœur.

« Pas le temps pour ces conneries, lance l'homme. Rends-moi le fric. »

Je tousse comme si c'était moi qui avais les poumons pleins d'eau.

«Où... où sont-ils? Ma... ma fille et mes beaux-parents?

– Le fric. Après on parlera.

– L'argent est ici.

– Où?»

Je tousse une fois de plus puis me lève lentement en me retenant au rebord de la baignoire, prenant soin de ne pas toucher Schroder. Le type ne porte pas de cagoule. Il a la même dégaine que cet après-midi. Il n'a probablement pas changé de vêtements ni d'arme. Je doute qu'il se soit servi de son fusil ce soir car il est trop bruyant. Je parie que le policier dehors a été tué autrement. Je me demande s'il est vraiment prêt à s'en servir.

«Vous allez me tuer quand vous l'aurez.

– T'as tout faux, mec. Toi, je vais te tuer. Ce que tu vas faire, c'est sauver la vie de ta fille.

– Comment est-ce que je sais que vous allez la relâcher?

– Elle ne sait pas qui nous sommes. Nous n'avons aucune raison de la garder. Maintenant, où est le fric?

– Dans le salon.

– Passe devant», dit-il, et il recule dans la salle de bains.

Je le précède dans le couloir. Nous atteignons le salon.

«Au bout du canapé, dis-je. Contre le mur.

– Attrape-le.»

Je me penche et saisis le sac, tentant de garder ma jambe blessée aussi droite que possible. Le sac contient des crayons de couleur, des feutres et quelques livres de coloriage, et il est loin d'être assez gros pour contenir tout l'argent que j'ai vu hier soir. Comme d'habitude, il est ouvert. Je le referme, le soulève et le jette à ses pieds.

«Qu'est-ce que...?» commence-t-il.

Il baisse les yeux vers le sac et...

Maintenant. Maintenant! Maintenant!

Nous nous avançons, mon monstre et moi, seulement cette fois je n'ai pas besoin de lui car je suis fou de rage. Je projette mon bras vers le haut, crayon pointé en avant. Le tatoué doit le voir arriver, mais il ne peut pas l'éviter, et il ne peut même pas hurler. Il relève brusquement la tête lorsque le crayon pénètre dans son œil, et un fluide clair et épais comme de la morve éclabousse ma main. Il se tient droit comme un i, lâche le fusil, qui demeure quelques instants coincé contre son flanc avant de heurter le sol. Il reste debout, me regardant fixement. L'un de ses yeux est clair et écarquillé, l'autre est une bouillie liquide dans laquelle est planté le crayon. Il ne tombe toujours pas tandis que j'essuie la bouillie et le sang sur ma main ; il attend que je me baisse et ramasse le fusil. Et alors il tombe comme tombe un homme mort, sans se soucier de rien, sans conviction ni peur, son visage heurtant l'accoudoir du canapé, et le crayon s'enfonce un peu plus avant de se rompre. Il atterrit sur le flanc, avec un bout de bois brisé dans l'œil, me regardant sans me voir tandis que je me précipite vers la salle de bains.

39

Qu'est-ce que tu fais ?
J'essaie de le sauver.
Pourquoi ?
J'ai besoin de lui vivant.
Pourquoi ?
La ferme !

La seule chose que tu devrais faire en ce moment, c'est prendre ton pied. Bon Dieu, c'était magnifique ! Allez, Eddie, la manière dont tu as enfoncé ce crayon, doux Jésus ! du boulot de pro – vraiment du boulot de pro –, beaucoup mieux que ce que tu as fait au clebs. Je te parie à cent contre un que c'est ce qu'éprouvait ton père quand il prenait son couteau et...

« Je t'ai dit de la fermer ! » dis-je, et je continue d'essayer de ranimer Schroder.

Sa poitrine se soulève quand je souffle, et elle s'abaisse quand j'écarte la bouche. Il n'y a pas de pouls. Son corps est inerte et lourd. Je suppose qu'il est resté dans l'eau trois minutes maxi.

J'appuie sur sa poitrine, mais je ne sais pas exactement ce que je fais. La dernière fois que j'ai pris un cours de secourisme, c'était il y a dix ans, et le moins qu'on puisse dire, c'est que c'était très différent avec un mannequin en caoutchouc et en acier. Je pourrais le sauver, mais je pourrais tout aussi bien lui briser les côtes et lui perforer les poumons.

J'insuffle de l'air. Je comprime sa poitrine dix fois. Est-ce que c'est bien dix ? Ou alors douze ? J'insuffle encore. Combien de temps suis-je censé continuer ? Il est mort depuis près de quatre minutes. Quelle est la limite avant qu'il y ait un sérieux risque de dommage cérébral? Dans les quatre minutes, non? La seule chose que je me rappelle du cours de secourisme, c'est la formatrice. Elle n'arrêtait pas de me regarder comme si c'était de ma faute si le mannequin ne respirait plus.

Schroder est pris de convulsions et un rugissement sourd jaillit de ses poumons. Il se met à tousser, son corps se repliant presque complètement sur lui-même. Je le roule sur le flanc et il se met à expectorer de l'eau, encore et encore. Puis il retombe sur le ventre, le front posé sur son bras, haletant contre le sol, son corps s'élevant puis s'affaissant exagérément, comme s'il faisait du cinéma. Mais à part ça, il ne fait pas grand-chose. Il ne bondit pas sur ses pieds pour voir s'il est toujours en danger. Rien. J'ai détaché les menottes à l'un de ses poignets, mais elles pendouillent toujours à l'autre.

«*Bon chang*, bafouille-t-il, sans pouvoir rien ajouter d'autre.

– Je suis...

– *Bon chang, qu...*» reprend-il, et il lève la main et se couvre les yeux.

Il se remet à tousser, puis essaie de s'asseoir en s'appuyant contre la baignoire, mais il n'y parvient pas.

«Venez», dis-je, et je l'aide.

Il ramène ses genoux contre sa poitrine et pose la tête dessus. Le pansement sur ma main est à moitié détaché. Je l'arrache et le balance par terre.

«*Qu'est-che...*» commence-t-il sans finir sa phrase. Il tente de nouveau sa chance quelques secondes plus tard. «*Qu'est-che qui ch...* mais il se remet à tousser.

– Attendez ici», dis-je, et je le laisse là.

Je passe les chambres en revue. Il y en a trois dans la maison, qui a été bâtie à l'époque du boom des maisons de ville et peinte avec des couleurs vives qui sont barbantes au possible, ce qui leur a précisément permis de rester longtemps à la mode. La première chambre, la plus petite des trois, a été aménagée pour Sam. Elle comporte un petit lit, du mobilier en kit, des jouets et des posters, et il est clair que personne ne s'est battu dedans pour sauver sa peau. La suivante a été transformée en bureau, elle comporte un ordinateur contre l'un des murs et un tapis de jogging de l'autre côté.

Ce qui laisse une chambre à vérifier, et je m'y rends en priant pour qu'elle soit vide. J'ouvre la porte. L'air est chaud et fétide, on se croirait au fond d'une grotte très profonde. Nat et Diana sont tous deux étendus par terre, me fixant de leurs yeux grands ouverts. Je m'approche et m'accroupis, et Nat lève la tête, mais il ne peut pas faire grand-chose d'autre car il est pieds et poings liés, tout comme Diana. Je fonce à la cuisine, saisis un couteau, et quelques instants plus tard ils sont libres et se frottent les poignets.

«Bon Dieu, Eddie, qu'est-ce qui se passe? demande Nat. Où est Sam?

– Je ne sais pas. Je crois qu'ils la tiennent.

– Ils la tiennent? Qui? Qui la tient?

– Je ne sais pas. Les hommes de la banque, je crois.

– Ceux qui ont tué Jodie? Pourquoi ils enlèveraient Sam?

– Je ne sais pas.

– Tu ne sais pas? répète-t-il, parlant de plus en plus fort. Tu ne sais pas? Qu'est-ce que ça veut dire? Tu dois savoir! Tu dois savoir!

– Je vais la récupérer.

– Oh! je sais que tu vas la récupérer. Tu as intérêt. J'ai la ferme impression que c'est toi qui as amené ces hommes chez nous. Qu'as-tu fait, Eddie?

– Je n'ai rien fait du tout.

– Eux pensent le contraire, intervient Diana d'une voix sanglotante. Et maintenant ils ont enlevé notre petite Sam.

– Si c'est de ta faute, Eddie, s'il lui arrive quelque chose, dit Nat, je jure que je te tuerai. Je te ferai la peau.»

Je retourne à la salle de bains. Schroder n'a ni la force d'être furieux ni reconnaissant.

« Vous m'avez noyé, déclare-t-il.

– Je vous ai sauvé.

– Vous m'avez noyé.

– Je n'avais pas le choix. Si je ne l'avais pas fait, il vous aurait abattu. Nous serions tous les deux morts. Maintenant, écoutez, vous...

– Vous m'avez noyé », répète-t-il.

Avec l'aide de Nat, nous le remettons sur pied et le menons à la salle à manger. Ma jambe saigne et j'essaie de marcher sans faire porter mon poids dessus.

« Vous devez reprendre vos esprits, dis-je en chemin. Il ne s'agit pas de vous. Il s'agit de ma fille.

– Quoi ?

– Vous avez une dette envers moi, OK ? Vous me devez votre putain de vie. Dites-moi que vous le comprenez. Ne me forcez pas à vous noyer une fois de plus. Vous m'êtes redevable parce que si vous aviez fait votre boulot et arrêté les responsables, rien de tout ça ne serait arrivé. Si vous aviez envoyé plus d'un homme pour surveiller ma fille, elle serait encore ici.

– Où est-il ? Le type avec le fusil ?

– Je me suis occupé de lui.

– Comme vous vous êtes occupé de tous les autres ?

– Pas vraiment. Le type sur qui j'ai roulé, c'était un accident.

– Bon Dieu, Eddie, qu'est-ce qui se passe ? demande Nat. Sais-tu où est Sam ?

– Et Kingsly ? demande Schroder. C'était aussi un accident ?

– Je ne suis pas allé là-bas.

– Il a dit que vous aviez le téléphone portable de Kingsly. Et puis, vous connaissiez son nom.

– Il y avait un téléphone portable dans la voiture volée, dis-je, mentant désormais sans le moindre scrupule. L'un des secouristes a dû croire qu'il m'appartenait et l'a placé avec mes affaires. Je ne savais même pas qu'il était dans le sac. »

Schroder acquiesce.

« OK, Edward, très bien, nous allons nous contenter de cette version pour le moment.

– Peut-être que l'homme qui a essayé de nous tuer est celui qui a tué Kingsly.

– Je n'y comprends rien, intervient Nat. Où est Sam ?

– Oui, peut-être, répond Schroder. Mais il aurait emporté l'argent, pas vrai ?

– Je n'ai pas cet argent. Si je l'avais, je le lui aurais donné pour récupérer ma fille.

– Bon, ça, je le crois. »

Nat m'aide à passer le reste de la maison au crible au cas où Sam serait cachée quelque part, dans un placard ou sous un lit. Il jette un coup d'œil au cadavre qui gît par terre et ne dit pas un mot. Je vérifie la cabane dans le jardin – elle est vide. Les hommes ont dit vrai – ils la tiennent, et je dois payer pour la récupérer.

Dans la salle à manger, Diana s'occupe de Schroder. Elle lui a apporté des vêtements secs et a probablement proposé de lui préparer du café, comme toutes les personnes de plus de 60 ans qui se sentent obligées de proposer quelque chose, quelle que soit la situation. Schroder a détaché les menottes de son deuxième poignet.

« Nous devons y aller, dis-je.

– Nous devons appeler des renforts.

– Nous devons d'abord décamper d'ici. » Je l'attrape par le col et l'aide à se relever. « Ils ont Sam. Nous devons faire le nécessaire pour la récupérer. Venez, vous devez m'aider.

– Vous aussi, vous devez partir, dit Schroder à l'intention de mes beaux-parents.

– Je me fous de ce que vous voulez, réplique Nat, nous allons vous aider à retrouver Sam.

– Non, dis-je. Vous nous gênerez plus qu'autre chose.

– On se calme, fait Schroder. Personne ne fait rien ici sauf moi. Je vais appeler des renforts, et vous allez laisser la police s'occuper de ça.

– Comme vous vous êtes occupé de retrouver les hommes qui ont tué ma fille ? rétorque Diana.

– Écoutez, nous faisons...

– ... ce que vous pouvez, complète Nat. Foutaises.

– Alors quoi, vous et votre femme allez nous accompagner, c'est ce que vous croyez ?

– J'aimerais bien, répond Nat, mais je connais mes limites. C'est important pour un homme ; et depuis que Jodie s'est fait abattre, nous connaissons aussi vos limites, inspecteur. C'est pour ça que vous allez emmener Eddie avec vous. Il nous a mis dans ce pétrin, et il sait comment nous en sortir. Que ça vous plaise ou non, inspecteur, il a certainement fait plus pour retrouver ces hommes que vous, et s'il est responsable de ce qui s'est passé ici, alors je lui réglerai son compte quand tout sera fini. Mais pour le moment, je lui fais plus confiance qu'à vous pour retrouver ma petite-fille. Appelez vos renforts. Nous nous occuperons des gens que vous enverrez et ferons tout notre possible pour les aider, mais Eddie et vous devez foutre le camp d'ici et retrouver Sam.

– Vous savez qu'il a raison, dis-je en détournant les yeux de Nat pour les poser sur Schroder.

– OK, OK, soit. Où est l'homme au fusil ? »

Je le mène au salon. Une flaque de sang s'est formée autour de la tête de l'homme. Il est étendu au-dessus du sac de crayons et de feutres.

Nat et Diana se tiennent dans l'entrebâillement de la porte.

« C'est l'un d'eux, déclare Nat.

– Et l'autre ? demande Schroder.

– L'autre a emmené Sam, répond Nat. Je ne peux pas vous dire grand-chose de plus. À part qu'il ressemblait un peu à celui-ci.

Crâne rasé, tatouages – nous pouvons essayer de le décrire. Je suis quasiment sûr que si les choses s'étaient passées différemment, il nous aurait tués. Je ne sais pas pourquoi il ne l'a pas fait dès le début.

– Nous allons vous montrer des photos de suspects », déclare Schroder.

Il s'approche du corps et je le fais rouler pour qu'il le voie mieux. Pendant un moment, je me demande combien de cadavres il a vus au cours de sa carrière. Un paquet, je suppose. Certainement beaucoup plus que mon père.

« Oh ! mon Dieu ! s'écrie Diana en voyant le bout de crayon planté dans l'œil du type. Eddie... Je n'aurais pas cru que vous pouviez, que vous étiez... capable... »

Elle n'achève pas sa phrase.

« Ces salauds ont enlevé ma fille, dis-je en la fusillant du regard. Vous auriez préféré qu'il m'abatte ? Vous auriez préféré qu'il noie Schroder avant de vous descendre, vous et Nat ? Et qu'il laisse mourir Sam ? » Personne ne répond rien. Nat acquiesce, comprenant peut-être pour la première fois que je fais tout ce que je peux pour sauver notre peau à tous. Je me tourne vers Schroder : « Vous le reconnaissez ?

– Non, je... Attendez. » Il s'accroupit au-dessus du corps, et attrape ma main lorsqu'il sent ses jambes flageoler sous lui. Il tousse de nouveau, de minuscules quantités d'eau éclaboussent le cadavre. « Sa tête ne me dit rien, ajoute-t-il lorsqu'il s'est ressaisi.

– Vous l'avez sans doute déjà vu.

– Non. Je vais vérifier. Les empreintes, nous devons avoir un résultat à l'heure qu'il est.

– Et après ? Vous compilez une liste de noms et passez la semaine à constituer un dossier ? Nous devons agir ce soir.

– Je sais, je sais, dit-il. Écoutez, laissez-moi réfléchir, accordez-moi juste une minute.

– Nous n'avons pas le temps.

– Qui vous a appelé quand nous étions dehors ? demande-t-il.

– Eux.

– Et ils vous ont ordonné de me prendre mon téléphone.

– Ils ont dit qu'ils feraient du mal à Sam si je ne le faisais pas. »

Il baisse les yeux vers le mort.

« Rappelez-les. Dites-leur que vous allez leur donner ce qu'ils veulent en échange de Sam.

– Pardon ?

– Ce type vous a demandé de l'argent que vous n'avez pas. Les autres attendent qu'il leur rapporte le fric. Mais ça ne risque pas d'arriver. Que vaut la vie de votre fille maintenant ?

– Et je leur dis quoi ?

– Dites-leur que vous avez l'argent. »

Ça ne me semble pas la meilleure idée qui soit, mais nous n'en avons pas d'autre. Je consulte le menu du téléphone portable et trouve les appels récents. Mes doigts tremblent lorsque je sélectionne le numéro et appuie sur « Appeler ». Après deux sonneries, quelqu'un décroche.

40

« J'ai l'argent, dis-je, la main crispée sur le téléphone.
– Où est mon homme ?
–Il a eu un accident.

– Alors, tu crois maintenant que tu peux racheter ta fille en traitant directement avec moi ?

– Oui.

– C'est trop tard, dit-il. Ta fille est elle aussi sur le point d'avoir un accident. »

Il raccroche. Nat se tient à côté de Diana, un bras passé autour de ses épaules. Ils semblent tous deux perdus, comme s'ils ne me reconnaissaient pas, ne reconnaissaient pas leur maison. Schroder est en train de changer de chemise.

« Qu'est-ce qui s'est passé ? » demande-t-il.

Je ne lui réponds pas. Je regarde fixement le téléphone tandis que la rage monte en moi. Je ne sais même plus ce que je viens d'entendre.

« Eddie ? Qu'est-ce qu'il a dit ? demande Nat.

– Il... il a dit que c'était... trop tard. »

Diana pousse un petit cri et Nat la serre plus fort. Sans même savoir ce que je fais, je me mets à bourrer la tête du cadavre de coups de pied.

« Edward, calmez-vous, calmez-vous un moment », dit Schroder en tendant les bras d'un geste consolateur. Il n'a pas enfilé sa chemise complètement et a un bras dans une manche tandis que l'autre est nu. « Ces hommes sont des professionnels.

Ils savent ce qu'ils font. Ils savent que s'ils la tuent, ils n'auront pas leur argent. Donnez-leur une minute. Ils vont vous rappeler.

– Et si vous vous trompez?

– Donnez-leur une minute.

– Une minute, peut-être deux, surenchérit Nat. Ils vont rappeler. Ils rappellent toujours. »

Mais Nat ne sait pas de quoi il parle, il répète juste ce qu'il a vu à la télé; il tente de se convaincre, et de nous convaincre en même temps.

Je donne un autre coup de pied au cadavre. Sa tête oscille de droite à gauche, le crayon est si fermement enfoncé qu'il ne tremble pas.

« Je vais vomir! » s'écrie Diana.

Elle se précipite vers la salle de bains. Nat reste environ cinq secondes dans le salon avant de la suivre.

Une minute s'écoule. Puis une autre.

« Vous vous êtes trompé, dis-je.

– Donnez-lui du temps.

– Je vais tuer ces gens! »

Et je suis sincère. Schroder ne répond rien. Il songe probablement qu'il serait temps de me passer les menottes. Mais il sait aussi que ces types ont cherché à le tuer, et qu'il a une dette envers moi.

« Écoutez, Edward, vous devez arrêter de vous faire des illusions. Ce n'est pas une affaire pour vous.

– Je m'en sors bien jusqu'à maintenant.

– Vraiment? Allez dire ça à vos beaux-parents. Allez dire ça à l'agent mort dehors. Vous avez beau prétendre que vous n'êtes pas comme votre père, vous aussi vous avez du sang sur les mains maintenant. »

Nous sommes des hommes de sang – c'est ce qu'a dit mon père.

« Je n'y suis absolument pour rien », dis-je, même si je sais qu'il a raison.

J'ai scellé le sort de ma femme en intervenant. L'agent dehors est mort à cause de moi. Tout ce sang sur mes mains, le sang d'innocents parfois, et je sais que je n'en ai pas fini.

Le téléphone portable se met à sonner. Mes beaux-parents surgissent comme s'ils attendaient juste derrière la porte. Je décroche.

«J'ai tué un flic pour vous, dis-je avant que l'homme ait pu en placer une. J'ai déjà tué deux de vos hommes. Nous pouvons mettre un terme à tout ça. Je vous apporte l'argent et vous me rendez ma fille. »

Il y a un silence au bout du fil.

«Elle est toujours en vie. Pour le moment, ajoute l'homme. Nous allons procéder à un échange. Dans une heure. Viens seul. Si nous voyons qui que ce soit d'autre, nous la tuons.

– Où ?

– Je t'appellerai le moment venu. Je ne veux pas te laisser l'opportunité de préparer quelque chose. »

Il raccroche et j'explique la situation à Schroder, qui est à peu près aussi ravi que Nat et Diana – et, à les voir, on croirait que le monde s'est écroulé autour d'eux.

«Vous ne pouvez pas y aller seul, Edward. Nous avons besoin de renforts.

– Ils vont la tuer si vous les appelez. Je joue la sécurité, ce qui signifie que je vais procéder à l'échange. Vous avez une dette envers moi.

– Il a raison, convient Nat. Donnez-lui l'argent et nous récupérons Sam. Il faut faire comme dit Eddie, c'est aussi simple que ça.

– Sauf que ce n'est pas si simple que ça, dis-je, parce qu'il n'y a pas d'argent.

– Quoi ?

– L'argent qu'ils demandent, je ne l'ai pas. Si j'avais l'argent, je l'échangerais contre ma fille. Est-ce que la police peut rassembler cette somme ?

– Le département n'acceptera pas, répond Schroder.

– Même si ça peut sauver la vie de Sam ?

– Ça ne marche pas comme ça. Sinon, les gens se feraient tout le temps kidnapper, et nous distribuerions de l'argent à tous les criminels de la ville.

– Et la foutue banque ? demande Nat. Tout cela arrive à cause de ce qui s'est passé là-bas. Ils nous donneraient sûrement l'argent. Ils sont obligés ! Ils nous sont redevables – ils nous sont sacrément redevables !

– Je vais passer quelques coups de fil pour voir ce que je peux faire.

– Si Eddie n'a pas l'argent, alors qui l'a ? demande Nat.

– Peut-être qu'il n'y avait pas d'argent, répond Schroder.

– Il doit y en avoir, dis-je, pensant aux liasses de billets étalées sur le lit de Kingsly. Ils ne feraient pas tous ces efforts s'il n'y en avait pas.

– Alors, qui l'a pris ? demande Schroder.

– Et l'agent de probation ? Vous avez dit que c'était lui qui avait retrouvé le corps, exact ?

– Oui, il a retrouvé le corps, mais vous émettez une hypothèse dangereuse. Il n'est pas soupçonné du meurtre. Il n'avait aucune raison de tuer son client.

– C'est exactement où je veux en venir. Il n'est pas suspect, mais il a pu prendre l'argent.

– Non, c'est l'assassin qui l'a pris.

– Peut-être que Kingsly a été tué pour une tout autre raison. Peut-être que l'assassin n'a pas vu l'argent.

– Vous avez une confidence à nous faire, Edward ?

– Nous ne pouvons pas passer une heure à émettre des suppositions, dis-je, et pour le moment, la seule chose que nous avons, c'est l'agent de probation. » Je me baisse et ramasse le fusil du mort. « Allons faire un petit tour. »

41

Schroder a la poitrine en feu, comprimée, et il pourrait jurer qu'il y a toujours de l'eau là-dedans. Pourtant, tout bien considéré, il se sent beaucoup mieux maintenant qu'il y a vingt minutes. Quand il aura le temps, il réfléchira à ces instants entre le moment où il a cessé de respirer et celui où il a recommencé. Il n'a jamais cru en Dieu, mais ça ne l'a jamais empêché d'espérer qu'il y avait quelque chose quand tout s'arrête, peut-être pas un paradis dans le sens traditionnel du terme, mais quelque chose qui s'en rapprocherait. Néanmoins, s'il y a quelque chose, il ne l'a pas vu, pas même aperçu. Pour lui, il n'y a rien eu. Aucun souvenir – pas même le souvenir de l'obscurité. Simplement le néant. Un point c'est tout. La noyade, puis plus rien. Et celui qui a dit que la noyade était une mort douce n'avait aucune idée de ce qu'il racontait.

Il suit Edward jusqu'à la voiture. Il n'arrête pas de tousser. Il marche en titubant légèrement, tel un homme avec une infection de l'oreille interne – ou tel un homme revenu du monde des morts.

La voiture d'Edward est toujours garée dehors, et ils la prennent car elle ne ressemble pas à une voiture de police banalisée. Mais tout d'abord Edward va récupérer le sac en papier dans la voiture de Schroder. À l'intérieur se trouvent deux jeux de clés de voiture, un portefeuille et un autre téléphone portable. Ils passent devant la voiture de patrouille dans laquelle se trouve l'agent mort. Ce qui s'est passé est en partie de sa faute ; Edward a raison – s'il avait insisté auprès de ses supérieurs pour qu'on envoie plus d'hommes surveiller Sam, peut-être que le drame aurait pu être évité. Son carnet est trempé, mais il y trouve le numéro de l'agent de probation, ainsi que son adresse.

Edward prend le volant car Schroder ne se sent pas en état de conduire. La seule chose qu'il a vraiment envie de faire, c'est se recroqueviller sur la banquette arrière et dormir. Nat lui a donné son téléphone portable, et il s'en sert pour appeler Landry. Il lui explique seulement ce qu'il a envie de lui expliquer – sans lui dire où ils vont – et écoute l'inspecteur l'informer des derniers développements.

« Theodore Tate a essayé de te contacter, dit Landry. Où est ton téléphone portable ?

– Perdu. Il a laissé un numéro ?

– Il a dit qu'il rappellerait toutes les vingt minutes. Le directeur de la prison lui a donné la permission d'utiliser le téléphone. Il peut te joindre à ce numéro ?

– Bon. Envoie-moi par SMS le numéro du bureau du directeur et je vais appeler moi-même. »

Il raccroche.

« Vous allez appeler le directeur de la banque ? demande Edward.

– Non.

– Vous avez dit tout à l'heure que...

– Je sais ce que j'ai dit, mais c'était simplement pour faire plaisir à vos beaux-parents. Ça ne sert à rien d'appeler la banque. Ils ne joueront pas le jeu. Si je croyais qu'il y avait la moindre chance qu'ils nous aident – aussi infime soit-elle –, je les appellerais. Merde, tu parles d'un bordel, ajoute-t-il, plus à sa propre intention qu'à celle d'Edward. Et je suis en train de faire une connerie.

– Vous avez fait le bon choix, réplique Edward. N'importe quelle autre décision signerait l'arrêt de mort de ma fille. Nous allons faire tout ce qu'il faut pour la récupérer.

– Dans la limite du raisonnable. »

Edward ne répond pas.

«Ils ont identifié les empreintes dans la voiture, annonce Schroder. Nous avons deux noms – et je suis quasiment certain qu'il s'agit des deux morts que vous avez laissés derrière vous.

– Savez-vous avec qui ils travaillent ?

– Ils ont travaillé avec beaucoup de gens. Nous faisons des progrès. C'est simplement une question de temps avant que nous ayons d'autres noms.

– Une question de temps. Combien de temps ? Cinq minutes ? Cinq heures ? Cinq jours ? »

Le téléphone émet un bip. Le SMS de Landry est arrivé avec le numéro du bureau du directeur de la prison.

«Écoutez, Edward, si je ne comprenais pas votre situation, je ne serais pas ici en ce moment. »

Il compose le numéro et le directeur répond après la deuxième sonnerie. Ce dernier ne semble pas ravi de toujours être à la prison quand il devrait être chez lui, mais il ne tanne pas trop Schroder avec ça.

«Il est ici», dit le directeur.

Schroder l'entend poser le téléphone sur le bureau, puis quelqu'un d'autre s'en emparer.

«Roger Harwick, déclare Tate sans préliminaires.

– Roger... Hardwick ?

– Harwick. Sans *d*.

– Comment se fait-il que je connaisse ce nom ?

– Tout le monde connaît ce nom. Impossible d'y échapper. Il a fait les gros titres cette année. Un chroniqueur de presse de seconde zone qui a été accusé de sévices sur des adolescents.

– Oh! oui, fait-il, se rappelant la joie qu'avaient eue les médias à tailler en pièces l'un des leurs.

– Il a purgé trois mois d'une peine de dix ans. Il fait office de banque du sperme pour tout le monde autour de lui depuis qu'il s'est fait casser les dents pendant sa première nuit au trou.

Je crois qu'on lui a offert une protection en échange du meurtre de Hunter.

– Des idées sur l'identité du commanditaire ?

– Je peux continuer de me renseigner.

– Oui. Je te remercie. »

Il raccroche.

« C'est la prison que vous venez d'appeler, exact ? demande Edward. C'était à propos de mon père ?

– Oui. Nous avons un nom.

– Ce Harwick ?

– Oui.

– Donc vous avez suffisamment de ressources pour envoyer des hommes à la prison, mais pas assez pour protéger ma fille ? C'est ce que vous êtes en train de me dire ?

– Nous allons la retrouver, répond Schroder. Et non, nous avons quelqu'un qui nous aide à l'intérieur.

– Quoi ? Vous voulez dire l'ami dont vous m'avez parlé, celui qui s'est fait arrêter pour conduite en état d'ivresse ? L'ex-flic ?

– Il est fiable.

– Qui est-ce ?

– Peu importe qui il est, répond Schroder, ce qui compte, c'est ce qu'il a appris.

– Je vous ai entendu parler avec le directeur de la prison cet après-midi. Vous avez mentionné un nom. Tate. Je connais ce nom. Et l'inspecteur à qui vous avez parlé il y a quelques minutes l'a lui aussi mentionné. C'est de lui que vous parlez, pas vrai ? Votre pote ? Theodore Tate ? Le type qui s'est soûlé et a blessé quelqu'un ? Celui à cause de qui des gens sont morts ? On l'a beaucoup vu dans les journaux l'année dernière. C'est le même type ?

– Peu importe qui il est, répète Schroder, ignorant ses questions.

– Alors, pourquoi Harwick a-t-il fait ça ?

– On lui a offert une protection. En commettant un tel meurtre au début de son incarcération, Harwick risquait un alourdissement de sa peine, peut-être un an, mais ça augmentait ses chances de survie. »

Le nom de l'agent de probation est Austin Bracken. Lorsqu'ils atteignent sa maison, Schroder demande à Edward de se garer dans l'allée, mais à la place Edward s'arrête deux maisons plus loin.

« Qu'est-ce que vous fabriquez ?

– Je suis simplement prudent, répond Edward en attrapant le fusil.

– Vous n'aurez pas besoin de ça, dit Schroder, songeant qu'Edward semble plus impatient que prudent.

– Vous n'en savez rien.

– Nous ne savons pas s'il a volé l'argent, et même si c'est le cas, il n'est pas à vos trousses. Nous l'interrogeons, nous voyons ce qu'il sait, et s'il a l'argent, nous le prenons. Après ça, nous ferons les choses à votre manière mais aussi à ma manière – je vous laisse livrer l'argent, mais nous appelons d'abord des renforts –, ce sera plus sûr pour vous et pour votre fille.

– Il ne va pas abandonner l'argent s'il l'a. Qu'est-ce que vous croyez ? Que vous allez frapper à la porte et qu'il va vous le donner ?

– Quelque chose comme ça », répond Schroder, pleinement conscient qu'il n'est pas convaincant.

Ils parleront à Bracken, et s'il a un mauvais pressentiment, il appellera des renforts. Il ne prend plus de risques ce soir.

« Il a affaire à des ordures chaque jour de sa vie, observe Edward. Vous pensez pouvoir briser quelqu'un comme ça simplement en lui parlant sur le seuil de sa maison ?

– Et vous pensez que coller un fusil de chasse sous le nez d'un innocent va servir à quelque chose ? Voyons d'abord l'impression qu'il nous donne, puis nous aviserons. »

Tandis qu'ils marchent en direction de la maison, Schroder n'est toujours pas dans son assiette, et il a l'impression d'être légèrement à côté de la plaque. Il frappe à la porte, du mouvement et des voix résonnent à l'intérieur, et Schroder se remet à frapper pour qu'ils se dépêchent là-dedans. Quelques secondes plus tard, un homme ouvre la porte. Sa chemise est ouverte et la grosse boucle de son ceinturon pendouille à l'avant de son pantalon. Il a environ le même âge que Schroder, mais est plus costaud. Il a une corpulence massive, le genre de corpulence qui n'est ni tout à fait de la graisse ni tout à fait du muscle. Il arbore le genre de moustache en guidon qui ne se fait plus depuis une centaine d'années.

« Qu'est-ce que c'est ? » demande-t-il en les voyant.

Schroder lui montre sa plaque. Elle a séché, mais son portefeuille est toujours trempé. Bracken ne la regarde pas, il se contente de fixer Schroder, puis Edward, et l'inspecteur est certain qu'il les reconnaît tous les deux.

« Nous avons quelques questions, déclare Schroder.

– À cette heure ?

– Vous avez de la chance que nous n'ayons pas débarqué à 2 heures du matin.

– Des questions sur quoi ?

– Des questions de routine sur Kingsly.

– Comme quoi ?

– Comme ses antécédents.

– Et vous étiez obligés de venir chez moi à cette heure ?

– Nous avons quelques pistes.

– Avec lui ? demande-t-il en désignant Edward d'un geste de la tête.

– Pouvons-nous entrer ? demande Schroder.

– Je suis occupé.

– C'est important.

– C'est la veille de Noël. Je me fous que ce soit important ou non.

– En fait... commence Schroder.

– Merde ! » s'exclame Edward, l'interrompant. Les deux hommes le regardent. « Mon téléphone. » Il palpe ses poches. « Il est dans la voiture. Je sais comment résoudre ça.

– Quoi ? fait Bracken.

– Edward... dit Schroder.

– Juste une seconde.

– Edward, attendez.

– C'est important. »

Schroder le regarde s'éloigner puis, après quelques secondes, se tourne de nouveau vers Bracken. Il a le cerveau ramolli et les idées embrouillées, et il sait qu'il est probablement en train de faire une erreur, mais il n'arrive pas à se concentrer suffisamment pour identifier cette erreur. Edward lui a plus tôt sauvé la vie ; et Schroder sait par ailleurs que s'il avait mieux fait son boulot, la fille d'Edward n'aurait pas été enlevée ce soir. S'il arrive quelque chose à Sam, ça lui restera sur la conscience. Alors oui, peut-être qu'il doit à Edward de lui lâcher un peu la bride. Il le sait – c'est pour ça qu'il est ici. C'est pour ça qu'il n'a pas cherché à lui passer les menottes.

La question est : jusqu'à quel point est-il disposé à lui lâcher la bride ?

42

Austin Bracken vit dans un quartier qui n'a pas encore été infecté par le virus. Les maisons sont modernes et bien entretenues, les pelouses ne sont pas couvertes de pièces mécaniques rouillées. L'horloge du tableau de bord indique qu'il est bientôt 22 h 30 ; j'ai l'impression que la journée a duré quarante heures. La lumière est toujours allumée dans la plupart des maisons, et j'imagine les habitants en train de regarder les programmes de fin de soirée, attendant que les gamins soient endormis depuis suffisamment longtemps pour jouer au Père Noël et placer les cadeaux sous le sapin. C'est ce que je devrais être en train de faire avec Jodie. C'est un moment tellement magique, et je ne sais pas si je le revivrai un jour.

J'ai compris en deux secondes que Bracken avait l'argent. Je n'ai même pas eu besoin de l'aide du monstre ce coup-ci. Mais Schroder n'a même pas été fichu de nous faire entrer dans la maison. J'attrape le fusil car nous n'avons pas à jouer les gentils. Nous devons rencontrer les gens qui ont enlevé ma fille dans environ quarante minutes, et je n'ai aucune monnaie d'échange. Je tiens le fusil dans mon dos et marche tranquillement vers la maison, comme si je dissimulais un bouquet de fleurs. Puis je le dévoile et Bracken ouvre de grands yeux, et Schroder, voyant sa réaction, se tourne vers moi, mais il n'est pas assez rapide pour éviter ce qui l'attend. Je lui assène un coup de crosse en pleine tête, moins puissant que celui qu'a reçu le vigile de la banque, mais suffisamment fort pour qu'il produise son effet. La tête de

Schroder roule sur le côté, ses yeux se révulsent, et il s'écroule aussi sec.

Bracken recule de quelques pas, j'avance de quelques pas. Schroder reste affalé par terre, une fois de plus dans les vapes.

« Que voulez-vous ? demande Bracken.

– L'argent.

– Quoi ?

– L'argent que vous avez volé. Je suis ici pour le récupérer.

– De quoi parlez-vous ? »

Nous pénétrons dans le couloir et je referme la porte du pied. C'est une assez jolie maison avec un long couloir et des meubles modernes. L'extérieur aussi est joli avec ses jolies plantes, sa jolie peinture, ses nains de jardin et son flic devant la porte. Je ne vois pas une seule décoration de Noël. Bracken continue de reculer dans le couloir. Je continue de le suivre.

« Vous avez volé de l'argent chez Kingsly, dis-je. Probablement dans les 400 000 dollars. Peut-être plus, peut-être moins.

– Non.

– Si.

– Qu'est-ce que vous racontez ? S'il avait de l'argent, pourquoi l'aurais-je pris ? Et comment savez-vous combien il y avait à moins que... »

Il fait soudain mine de réfléchir, mais son expression est tellement exagérée qu'il est clair que c'est du cinéma. Il y a quelque chose qui ne tourne pas rond, mais je ne sais pas quoi.

« Vous l'avez tué », déclare-t-il.

Je comprends à sa manière de dire ça qu'il le savait déjà. Ce n'est pas une simple idée, pas un soupçon. Il le sait, comme s'il s'était trouvé là.

« L'argent, dis-je. Montrez-le-moi.

– Je n'ai pas d'argent.

– Les gens à qui l'argent appartient ont enlevé ma fille. Ils vont la tuer à moins que je ne le leur rende.

– Je vous l'ai déjà dit, je n'ai pas d'argent. »

Écoute-le – il ment. S'il était vraiment désolé, il te dirait où est l'argent. Il ferait preuve de plus de compassion. Il te proposerait de t'aider.

« Je crois qu'il est temps que vous vous en alliez, dit Bracken.

– Ils vont la tuer.

– J'en suis désolé, sincèrement. »

Il ne l'est absolument pas.

« Quelqu'un d'autre a dû le prendre, poursuit-il. Avant ou après le meurtre, je ne sais pas, tout ce que je sais, c'est que je ne l'ai pas. »

Il ment.

« Vous mentez.

– C'est la vérité. »

Il ment.

« Bon, soit, dis-je. Une idée quant à l'identité du voleur ?

– Quoi ?

– Vous étiez l'agent de probation de Kingsly. Avec qui travaillait-il ?

– Je ne sais pas. Il faudrait que je vérifie.

– La police ne vous l'a pas déjà demandé ?

– Je ne sais pas. Si, je suppose.

– Et ?

– Et quoi ? Je leur ai communiqué des noms qu'ils connaissaient déjà et c'était une perte de temps.

– OK, OK. Qui d'autre se trouve ici ?

– Je ne sais pas. Juste une femme.

– Montrez-moi. »

Il me mène à une chambre dans laquelle une femme à forte poitrine et à la chevelure très abondante finit de s'habiller.

« Je te jure que c'est la dernière fois, espèce de salaud ! » lance-t-elle tout en ajustant sa jupe qui est déchirée sur le côté.

Comme Bracken ne répond rien, elle lève les yeux et me voit, puis elle voit le fusil, et la colère quitte son visage, comme ça, en une demi-seconde, et laisse place à une bonne dose de trouille. Ses yeux sont gonflés et son mascara a coulé sur son visage, ce qui la fait ressembler à une fan de musique gothique.

« Qu'est-ce que... commence-t-elle, mais elle est à court de mots.

– Ferme-la », répond Bracken.

Je décide alors que lui aussi va la fermer, et je lui assène un coup de crosse sur la tête, aussi fort que celui qu'a reçu Schroder. Il s'écroule à peu près de la même manière et se retrouve lui aussi dans les vapes.

« S'il vous plaît, ne me faites pas de mal, implore la femme. Je ne voulais même pas venir ici. »

Elle porte une jupe très courte et des talons hauts, et doit avaler moins de mille calories par an.

« Ça vous dirait de gagner un peu de fric ? »

Elle ne semble même pas réfléchir à ma question, et se contente de demander, en désignant Bracken de la tête :

« Est-ce que ça implique de lui faire mal ?

– Ça vous pose un problème ?

– Tu peux garder ton fric, mon chou, dit-elle, rassurée. Ça, je le ferai gratis.

– Alors, nous ferions bien de nous y mettre », dis-je.

43

L a torture est uniquement une question d'équilibre et, en règle générale, elle s'avère être un moyen extrêmement inefficace de soutirer des informations. Le problème, ce sont les seuils de douleur : infligez-en trop, et la victime dira tout ce que vous voulez pour vous faire cesser. Ce qui rend alors ses informations non fiables. N'en infligez pas assez, et elle continuera de vous résister. Infligez-en beaucoup trop, et c'est le corps qui lâche. Je crois qu'il vaut mieux avoir recours à la peur qu'à la douleur. Et j'ai trente minutes pour inspirer un maximum de peur à Bracken avant qu'il ne soit trop tard.

Je ne sais pas pourquoi j'en sais soudain autant sur la torture. C'est comme si une partie de mon cerveau s'était débloquée, comme si une boîte pleine de savoir me dévoilait tout d'un coup son contenu. Le monstre y est pour quelque chose. Et je me dis que toute cette histoire pourrait avoir une tonalité plus Disney si je donnais un nom au monstre – Mickey, par exemple. Mickey m'explique comment torturer un homme. Mickey m'implore de le tuer. Mais ce n'est pas Mickey qui a le contrôle ici – du moins pas encore.

Bracken commence à reprendre connaissance, et il remarque que tout son monde a été chamboulé au cours des dernières minutes. Les connexions se rétablissent dans son cerveau et il se découvre nu, ligoté à une chaise. Il tremble, il a froid et peur. Sur la table de la salle à manger sont posés deux outils : un attendrisseur à steak qui ressemble à un gros maillet en bois et un énorme couteau de cuisine. Le manche du couteau est taché et usé, sa lame est cassée à la pointe, mais toujours très tranchante.

Je ne ressens rien.

Bien. Tu fais de beaux progrès.

De son côté, l'inspecteur Schroder n'a pas encore repris ses esprits, il a peut-être reçu un coup plus violent – ou peut-être que c'est l'accumulation, vu qu'il a été noyé il y a une heure. Quand il se réveillera, il découvrira qu'il a été traîné à l'intérieur et assis contre le mur de la salle à manger pour pouvoir voir le spectacle depuis les premières loges, que ses mains sont menottées derrière son dos, et ses pieds attachés devant lui. Il a aussi un bâillon dans la bouche car, pour être honnête, j'en ai ma claque de l'entendre causer.

La femme, qui est probablement une prostituée, est elle aussi dans la salle à manger. Bracken cligne des yeux à quelques reprises, et le monde autour de lui redevient net. Il voit l'attendrisseur à steak et le couteau, et commence à s'imaginer ce qui l'attend.

« Où est l'argent ? »

Son premier instinct est la colère.

« Allez vous faire foutre », répond-il.

Je lui enfonce un torchon dans la bouche et le frappe de toutes mes forces au genou avec l'attendrisseur. Quelque chose cède là-dedans, et il se projette en avant avec une telle violence que la chaise se soulève du sol et manque de basculer. Il ne peut pas bouger la jambe car elle est ligotée à la chaise. Son visage vire au rouge, puis au pourpre tandis que les larmes se mettent à couler. Il serre si fort les dents que, sans le torchon, elles se briseraient les unes contre les autres. Je le laisse se tortiller en vain sur la chaise pendant deux minutes, attendant qu'il se contrôle de nouveau.

La femme ne dit rien, elle se contente de regarder, désormais silencieuse, se demandant peut-être si elle fait bien de m'aider.

J'ôte le torchon de la bouche de Bracken.

« Je n'ai jamais compris pourquoi ils commencent toujours avec ce genre de connerie dans les films, dis-je. Tous ces préliminaires. J'ai toujours pensé que je pouvais faire mieux. Le truc, c'est que j'ai toujours été un homme simple avec des goûts simples. C'est tout. J'avais la plus belle femme du monde, nous avons une fille incroyable... et les choses qui ont fait de mon père ce qu'il était ne m'ont jamais touché. Mais dans ces films où des types torturent des types comme vous, ils ne franchissent jamais la limite. Ils brisent quelques os et taillanent un peu de chair, et les types qui se font torturer ont toujours l'air stoïques. Moi, je crois qu'il y a deux manières de faire parler un homme. Soit vous lui arrachez les yeux, soit vous lui coupez la queue. » Je saisis le couteau. « Je vais commencer par cette dernière, comme ça vous pourrez regarder.

– Attendez, dit-il.

– Trop tard. »

J'approche le couteau de son entrejambe. Son visage devient soudain pâle.

« Dans ma chambre. Dans la penderie, dit-il alors que le couteau est au-dessus de sa queue. Il y a un trou dans le sol. L'argent y est. Prenez-le. Il est à vous. »

Je lui replace le torchon dans la bouche avant de tendre le couteau et l'attendrisseur à la femme, qui les regarde comme s'ils étaient contaminés par le virus Ebola. Puis elle les attrape, les soupèse dans sa main.

« Qu'est-ce que je suis censée faire avec ça ?

– S'il bouge, faites ce qui vous fait plaisir.

– Pas de problème », répond-elle.

Je me dirige vers la chambre de Bracken et ouvre la porte de la penderie. Il n'y a pas beaucoup de vêtements suspendus, et la plupart sont sombres, une taille trop grands pour moi. Je les repousse sur le côté, les cintres grinçant sur la tringle d'acier. Il y a des chaussures et deux boîtes en carton par terre. Je les écarte d'un coup de pied et m'agenouille. Les points de suture tirent sur ma plaie ; j'en sens quelques-uns craquer. Je repousse le bout de moquette qui recouvre le sol et découvre une plaque avec un trou percé au milieu pour y passer le doigt. Elle bouche un trou suffisamment grand pour qu'un homme puisse s'y glisser, mais pas deux.

Je passe le bras à l'intérieur et trouve une sangle. J'extrais le sac de l'orifice alors même qu'un hurlement étouffé mais identifiable entre mille retentit dans la salle à manger. J'y retourne au pas de course. La femme s'est légèrement écartée de Bracken. Elle se tourne vers moi et je vois une ligne de sang, pas très large, dessiner un arc en travers de sa poitrine, de sa gorge et de son visage. Bracken fixe avec de grands yeux son bas-ventre, qui est on ne peut plus normal, si l'on excepte la dizaine de centimètres de métal qui ressortent de son abdomen. Les dix autres centimètres sont invisibles, mais nous savons tous où ils se trouvent.

« Merde, dis-je dans un murmure.

– Il a bougé.

– Vous n'aviez pas besoin de...

– Pas besoin de quoi ? Vous avez dit que s'il bougeait, alors...

– Je sais ce que j'ai...

– Alors, c'est ce que j'ai fait.

– Merde. »

Elle tend la main et saisit le manche du couteau.

« Attendez », dis-je en lâchant le sac.

Mais il est trop tard. Elle tire le couteau et y jette un coup d'œil dégoûté avant de me le tendre. Du sang jaillit de la blessure. Beaucoup de sang.

Elle laisse tomber le couteau sur la moquette et va s'appuyer contre le mur. Elle a cette expression de la personne qui pensait avoir une idée géniale mais qui découvre que celle-ci n'a pas le résultat escompté ; la chose qui était censée la rendre heureuse la rend en fait malade.

« Il l'a mérité, dit-elle, c'était un vrai...

– Je m'en fous. »

Je tourne en rond à la recherche de quelque chose sans savoir quoi, puis je décide d'arracher le torchon que Bracken a dans la bouche.

« Oh ! merde ! oh ! merde ! oh ! mon Dieu ! s'écrie-t-il. Oh ! mon Dieu ! »

Je roule le torchon en boule et l'applique sur son ventre. Il a un mouvement de recul. J'appuie aussi fort qu'il est possible de le faire sans enfoncer le torchon jusqu'à la colonne vertébrale.

« Ah ! ah putain ! ahhh ! »

Le sang n'arrête pas de couler à flots. Bracken est à la fois effrayé et fatigué, et beaucoup plus pâle que quand il a ouvert sa porte tout à l'heure.

« Je suis... je suis désolé d'avoir pris l'argent, dit-il.

— Ça, je n'en doute pas.

— Le type, le type était... il était. Mort. Je me suis dit... que ça ne ferait... Ah, bon Dieu ! de mal à... personne.

— Ça m'a fait du mal à moi. À cause de ça, ma fille a été enlevée. Des gens ont été tués. L'inspecteur Schroder a aussi failli y laisser sa peau. Et vous, vous vous retrouvez avec un couteau dans le ventre.

— Oh ! bon Dieu ! S'il vous plaît, s'il vous plaît, vous devez m'aider.

— J'essaie.

— Appelez une ambulance.

— Je veux mon argent, intervient la femme en regardant le sac.

— Vous avez dit que vous le feriez gratuitement.

— C'était avant tout ce... sang.

— S'il vous plaît, s'il vous plaît, appelez une ambulance, implore Bracken, d'une voix plus basse.

— Cinq mille, insiste la femme.

— Vous savez qui je suis, dis-je.

— Quoi ? Oui, je suppose. Je vous ai vu aux informations.

— Alors, vous savez ce que faisait mon père, non ? »

Elle acquiesce.

« On dit que ce genre de chose se transmet de père en fils. Vous voulez découvrir si c'est vrai ?

– Peut-être que j'ai dit que je le ferais gratis.

– Peut-être.

– Je peux y aller maintenant ?

– Oui, filez. »

Avant qu'elle soit sortie de la pièce, Schroder pousse un gémissement sourd. Il est toujours affalé contre le mur. Il a eu une longue journée. Ses yeux sont entrouverts mais il n'y voit pas encore très clair, et, moi, je suis là à appliquer un torchon sur la blessure d'un mourant. Il essaie de dire quelque chose mais n'y arrive pas.

« C'est lui qui a fait ça, déclare la femme en me désignant du doigt. C'est lui », répète-t-elle avant de décamper.

Le torchon est gorgé de sang et je vais en chercher un autre, mais lui aussi est rapidement saturé. Je jette un coup d'œil à ma montre. L'heure approche, et je n'ai toujours pas eu de nouvelles des ravisseurs.

« Une ambulance », répète Bracken, dont les yeux sont désormais presque clos.

Je sors le téléphone portable et m'apprête à appeler les secours, puis je me ravise. À la place, je compose le numéro du type qui tient ma fille. Bracken souffre, mais il l'a bien cherché, et ma fille passe en premier. Une sonnerie retentit.

Seulement c'est une sonnerie bizarre, comme si elle retentissait dans mes deux oreilles, de façon continue.

Je mets une seconde de plus à comprendre pourquoi. Je regarde Bracken, qui a les yeux rivés sur tout le sang, et qui regrette de ne pas avoir éteint son téléphone portable. Comme ça il ne serait pas en train de sonner dans sa poche. Je raccroche, et le portable de Bracken s'arrête. Je recompose le numéro, et il se remet à sonner. Je raccroche. Le portable de Bracken redevient silencieux. Je pose le téléphone, et ses chances de me voir appeler une ambulance s'envolent.

44

Bracken ne dit rien. Tout ce qui me semblait bizarre à mon arrivée ne l'est plus. Il me regarde tirer le téléphone portable de sa poche. Il y aurait des milliers de choses à dire, mais je ne les entends pas. Cet homme a enlevé ma fille, et il la cache quelque part. Ses yeux sont de nouveau grands ouverts. Du sang continue de s'écouler de sa blessure.

« S'il vous plaît, s'il vous plaît, implore-t-il, avalant à moitié ses mots. Appelez une am... am... bulance.

– Où est ma fille ?

– S'il vous plaît...

– Elle est ici ?

– Aidez-moi et je vous dirai où elle est. »

Je le gifle. Fort.

« Ça ne marche pas comme ça. Vous me dites où elle est, et alors je vous aiderai. »

Il ferme les yeux. Il grimace, bouche ouverte, révélant un mauvais chevauchement dentaire que je compte bien corriger à coups d'attendrisseur s'il ne parle pas. Tout son visage semble s'être affaissé, comme s'il avait perdu dix kilos au cours des dix dernières minutes. Le sang désormais mélangé à de l'urine forme une flaque sur le sol sous lui. Ça sent mauvais.

« Où est-elle ? »

Il ne répond pas. Il est toujours là à grimacer, traits serrés, tel un homme qui vit quelque chose d'intense. Il y a de la douleur et de la peur, et peut-être aussi quelque chose de spirituel.

« Hé ! » dis-je, et je lui colle une nouvelle gifle.

Il secoue la tête et bientôt il ne semble plus savoir où il est.

« Dites-moi où elle est et je stoppe l'hémorragie, Schroder appelle une ambulance et on s'occupe de vous. Plus vite vous parlerez, plus vite je vous aiderai. »

Ses yeux se posent sur moi.

« Ôtez... ôtez... » Il prend une profonde inspiration. « Ôtez d'abord les menottes au flic. Vous le libérez et après je parlerai.

– Vous croyez qu'il va vous protéger.

– Ce n'est pas ce qu'il veut... mais il est obligé. »

Il refait la grimace tandis que la douleur l'assaille de nouveau.

« Êtes-vous l'enfoiré qui a tué ma femme ?

– Non.

– Alors, qui ? Donnez-moi un nom. Est-ce que c'est la personne qui détient ma fille ? »

Il ne répond pas.

La flaque de sang continue de se répandre, mais pas aussi vite qu'avant.

« Répondez-moi, bon sang ! Comment je peux la récupérer ?

– Aidez-moi », dit-il à voix basse.

Ses yeux se posent sur quelque chose au-dessus de moi avant de se révulser. Je lui donne une gifle, et son regard se fixe de nouveau sur moi.

« Ma fille.

– Ma fille, répète-t-il d'une voix qui n'est presque qu'un murmure.

« Où est Sam ?

– Sam... »

Ses yeux se ferment. Je lui donne une nouvelle gifle, mais ils ne se rouvrent pas. Je cherche son pouls, en vain.

« Réveillez-vous ! » Je le frappe plus fort. « Je vous en prie, dis-je en saisissant ses épaules. Dites-moi où elle est. »

Il ne répond pas. Il est mort. Je regarde en direction de Schroder avant de m'asseoir par terre et de m'enfoncer la tête entre les mains. Je ne sais pas quoi faire maintenant. Je songe à ce qu'a dit mon père sur le fait que je devais apprendre à contrôler le monstre, faute de quoi il me ferait faire des choses que je ne veux pas faire. Est-ce le monstre qui a fait ça ?

Non. Bien sûr que non.

Tu savais qu'elle voulait le faire souffrir. Pourquoi lui avoir confié ce couteau et l'avoir laissée seule avec lui ? Tu savais ce qui arriverait.

Non. Je ne le savais pas.

Ah bon ? Tu t'attendais à quoi ?

Je me penche en avant et ôte le bâillon de Schroder.

« Écoutez-moi, Edward, dit-il. Je sais comment les choses ont dû se dérouler. Vous avez craqué, et vous n'aviez certainement aucune intention de le tuer. Vous tentiez d'obtenir des informations, et vous aviez raison au sujet de Bracken, il savait où se trouve votre fille. Laissez-moi vous aider.

– Je ne l'ai pas tué. Ce n'est pas moi qui l'ai poignardé.

– Alors, qui ? Qui était cette femme ?

– Personne.

– Allons, Edward, il est temps de mettre un terme à tout ça. Les victimes commencent à être trop nombreuses. »

Je lui replace le bâillon dans la bouche. Il n'oppose aucune résistance – il s'est résigné au fait qu'il ne peut rien faire à part attendre. Je me lève et me mets à tourner en rond, parcourant quelques centaines de mètres sur le même bout de moquette tout en essayant d'analyser la situation.

Il s'avère que Bracken possède deux téléphones portables. Un normal, dans lequel sont enregistrés les numéros de sa famille et de ses relations de travail. Et un autre, celui qui a sonné tout à l'heure. Il n'y a que deux numéros en mémoire, sans nom. Le premier numéro est celui du téléphone dont je me suis servi. Je sélectionne le second et appuie sur « Appeler ». Quelqu'un décroche après trois sonneries.

« J'attends toujours, déclare un homme.

– J'ai l'argent.

– L'argent ?

– S'il vous plaît, je peux... »

La ligne est coupée. Je rappelle le numéro, mais l'homme a éteint son téléphone.

Je continue de faire les cent pas. Je réfléchis.

« Je sais ce qui s'est passé, dis-je à Schroder. Bracken a tout planifié, et, quand ils se sont partagé l'argent, Kingsly a touché sa part. Mais lorsque Bracken l'a trouvé mort ce matin, il a pris l'argent. Et au lieu de le partager équitablement avec ses partenaires, il leur a dit que c'était la personne qui avait tué Kingsly qui l'avait volé. Comme ça il pouvait tout garder. Il n'a jamais été question de me faire payer pour me rendre ma fille. C'était de la comédie. Il a planqué Sam quelque part sans intention de toucher une rançon, c'était juste un numéro pour que les autres croient que c'était moi qui avais l'argent. Bracken a supposé que j'avais tué Kingsly parce que les médias n'arrêtaient pas de se demander si j'en étais capable. Je ne sais même pas si Sam est toujours vivante. J'ai tout cet argent, mais personne à qui le donner en échange de Sam », dis-je en ouvrant le sac que j'ai trouvé sous le sol.

Il est rempli de liasses de billets identiques à celles que j'ai vues sans les prendre hier soir. Je ne sais même pas combien il y a exactement. C'est l'argent du sang, et je n'en veux pas, mais c'est peut-être ma seule chance de retrouver Sam. Schroder ne réagit pas. Il observe un homme qui est en train de s'effondrer.

« Je parie que Bracken allait tuer le type qui tient Sam. Ça lui aurait fait un problème de moins, et il lui aurait aussi piqué son fric. Ils comptaient aussi me tuer. »

Je fais le tour de la maison. Il y a une chambre qui a été convertie en bureau. J'allume l'ordinateur. En attendant qu'il se mette en route, je passe en revue le reste de la maison. Je vérifie sous le sol de la garde-robe, là où était caché l'argent, mais il n'y a rien d'autre. J'examine les autres penderies sans rien trouver. Chaque fois que je passe devant le corps de Bracken, je résiste à l'envie de l'attraper par les épaules et de le secouer.

Je m'assieds face à l'ordinateur de Bracken et en examine le bureau. Il est propre et n'affiche que quelques icônes. Je clique sur l'une d'elles et tombe sur un dossier qui doit comporter une centaine de vidéos porno. Je n'en regarde aucune. Je referme le dossier et vais dans celui de ses documents. Il s'avère que Bracken a – ou avait – des prétentions de romancier. Je trouve deux manuscrits auxquels il travaillait. Je n'en lis aucun. J'ouvre un dossier de jeux, un autre de musique, puis je passe en revue les dossiers du disque dur, à la recherche de tout ce qui pourrait être lié à son travail ou au braquage de la banque. Je consulte sa boîte mail et découvre que Bracken n'a pas beaucoup d'amis. Même son carnet d'adresses ne contient qu'une demi-douzaine de personnes, dont la plupart portent le même nom de famille que lui. Je parcours ses e-mails; la plupart relaient les mauvaises blagues qui ont déjà circulé des millions de fois à travers le monde. Rien qui touche à son travail ou au braquage. Aucun e-mail de Shane Kingsly. Je passe un quart d'heure à fouiller dans cet ordinateur – ce qui fait longtemps quand vous avez un cadavre en train de se vider de son sang sur le sol de la salle à manger – et, au bout du compte, la seule chose que j'ai réussi à faire, c'est perdre un temps précieux.

Quand je regagne la salle à manger, Schroder a disparu. Soit il s'est laissé rouler jusqu'à l'extérieur, soit il est parvenu à se lever. Je vérifie la porte d'entrée, elle est ouverte. Je sors, mais il n'y a aucune trace de lui. Il a pu se faire la belle il y a un quart d'heure ou simplement deux minutes, mais, dans un cas comme dans l'autre, ça revient au même pour moi – la police est en route.

J'attrape le pantalon de Bracken et trouve son portefeuille, puis je me dirige vers ma voiture. Je me demande quelles sont désormais les statistiques pour Schroder – quel pourcentage de chances a-t-il de tomber sur un voisin qui acceptera de l'aider plutôt que de le couper en morceaux?

Je n'ai pas le temps de me soucier de ça

45

Ce n'est plus le 24 décembre – Noël est arrivé il y a environ deux minutes et le centre-ville est plein de personnes en liesse. Les sans-abri et les fêtards se mêlent les uns aux autres, et je ne peux m'empêcher de les détester tous tandis qu'ils vivent leur vie, sans savoir ce que certains d'entre nous endurent pour sauver leur famille.

Le centre de Christchurch s'étire autour de Cathedral Square, le cœur de la ville, où se trouvent des marchés pour touristes, des artistes de rue, et, bien sûr, la cathédrale, une gigantesque église bâtie il y a plus de cent ans et prisée des touristes, de Dieu, et des tagueurs – même si ces temps-ci l'opinion générale est que Dieu a déserté Christchurch, ce qui signifie qu'Il est partout sauf ici. La cathédrale est pleine de personnes venues célébrer Noël. Les marchés sont fermés, et les ivrognes, les sans-abri et les sniffeurs de colle assis sur les marches ou recroquevillés sur les bancs doivent partager la place avec les fidèles, dans une parfaite harmonie.

Les services de probation se trouvent a seulement quelques rues de là, dans une partie de la ville où les clubs sont des boîtes de strip-tease, où les videurs sont plus costauds qu'ailleurs, et où les tatouages occupent plus d'espace sur leurs bras et leur cou que sur ceux de leurs collègues des boîtes de nuit ordinaires. Le bâtiment de six étages abrite probablement d'autres firmes, peut-être quelques cabinets d'avocats ou des agences comptables. J'ai découvert l'adresse sur une carte de visite qui se trouvait dans le portefeuille de Bracken. Les seules ouvertures du rez-de-chaussée sont les portes automatiques, qui, à cette heure de la nuit, sont naturellement impossibles à ouvrir, à moins de les défoncer avec une voiture bélier. Le reste du bâtiment est constitué de carreaux et de briques sur lesquels les jeunes de la ville ont laissé libre cours à leur talent.

Une allée contourne le bâtiment. Je m'y engage et roule jusqu'à l'arrière. Mes phares balaient un type penché sur une benne à ordures avec une femme agenouillée devant lui. Ils me regardent tous les deux. Le type a du vomi sur l'avant de sa chemise, et la femme n'est pas en meilleur état. Ils agitent la main en direction de ma voiture, comme s'ils essayaient de la repousser, et ils finissent par se rhabiller et décamper.

À l'arrière du bâtiment, il y a deux portes séparées d'environ dix mètres. Le comptable se met à calculer. Les flics sont occupés. La journée a été longue pour eux. Certains sont en ce moment chez Bracken et chez mes beaux-parents, avec des cadavres sur les bras, Schroder est en train d'essayer de retrouver le reste des hommes qui ont dévalisé la banque et enlevé ma fille, et le reste des agents est à la maison, en congé. Ce qui signifie que si une alarme se déclenche, je disposerai probablement d'une ou deux minutes de plus qu'en temps normal. Dans un endroit comme celui-ci, il est plus plausible que ce soit une voiture de patrouille qui débarque plutôt qu'une société de sécurité. Et dans une ville comme celle-ci, peut-être que personne ne viendra avant une heure. Mais bien sûr, il n'y a qu'une statistique qui compte – ma fille. Je ferai tout ce qu'il faut pour la récupérer.

Un badge magnétique est accroché au jeu de clés de Bracken. L'une des portes comporte un bon vieux verrou, mais l'autre est équipée d'un boîtier électronique. Je passe le badge dessus et un déclic retentit ; je pousse la porte, elle s'ouvre. Je pénètre dans le bâtiment et suis tout d'abord aveuglé par un néon qui clignote au plafond. Il y a une deuxième porte, dotée d'un clavier numérique. Je me penche en arrière et donne un puissant coup de pied à côté de la poignée. Je dois m'y reprendre à cinq fois car je suis forcé d'utiliser mon pied gauche, ce qui n'empêche pas les coups de se répercuter dans ma jambe droite. La porte finit par céder, en même temps que quelques points de suture. Une alarme se met à biper quelque part.

Je me retrouve dans un couloir où seules quelques ampoules sont allumées, mais ça suffit pour y voir clair. Il serpente jusqu'au hall d'entrée, où se trouvent deux ascenseurs et un escalier. Il y a un panneau près des ascenseurs : il s'avère que les bureaux des agents de probation sont situés au rez-de-chaussée. J'ai laissé des traces de sang entre la porte que j'ai défoncée et les ascenseurs. J'appuie sur le bouton, j'attends que les portes s'ouvrent et je pénètre dans la cabine. J'ôte ma chemise et l'enroule autour de mon pied pour retenir le sang pendant que l'ascenseur est immobilisé. Je rouvre les portes et sors. J'appuie sur le bouton et envoie la cabine, vide, au dernier étage.

Je me dirige vers les services de probation, sans laisser de traces, et utilise le badge de Bracken pour y accéder. L'alarme continue de biper, mais elle ne s'est toujours pas complètement déclenchée. Il n'y a de nom sur aucune des portes. Il y a un gigantesque guichet de réception au centre de la pièce, et je ne sais pas derrière quelle porte travaille Bracken. La disposition de l'étage me rappelle mon propre lieu de travail, ce qui me fait penser à une solution simple : je pénètre dans chaque bureau à la recherche de photos de famille ou de dessins d'enfants, avec l'idée d'éliminer ceux qui en comportent puisque Bracken n'a ni famille ni enfants. Mais mon idée tombe à l'eau car il n'y a de photos nulle part. Je suppose que ce n'est pas le genre d'endroit où les employés veulent exhiber leur vie privée. Ici, un jour vous avez la photo de votre fille de 9 ans sur le mur, et le lendemain vous portez cette photo au bureau des personnes disparues. Je me demande à quoi je pourrais reconnaître le bureau de Bracken.

Soixante secondes se sont écoulées depuis que j'ai pénétré dans le service. Quelques instants plus tard, un hurlement strident retentit aux quatre coins du bâtiment. Je saisis de la pâte adhésive sur le guichet de la réception et me l'enfonce dans les oreilles.

Je sors la carte de visite de Bracken et son téléphone portable. Il y a trois numéros sur la carte : un numéro de bureau, une ligne directe et son numéro de portable. Je compose celui de la ligne directe, mais je n'entends rien à cause de l'alarme. Je vais de pièce en pièce et parviens à peine à percevoir une sonnerie après avoir poussé la quatrième porte. Depuis le bureau, j'entraperçois, derrière la réception, une fenêtre qui donne sur l'extérieur. J'y jette des coups d'œil réguliers, attendant que les parcmètres et les parkings à vélo laissent place à des voitures de patrouille.

J'allume l'ordinateur, ce qui me fournit un peu plus de lumière, et fouille dans les tiroirs. Comme il y a trop de dossiers pour que je les consulte tous, je les empile sur le bureau. L'ordinateur se charge, et, lorsque l'interface apparaît enfin, je suis trop nerveux pour m'attarder plus longtemps. J'envisage de démonter l'ordinateur et d'emporter le disque dur, mais les fichiers sont probablement stockés sur un serveur externe. L'alarme continue de hurler et la pâte dans mes oreilles ne semble d'aucune utilité.

Il y a un sac de sport derrière le bureau. Je l'ouvre et renverse par terre les vêtements qu'il contient. J'y fourre tous les dossiers que j'ai sortis des tiroirs alors même qu'une voiture de patrouille s'immobilise dehors.

À l'instant où j'atteins la porte qui donne sur le hall d'entrée, l'alarme devient silencieuse. Toutes les lumières s'allument et je me précipite derrière un bureau. Des bruits de pas résonnent dans le hall, des voix aussi. Je ne saisis pas tout à fait ce qu'elles disent, mais les mots auxquels je m'attends ressortent – *sang, ascenseur, dernier étage*. Les flics savent qu'ils ont beaucoup d'espace à couvrir, mais ils ont remarqué que le sang menait à l'ascenseur, et que la cabine était au dernier étage. Une radio crépite, et l'un des agents dit : *Renforts*. Le mot est clair.

Une porte s'ouvre, et des pas résonnent dans la cage d'escalier. Trente secondes plus tard, les portes de l'ascenseur s'ouvrent et se referment. Le comptable et le monstre en moi analysent la situation : il y a déjà deux flics ici, et d'autres ne vont pas tarder à arriver. Celui qui se farcit les escaliers doit être au troisième ou au quatrième étage, pendant que l'autre monte tranquillement en ascenseur. Il faut agir maintenant.

Une autre voiture s'immobilise dehors.

Je déroule la chemise qui entoure mon pied et je la renfile. J'ouvre la porte et pénètre en courant dans le hall, portant le sac dans une main, une agrafeuse dans l'autre, prêt à l'utiliser comme projectile au cas où il y aurait toujours quelqu'un au rez-de-chaussée – mais il n'y a personne. Je cours jusqu'à l'entrée principale. Dehors, deux agents de police s'approchent de la porte vitrée, un homme et une femme. Ils se figent net et me dévisagent, et je fais de même, moi d'un côté de la porte, eux de l'autre. Soudain ils se ruent en avant et l'un d'eux saisit la poignée de la porte.

46

Il lui a fallu environ une heure après sa noyade pour avoir de nouveau les idées claires, et il aime croire que toutes les conneries qu'il a faites pendant ce temps sont dues à cette expérience, qu'il ne commettrait pas ce genre d'erreur en temps normal.

Sortir de la maison a été facile. Tout ce que Schroder a eu à faire, c'est ramper comme une chenille jusqu'à la porte d'entrée, se lever, se contorsionner pour attraper la poignée et courir comme un dératé – ou, dans ce cas précis, s'enfuir en faisant des bonds. Au bout de deux minutes épuisantes, il a atteint une maison où les lumières étaient allumées. Il a appuyé sur la sonnette avec son nez et est tombé sur un jeune couple dont les enfants étaient au lit ; ils étaient occupés à envelopper les cadeaux, avaient partagé une bouteille de vin, et ont dévisagé Schroder avec une suspicion évidente. Mais il a été reconnaissant lorsqu'ils l'ont laissé entrer et ont coupé les liens qui entravaient ses pieds. Le téléphone de Nat était toujours dans sa poche, et il a appelé le commissariat, puis sa femme. Il lui a expliqué qu'il était en retard, que la nuit serait longue, qu'il était désolé, sans toutefois lui dire que, peu de temps auparavant, elle était techniquement veuve. Elle a répondu qu'elle était déçue mais comprenait, et qu'il ferait bien de rentrer dès que possible. C'était un scénario inattendu – son premier cadeau de Noël.

Lorsque la première voiture de patrouille est arrivée, Edward était depuis longtemps parti. Les agents ont libéré Schroder de ses menottes.

« Alors, où il est maintenant ? » demande Landry.

Ils se tiennent dans le salon de Bracken, avec un photographe et deux policiers. Les autres agents ratissent le quartier, cherchant à découvrir où Hunter a bien pu aller.

« Je n'en sais rien. Mais, bon Dieu ! Bill, tout ce qui s'est passé – tout ce que Hunter a fait à Bracken –, il avait raison au bout du compte. Bracken était mêlé au braquage. Il a demandé à un de ses hommes d'enlever la fille de Hunter, et maintenant nous n'avons rien.

– Pas rien, réplique Landry. Nous avons des noms. Ce qui nous permettra d'identifier quelques complices connus.

– Oui, mais à temps pour sauver la fille de Hunter ?

– Il n'aurait pas dû tuer Bracken. Il aurait pu nous aider.

– Il dit que ce n'est pas lui. Il prétend que c'est une femme qui l'a tué.

– Tu le crois ?

– Je ne sais pas.

– C'est pas vraiment une réponse, Carl. On dirait plutôt que tu voudrais le croire sans y arriver.

– Qu'il l'ait tué ou non, il est parti quelque part. Quelque chose ici a dû lui fournir une indication.

– Peut-être qu'il a trouvé un nom ou une adresse.

– Oui, et il l'a emporté avec lui.

– Eh bien, si nous avons de la chance, peut-être qu'il réussira. Peut-être qu'il va récupérer sa fille et débarrasser nos rues de deux ou trois ordures.

– Je ne vois pas les choses tourner comme ça, commente Schroder.

– Évidemment. Mais ce serait bien, non ? »

Quelques agents supplémentaires arrivent sur les lieux et se joignent à eux pour fouiller la maison pendant que Landry passe un coup de téléphone.

« C'est officiel, annonce-t-il en raccrochant. Nos deux victimes avaient le même agent de probation : Bracken.

– Comme Kingsly.

– Oui. Ça fait trois sur trois.

– Donc, c'est Bracken qui a réuni le gang, déclare Schroder. Je vais aller à son bureau. Consulter ses dossiers. Peut-être même que Hunter aura eu la même idée.

– Peut-être », répond Landry.

Et dix minutes plus tard, il s'avérera qu'il avait vu juste.

47

« **M**erde ! » s'exclame l'agent en s'apercevant que les portes automatiques sont verrouillées et refusent de s'ouvrir. Il produit un jeu de clés, mais je ne reste pas pour regarder la suite. Je passe en clopinant devant les ascenseurs, franchis la porte défoncée, suis les traces de sang jusqu'à la porte de derrière, et je me précipite dans l'allée. Je regagne ma voiture, le fusil est toujours sur le siège du passager. Je vois la femme flic qui arrive en courant. Je pointe le fusil vers elle et elle se fige net. Elle lève les mains comme l'a fait le directeur de la banque.

Tue-la.

Inutile.

C'est toujours utile. Ça l'a toujours été.

« S'il vous plaît », implore-t-elle.

Elle a quelques années de moins que moi, et a probablement l'air aussi effrayée que moi lorsque les six hommes ont fait irruption dans la banque. Elle fait deux pas en arrière.

J'arme le fusil. Nouveau pas en arrière. Jodie a été tuée pour faire diversion, et ça a fonctionné. Une multitude de flics se sont retrouvés monopolisés pendant que les braqueurs prenaient la fuite. Si je tirais maintenant, ça produirait le même effet. Ça me donnerait plus de temps pour retrouver ma fille.

Fais-le.

« Je vous en prie, j'ai une famille, supplie-t-elle.

– Allez là-bas. »

Je pointe le fusil en direction de la porte par laquelle je viens de sortir. Elle obéit. Je vais jusqu'à la portière du côté conducteur et grimpe dans la voiture. Je pose le fusil à la verticale contre le siège du passager et la femme reste immobile. Je passe la marche arrière et recule à toute vitesse en direction de la rue. Mais une troisième voiture de patrouille arrive et bloque ma fuite. J'enfonce violemment l'accélérateur et l'arrière de ma voiture la percute pile au niveau de la roue avant. Le choc me projette en arrière puis en avant et les boules de pâte adhésive tombent de mes oreilles. La voie est désormais libre, mais ma voiture cale. Je redémarre, j'enfonce de nouveau l'accélérateur et je m'engage dans la rue. L'arrière de ma voiture fait un bruit de ferraille, qui ne fait que s'amplifier à mesure que je roule. La voiture de patrouille se lance à ma poursuite, mais elle ne parcourt que cinq mètres avant d'effectuer un virage brutal vers la droite. Probablement un essieu cassé. Je ralentis au carrefour, et, lorsque j'appuie de nouveau sur l'accélérateur, le moteur vrombit et tourne dans le vide, et la voiture n'accélère plus. J'essaie de changer de vitesse, mais rien n'y fait.

L'un des autres véhicules de patrouille apparaît. Je m'arrête et bondis hors de la voiture, emportant les sacs par-dessus mon épaule. Celui qui contient l'argent est beaucoup plus lourd que celui qui contient les dossiers. La voiture de patrouille est à environ cent cinquante mètres quand je braque mon fusil sur le videur tatoué qui se tient à la porte d'une boîte de strip-tease et pénètre à l'intérieur.

La boîte est sombre et de la fumée de cigarette flotte dans l'air ; c'est comme un brouillard qui déferle, apportant avec lui la lie des hommes modernes. Des filles en sous-vêtements, avec des poitrines de toutes tailles, déambulent entre les tables, certaines portant des boissons, d'autres menant un client par la main pour un strip-tease privé de trois minutes. La musique est forte et destinée aux gens de la génération à laquelle la plupart de ces filles semblent appartenir – des gens qui ont environ dix ans de moins que moi. Il doit y avoir quinze ou vingt clients dans la boîte, principalement des hommes assis seuls, plus un groupe de six devant la scène. Je tiens le fusil contre mon flanc, pointé vers le bas, et personne ne semble le remarquer. La plupart des projecteurs sont braqués vers la scène, où une fille en tenue d'infirmière – qui ne ressemble en rien à l'infirmière qui m'a montré les petits dessins tout à l'heure – virevolte autour d'un poteau. L'expression sur son visage me rappelle celle de la serveuse le jour de la mort de Jodie, une expression de damnée – il y a une éternité de cela.

Je longe un couloir qui passe devant les toilettes et mène à l'issue de secours. La police n'a pas encore pénétré dans le club. Les toilettes sentent le désinfectant et le sol devant est humide. Je pousse la porte de secours, fort, mais cette saloperie s'entrouvre seulement d'une trentaine de centimètres avant de se refermer. La poignée est bloquée par une chaîne dotée d'un cadenas. Je pointe le fusil sur le cadenas et les personnes présentes dans la boîte se mettent à hurler en entendant la détonation. La musique continue mais plus personne ne regarde la scène. La chaîne tombe au sol et je l'emporte avec moi. Je referme la porte derrière moi et enroule la chaîne autour de la poignée.

L'allée est similaire à celle où j'étais précédemment, sauf que celle-ci court le long des boîtes et des boutiques au lieu de passer entre les bâtiments. Je prends sur la droite, passant devant d'autres entrées de service ; de certaines s'échappe de la musique forte, d'autres, rien. Je continue tout droit et me mets à courir pendant environ soixante secondes, mais, comme j'essaie de faire porter l'essentiel de mon poids sur ma jambe gauche, je clopine plus que je ne cours. J'entends les sirènes des voitures qui arpentent les rues. J'escalade une clôture et atterris dans un parking mal éclairé qui ne semble abriter que deux voitures. Parvenu de l'autre côté du parking, je m'arrête trente secondes pour reprendre mon souffle et commence à sortir les dossiers du sac de gym pour les transférer dans celui qui contient l'argent. Je passe mon bras dans l'anse et soulève le tout sur mon dos, puis je reprends ma fuite, abandonnant derrière moi le sac vide.

Le parking donne sur une allée perpendiculaire à Manchester Street. Il y a des voitures sans sirènes qui passent devant moi, des prostituées au coin des rues, des gens ordinaires qui titubent dans la rue, certains affublés de bonnets de Père Noël. Je traverse Manchester Street en courant et cherche à m'éloigner du centre-ville par Gloucester Street en direction de rues à sens unique qui sont moins bien éclairées. Une voiture de police s'engage dans la rue et je me planque derrière une rangée de buissons qui bordent une boutique de carrelage. La voiture passe devant moi. Je me remets en marche et continue de m'éloigner du centre-ville. Les prostituées se font plus rares, mais elles ont aussi l'air plus dures, comme si elles faisaient beaucoup plus pour beaucoup moins. Je traverse Madras Street et continue vers l'est. Les sirènes sont moins fortes. Je longe un autre bloc avant de tourner vers le nord, vers la maison, ralentissant l'allure à mesure que ma jambe saigne de plus en plus. J'ai besoin d'un endroit tranquille où je pourrai lire les dossiers. Un endroit où je pourrai refaire mon pansement.

J'ai parcouru six ou sept blocs quand le téléphone portable de Kingsly se met à sonner.

« Allô ?

– Bon Dieu, Edward ! Vous aggravez inutilement la situation, dit Schroder.

– Je vais retrouver ma fille.

– Non. Vous êtes en train de la tuer. Écoutez, nous avons des noms, nous frappons à des portes en ce moment même. Nous allons la trouver.

– Vous pouvez le garantir ?

– Je peux vous garantir que nous faisons de notre mieux.

– Et la personne qui a rendu visite à Roger Harwick en prison ?

– Qui ?

– Quelqu'un a dû lui rendre visite avant que mon père ne se fasse poignarder, n'est-ce pas ? Quelqu'un de l'extérieur.

– C'est une bonne idée, dit-il, sauf que personne n'est allé voir Harwick, ni aujourd'hui ni hier. D'ailleurs, personne n'est allé le voir depuis le braquage.

– Ça n'a aucun sens. Quelqu'un a dû lui parler.

– En effet. Ce qui signifie que c'est un autre détenu qui a reçu une visite et qui lui a transmis le message.

– Qui ?

– Nous cherchons. Le problème est qu'Harwick a tellement d'opportunités d'entrer en contact avec les autres détenus. Et il a pu y avoir d'autres maillons dans la chaîne. Quelqu'un va voir le détenu A, qui parle au détenu B, qui parle au détenu C. Ou peut-être que c'est un des gardiens qui a tout organisé.

– Donc c'est une impasse.

– Je fais ce que je peux, Eddie.

– Ça ne suffit pas.

– Où êtes-vous ?

– Faut que je raccroche.

– Qu'avez-vous trouvé ? Un autre nom ? Une adresse ? Edward, écoutez-moi, si vous savez où se trouve votre fille, vous devez me laisser vous aider.

– Je ne sais pas où elle est. Pas encore.

– Vous vous trimballez armé à travers la ville, Edward. Tout le monde est sur le pied de guerre – vous constituez une menace. Une unité d'intervention va se lancer à votre recherche. S'ils vous voient avec un fusil, ils feront feu.

– Compris », dis-je, et je raccroche.

J'essaie ensuite d'appeler Nat et Diana chez eux, mais leur téléphone sonne dans le vide.

Ce qu'il me faut, c'est un véhicule et un coin tranquille où je pourrai parcourir les dossiers. Je cache le fusil dans un endroit sûr, puis regagne la rue pour héler un taxi. Les trois premiers, déjà occupés, passent sans s'arrêter ; le quatrième s'arrête, mais le chauffeur voit le sang sur ma jambe et fait non de la tête avant de repartir. Un autre taxi s'arrête quelques minutes plus tard, et cette fois je place le sac devant ma jambe pour la cacher. Le sang qui a imprégné ma chemise quand je m'en suis servi pour enve-lopper ma chaussure se trouve dans le dos, le chauffeur ne le voit donc pas. Il a l'air heureux que je ne sois pas armé, mais peine à exprimer sa gratitude dans un anglais compréhensible. Je lui demande de me ramener en ville, ce qui ne lui fait pas plaisir car il espérait une course plus longue. Des douzaines de voitures de patrouille sillonnent les rues, mais les flics ne fouillent pas les taxis. Ils sont là, vêtus de noir, portant des armes d'assaut, crevant d'envie de buter Eddie le Chasseur, l'homme dont ils ont toujours su qu'il deviendrait un tueur.

48

Du sang mène de la porte défoncée aux ascenseurs. Hunter a berné les deux flics en leur faisant croire qu'il était monté à l'étage. Malgré toutes les erreurs commises par Edward, Schroder comprend qu'il lui reste un fond de jugeotte. Il se demande s'il ferait la même chose si c'était sa fille qui avait été enlevée, et il décide que oui. Il ferait tout ce qu'il faut pour la récupérer – du coup, il n'est pas ravi de savoir que des escouades armées sont à la recherche de Hunter, prêtes à le descendre.

Schroder n'a jusqu'à présent jamais eu l'occasion de venir aux bureaux de probation, et il sait qu'il y a des chances pour qu'il n'y remette jamais les pieds après ce soir. Le bâtiment est plutôt quelconque, et les bureaux à l'intérieur sont impersonnels au possible, les plantes en caoutchouc qui flanquent le guichet de réception et le coucher de soleil accroché au mur constituant les seules touches de couleur. Il s'imagine que ça doit être dur de travailler dans un tel endroit, de toujours voir revenir après quelques années en prison les mêmes délinquants, les mêmes drogués, les mêmes voleurs, les mêmes assassins. Un cercle sans fin. Au moins, quand on est flic, on envoie les criminels derrière les barreaux ; alors que ces types tentent de les réinsérer dans la société, encore et encore et encore.

Il est trop tôt pour savoir si Edward a eu le temps de trouver quoi que ce soit ici. Après lui avoir parlé, il a eu l'impression que Hunter était toujours en train d'improviser et qu'il ne savait pas quoi faire. Ce qui le rend dangereux.

La responsable informatique, Geri Shephard, est en train d'examiner l'ordinateur de Bracken. Shephard – qui approche de la trentaine et qui a un corps si parfait que les autres femmes tueraient pour l'avoir – est à peu près aussi furax d'être ici qu'elle est jolie.

« Ça ne pouvait pas attendre ? demande-t-elle pour la troisième fois déjà. Vous en êtes vraiment sûr ?

– Vous avez trouvé quelque chose ? demande Schroder.

– Possible. Vous voyez ça ? Nous avons une liste des dossiers qu'il a consultés. Elle remonte aussi loin que vous voulez. Mais je ne vois toujours pas pourquoi vous ne pouvez pas me dire de quoi vous soupçonnez Austin – ça me permettrait peut-être d'aller plus vite.

– Cherchez Kingsly, dit-il, ignorant ses protestations. Quand Bracken a-t-il accédé à son dossier ? »

Elle pianote sur le clavier.

« Aujourd'hui. Le 24. Bien que je suppose que nous soyons désormais le 25, pas vrai ? »

Aujourd'hui. Ça collerait avec ce que Bracken leur a dit ce matin. Son client ne s'est pas montré, alors il est allé le chercher chez lui. Logique qu'il ait consulté le dossier.

« Est-il habituel que les agents de probation se rendent directement chez quelqu'un qui a manqué un rendez-vous ?

– Ça dépend de l'agent, et ça dépend de la personne qui a manqué son rendez-vous. Ce n'est pas fréquent, non, mais ça s'est déjà vu. On dirait qu'il a aussi accédé au dossier de ce type hier.

– Y avait-il un rendez-vous de prévu ?

– Heu... c'est bizarre. À en croire son agenda, il n'était pas censé voir Kingsly avant une semaine.

– Et Adam Sinclair ? demande Schroder, songeant à l'homme sur lequel Edward a roulé.

– Laissez-moi vérifier. Hum, 1er novembre.

– À quelle fréquence voyait-il Sinclair ?

– Ah !... apparemment, il ne le voyait pas.

– Non ?

– Non. C'est du moins ce que ça dit.

– Alors, pourquoi a-t-il consulté son dossier ?

– Je ne sais pas. Peut-être que c'était lié à une autre personne dont il s'occupait.

– Et Ryan Hann ? demande-t-il, Hann étant l'homme qu'Edward a poignardé avec un crayon.

– Hum... même chose. 1er novembre. C'est bizarre... Hann n'est plus en liberté surveillée non plus.

– OK. Bien. C'est bien. Pouvez-vous trouver d'autres dossiers qu'il aurait consultés sans en avoir besoin à la même période ?

– Une seconde. » Elle se remet à pianoter. « Ici, nous avons cinq autres noms de personnes qui ne sont plus en liberté surveillée. Attendez... non, quatre... l'un d'eux vient de mourir », dit-elle en faisant pivoter l'écran pour que Schroder puisse jeter un coup d'œil.

Il fait défiler la courte liste, et une seconde plus tard le nom d'Arnold Langham apparaît. Le Type aux ventouses.

« Bon Dieu ! murmure-t-il. Il était dans le coup.

– Je vous demande pardon ? »

Arnold Langham n'avait de casier criminel que parce qu'il avait tabassé sa femme – mais ça ne signifiait aucunement qu'il n'avait pas commis d'autres délits. Schroder ne voit que deux possibilités. La première est que Langham était de mèche avec les autres types, auquel cas il devait avoir d'autres talents. Il a été recruté, puis, avant le braquage, quelque chose en lui a dû déplaire aux autres membres du gang, ou alors ils ont cessé de lui faire confiance, et il est devenu un boulet. S'ils l'avaient tué d'une balle ou d'un coup de couteau, ils risquaient de se retrouver avec les flics sur le dos, mais s'ils le déguisaient en pervers et le balançaient du toit d'un immeuble, l'enquête partait dans une tout autre direction.

La deuxième possibilité est que Langham n'était pas dans le coup, mais qu'il a eu vent qu'un braquage se préparait et qu'il a fallu le liquider. Schroder penche plutôt pour la première solution – elle suggérerait qu'il a soudain manqué un homme au gang, ce qui expliquerait pourquoi Bracken a choisi Kingsly.

Quoi qu'il en soit, Schroder a désormais une liste de quatre noms, chacun appartenant à un homme recruté par Bracken pour voler 2,8 millions de dollars.

49

Lorsqu'il me dépose, le chauffeur de taxi sourit de soulagement, comme il le fait probablement chaque fois qu'il dépose quelqu'un sans s'être pris un coup de couteau. Son anglais est parfait lorsqu'il m'annonce le prix de la course, mais nettement moins bon lorsqu'il s'agit de calculer la monnaie à rendre. Les augmentations du prix de l'essence ont fait monter en flèche ceux des taxis – pas étonnant que de plus en plus de gens conduisent soûls. Je lui dis de garder la monnaie.

Je suis juste à côté du parking où la voiture de Jodie est garée depuis une semaine. Mon trousseau de clés est resté dans ma voiture, mais j'ai eu le double dans ma poche toute la journée. Je monte au niveau supérieur. La voiture de Jodie est une Toyota quatre portes qui doit avoir dans les 6 ans. Elle démarre au premier tour de clé et je laisse chauffer le moteur pendant trente secondes. Il y a une chaîne stéréo moderne au milieu de la console et un GPS sur le tableau de bord, et je suis surpris de voir que personne ne les a volés. Je trouve la carte de parking de Jodie dans la boîte à gants et m'en sers pour quitter le bâtiment.

Je reprends le chemin par lequel je suis arrivé et retrouve le fusil exactement où je l'ai laissé. J'essaie une fois de plus d'appeler Nat et Diana, et obtiens le même résultat. Je roule quelques minutes pour quitter le centre-ville et me gare.

J'attrape la pile de dossiers et commence à les parcourir. Je vois des noms et des visages, mais ils ne me disent rien. Vingt dossiers de personnes qui n'ont rien à voir avec l'affaire. Au bout de dix minutes, j'ai le sentiment d'avoir perdu mon temps – quel qu'ait été le lien de Bracken avec les assassins de ma femme, je ne le trouverai pas dans ces pages. Et impossible de retourner à son bureau pour en consulter d'autres. Je replace les dossiers dans le sac et me remets en route.

Il y a encore moins de voitures que tout à l'heure dans le parking de l'hôpital – deux en comptant la mienne; l'autre est une camionnette à laquelle sont adossés quelques types un peu plus jeunes que moi occupés à boire. J'enveloppe l'arme dans une veste que Jodie a laissée à l'arrière.

Les heures de visite sont probablement passées depuis six ou sept heures. Je pénètre dans le hall avec l'air de quelqu'un qui sait où il va et personne ne me dit rien, vu qu'il n'y a personne. Pas âme qui vive dans cette partie du rez-de-chaussée – tout le monde est soit à la maison pour Noël, soit en train de travailler aux urgences. Je longe le couloir jusqu'aux ascenseurs, sans laisser de traces de pas derrière moi car le sang sur ma chaussure est sec. Je monte au cinquième étage et passe devant le bureau des infirmières, à l'intérieur duquel il n'y a pas la moindre infirmière. Il y a environ deux fois moins de lumières allumées que cet après-midi, et il fait environ deux fois moins chaud. J'atteins le service où se trouve mon père et, contrairement à cet après-midi, je ne vois aucun agent de police devant la porte – une simple question d'offre et de demande, suppose le comptable en moi. Cette nuit, c'est en ville que la demande est la plus forte, et c'est là qu'ont été envoyés tous les flics disposés à faire des heures sup et à ignorer leur famille – et ils ne sont manifestement pas nombreux.

Ça ne va cependant pas être une promenade de santé. Il n'y a pas d'agents, mais il y a un vigile qui lit un magazine sur une chaise, faisant son possible pour rester éveillé. Je lui donne un coup de main en lui montrant le fusil, et il se retrouve dans la même situation que Gerald Painter la semaine dernière – un pauvre type qui gagne un salaire de misère et n'a pas la moindre arme pour se défendre. Il n'a même pas le temps de quitter sa chaise. Il voudrait bien – il commence même à se lever avant de s'apercevoir que ça ne sert à rien d'aller plus loin, et il se fige, suspendu entre deux actions.

« Pas un mot, dis-je.

– D'accord.

– Levez-vous.

– OK.

– Il y a quelqu'un d'autre ici ?

– Comme qui ?

– Police. D'autres vigiles. »

Il secoue la tête.

« Des infirmières ?

– Il y en a une quelque part, mais ça fait une demi-heure que je ne l'ai pas vue.

– OK. Vous savez qui je suis ?

– Je suis censé le savoir ? demande-t-il avec un haussement d'épaules.

– C'est mon père là-dedans, le type que vous gardez.

– Oh ! merde. S'il vous plaît, s'il vous plaît, ne me tuez pas.

– Alors, écoutez-moi bien. »

Je le fais entrer dans la chambre, dans laquelle se trouvent six patients. Tous sont endormis, et des ronflements et des pets résonnent dans tous les coins : si quelqu'un craquait une allumette, l'air s'embraserait. Le rideau n'est plus tiré autour du lit de mon père. Il tourne la tête vers nous.

« Le rideau », dit-il en le désignant d'un geste de la tête.

Je le referme autour de nous. Le vigile se tient de l'autre côté du lit. Mon père a le bras gauche libre, mais le droit est toujours menotté au barreau du lit.

« J'ai entendu dire que tu avais eu une journée chargée, fils, dit-il.

– Ils tiennent Sam.

– Quoi ? demande-t-il avec une expression peinée.

– Les hommes qui ont tué Jodie. Ils ont enlevé Sam ce soir. Ils vont la tuer, papa, ils vont la tuer à moins que je n'arrive à la récupérer. »

Le vigile n'a pas l'air de savoir quoi faire. Il fait un petit pas en arrière et finit par s'asseoir, songeant plus que probablement qu'il n'est pas assez payé pour risquer sa peau.

« Je ne le savais pas, déclare mon père.

– J'ai besoin de noms.

– Je t'en ai déjà filé un.

– Ça n'a rien donné. Papa, je ne serais pas ici si j'avais le choix. Tu dois avoir quelque chose.

– Passe-moi cette eau, fils. »

Un verre d'eau est posé sur la table de chevet. Je le saisis et le lui tends. Il boit une longue gorgée avant de me le rendre.

« L'eau a meilleur goût ici, dit-il. En prison, quand l'eau nous arrive, une demi-douzaine de gardiens ont déjà craché dedans. Ou pire.

– Papa...

– Kingsly était le chauffeur, exact?

– Oui.

– Alors, si on enlève le type que tu as écrasé, il en reste cinq.

– Trois.

– Trois? »

Je lui explique ce qui s'est passé, ajoutant:

« Le monstre les a eus.

– OK, fils. Bon, j'ai un autre nom qui pourra t'être utile.

– Qui?

– Pas si vite.

– Quoi?

– Vingt ans, c'est long, dit-il. L'air en prison, il a un goût différent. Il a un goût rance, un goût de désespoir. La nuit, des jeunes types qui te tueraient pendant la journée pleurent. En hiver, on se les gèle, et, en été, on crève de chaud, et... vingt ans, fils, vingt ans, c'est long.

– C'est toujours mieux que ce qu'ont eu les femmes que tu as tuées.

– Vraiment ? Tu trouves vraiment ?

– Je crois que si tu pouvais leur demander leur avis, elles seraient d'accord avec moi.

– Je n'en suis pas si sûr, réplique-t-il.

– Le nom ?

– Je t'accompagne.

– Quoi ?

– Tu veux ce nom, tu dois m'emmener avec toi.

– Ils tiennent Sam, papa. Donne-moi ce putain de nom.

– Je le sais qu'ils ont Sam. »

Je pointe le fusil sur la poitrine de mon père. Il a un mouvement de recul.

« Je suis sérieux, papa.

– Tu vas me tuer ?

– S'il le faut.

– Qu'est-ce que ça te rapportera ?

– Ça me soulagera.

– Tu es bien mon fils, dit-il avant de sourire. Mais tu ne vas pas appuyer sur cette détente.

– Vraiment ?

– Trop bruyant. Tu ne sortirais pas d'ici.

– N'en sois pas si sûr.

– Et tu partirais sans nom. Tu pourrais chercher autour de toi, peut-être trouver quelques drogues ou quelques instruments pour me torturer, mais l'option la plus rapide et la plus simple... dit-il en faisant cliqueter les menottes contre le cadre du lit, ... c'est de m'emmener avec toi.

– Je ne peux pas.

– Tu le peux si tu veux récupérer ta fille. »

Emmène-le. Ça ira beaucoup plus vite.

« Les clés ? dis-je en braquant le fusil sur le vigile.

– Je, heu... ne les ai pas.

– Si, vous les avez, réplique mon père. Vous êtes obligé de les avoir au cas où il faudrait me ramener en urgence au bloc. »

Le vigile se lève lentement et enfonce la main dans sa poche.

« Fut un temps où il y aurait eu plus de monde pour me garder, observe mon père. Quand j'étais plus jeune, quand j'étais quelqu'un qu'il fallait craindre. Aujourd'hui, plus personne ne sait qui je suis.

– C'est marrant, dis-je, parce que tout le monde sait qui je suis. »

Le vigile se penche en avant et défait les menottes, puis il s'écarte à la hâte, s'attendant à ce que mon père lui tranche la gorge avec un scalpel. Rien ne se passe. Mon père reste étendu dans la même position et se masse le poignet.

« Je vais avoir besoin d'un fauteuil roulant, dit-il.

– Tu ne peux pas marcher ?

– Je me suis fait poignarder aujourd'hui, fils, donc non, je ne peux pas marcher. Du moins pas trop bien. »

Je menace de nouveau le vigile de mon arme et lui donne de nouvelles instructions, et, quelques secondes plus tard, il est allongé nu par terre, une main passée autour de la base du cadre du lit et menottée à sa cheville. Je saisis son téléphone et ses clés, et retourne de l'autre côté du rideau. Les cinq autres hommes semblent dormir. Une infirmière passe dans le couloir devant la porte ouverte, mais elle ne regarde pas dans la pièce. Elle est probablement tellement habituée à ne pas voir de vigile qu'elle ne remarque pas son absence. Je lui laisse quelques secondes d'avance puis la suis. Elle tourne d'un côté, et moi de l'autre, en direction d'une rangée de fauteuils roulants que j'ai repérée plus tôt.

Je retourne dans la chambre, m'attendant à ce que mon père ait disparu, ou à ce qu'il ait tué le vigile, mais rien n'a changé – il est toujours étendu sur son lit. Je lui ôte sa perfusion et l'aide à enfiler les vêtements du vigile, qui sont un peu grands mais valent toujours mieux que la blouse d'hôpital. Il grimace et respire bruyamment tandis que je l'habille, et il fait plus ou moins la même chose quand je l'aide à s'installer dans le fauteuil roulant. Il garde constamment les mains au-dessus de sa cicatrice, comme s'il cherchait à empêcher ses entrailles de sortir par sa blessure.

« Ne faites pas de bruit, dis-je au vigile. Laissez-nous sortir d'ici sans nous forcer à descendre des infirmières.

– OK. »

Je suis obligé de poser le fusil sur les cuisses de mon père pour pouvoir pousser le fauteuil roulant. Nous atteignons le couloir. Les mains de mon père ne quittent pas sa blessure. Nous arrivons aux ascenseurs. Je dissimule le fusil derrière mon dos lorsque les portes s'ouvrent au rez-de-chaussée, puis le replace sur les cuisses de mon père en ne voyant personne. Je le pousse jusqu'au parking et nous passons devant les mêmes jeunes types adossés à la camionnette. En apercevant le fusil, ils deviennent soudain silencieux. J'aide mon père à monter dans la voiture et, comme je n'arrive pas à replier le fauteuil roulant pour le mettre dans le coffre, je le laisse là. Je songe que tout ça aurait dû être plus difficile. Que voir mon père aurait dû être compliqué, sans parler de le faire sortir. Je songe qu'il y a quelques années, ça aurait été différent. Il y a quelques années, il y aurait eu quelques personnes suffisamment consciencieuses pour payer des heures supplémentaires à un ou deux flics, ou pour trouver les ressources nécessaires pour le garder. Mais s'ils ne sont pas foutus de payer assez pour protéger ma fille, ils ne risquent pas de payer pour surveiller un vieillard.

« On va où ?

– Faut d'abord que je mange quelque chose, répond-il.

– Papa...

– Ça fait vingt ans que je n'ai pas avalé un vrai repas, fils.

– Nous n'avons pas le temps.

– Nous le prendrons. Je suis sûr que nous trouverons un McDonald's en route.

– En route vers où ?

– En route vers le prochain nom sur la liste », répond-il.

Je démarre et suis les indications que me donne mon père.

50

Il s'avère que le repas de choix du tueur en série n'est pas un Happy Meal, mais un Big Mac. Mon père se plaint qu'il en fout partout, mais il mange tout de même tandis que je conduis, et aucun Big Mac n'a sûrement jamais été dévoré aussi vite.

«Je ne crois pas que ton médecin approuverait.

– Probablement pas, répond-il en buvant désormais un Coca. Mais il n'aurait sans doute pas non plus approuvé que je me fasse poignarder.

– Tu veux me raconter?

– Pas grand-chose à raconter», dit-il avant de prendre une autre bouchée.

Je continue de rouler. Mon père s'attaque aux frites. Lorsqu'il a fini, il roule les emballages en boule et balance le tout par la vitre.

«Papa...

– Quoi? On n'a plus le droit de jeter nos déchets dehors de nos jours?

– Où on va?

– Tout se ressemble, dit-il. En plus neuf, peut-être, mais pas beaucoup. Deux ou trois immeubles, quelques nouvelles maisons, mais, à part ça, c'est comme si j'étais venu hier.

– Fascinant, papa, vraiment. Alors, on va où?

– Tu as tué quatre hommes, à commencer par Shane Kingsly, n'est-ce pas?

– Quelque chose comme ça.

– Donc tu as écouté ton monstre, comme tu l'appelles.

– Quelque chose comme ça.

– Et maintenant, les autres ont Sam et tu es prêt à tout pour la récupérer.

– Où tu veux en venir ?

– Au fait qu'on a décidément bien des choses en commun.

– Nous n'avons rien en commun.

– Comme tu veux, Jack.

– Où on va ?

– Tu sais quoi, fils ? Je me sens soudain un peu patraque », dit-il en agrippant son estomac.

Je ralentis.

« Je vais te ramener à l'hôpital.

– Non, non, ce n'est pas ça. Je me sens ballonné. Oh ! merde, faut que je trouve des toilettes. C'est la bouffe, je n'ai rien avalé de tel depuis vingt ans, oh ! merde, oh ! merde, ça ne va vraiment pas.

– Tiens bon.

– Super conseil, fiston », dit-il en se pliant en deux, un bras en travers du ventre.

Je prends sur la gauche et roule jusqu'à une station-service proche. Je me gare du côté des toilettes et mon père, recroquevillé sur lui-même, se précipite à l'intérieur. J'attends dans la voiture, et cinq minutes plus tard il réapparaît, encore plus pâle que quand il est entré.

« Il va me falloir un moment pour m'habituer au monde extérieur, dit-il.

– Ne t'y habitue pas trop. Dès que j'ai récupéré Sam, je te ramène.

– Tu n'es pas sérieux.

– Monte dans la voiture, papa. »

Il monte et nous reprenons la route. Il est en sueur et n'a pas l'air dans son assiette, mais je ne sais pas si c'est à cause de son repas ou de sa blessure. Les rues sont désertes, à l'exception du taxi occasionnel qui ramène une personne ivre chez elle, ou des autres tueurs qui sont en train de chercher leur fille.

Mon père me donne l'adresse et je la rentre dans le GPS, qui nous indique le chemin à suivre. Il regarde la ville à travers la vitre, tentant de se repérer. Il est désorienté à certains croisements, mais connaît en règle générale son chemin. Je me demande si je m'en tirerais aussi bien que lui après vingt ans derrière les barreaux. Et je soupçonne qu'il y a tout un tas d'autres choses pour lesquelles mon père est doué, des choses que l'instinct et la mémoire des gestes l'aideraient à accomplir.

Le quartier où nous mène le GPS est l'une de ces zones infectées par le virus – seulement celle-ci a aussi été atteinte par une épidémie de rouille : les voitures garées devant les maisons sont toutes cabossées, et les jardins, complètement secs. Tout date d'une autre époque, comme si le GPS nous avait ramenés en 1982. Mon père flageole toujours un peu sur ses jambes quand je l'aide à descendre de voiture, mais il ne transpire plus comme il y a dix minutes.

« Tyler Layton, dit-il.

– C'est un des types ?

– C'est pour lui que nous sommes ici. »

Je scrute la rue, les maisons, les voitures, et je me dis que je suis déjà venu ici. Peut-être pas à cet endroit précis, mais dans un autre identique, et j'étais alors dans le même état d'esprit que maintenant. La seule différence, c'est que ce soir ce n'est pas le monstre qui m'accompagne, mais mon père – un monstre d'un genre différent, mais un monstre tout de même. Ou alors peut-être que nous sommes tous ici, peut-être que la noirceur de mon père et mon monstre sont assis sur la banquette arrière, à papoter, à comparer leurs anecdotes et à parier sur l'issue de la nuit. Schroder se trompait quand il a dit que la ville était au bord d'un précipice. Il se trompe quand il pense qu'elle peut encore être sauvée. Demandez à Jodie.

« Parle-moi de lui, dis-je.

– Il n'y a pas grand-chose à dire.

– Il doit bien y avoir quelque chose.

– Qu'est-ce que tu veux entendre, fils ? Que c'est un sale type qui a mérité ce qui va lui arriver ?

– Quelque chose comme ça.

– Entrons. »

Je suis mon père jusqu'aux marches de la maison. Nous ne sommes qu'à deux heures du moment où l'aube illuminera cette partie du monde. C'est devenu une habitude pour moi. Je frappe deux coups à la porte et attends une minute avant de frapper de nouveau, et, quand le type arrive à la porte, je lui colle le fusil sous le nez – et la suite m'est désormais si familière que je n'ai même pas besoin du monstre.

Tyler Layton est exactement le genre de type qu'on s'imagine braquant une station-service ou une banque avec un fusil de chasse – sauf qu'il est peut-être un peu plus vieux que ce à quoi je m'attendais. Le crâne rasé et des tatouages qui ornent son cuir chevelu, des larmes de prisonnier sur les joues, il doit avoir dix ans de moins que mon père. Il ne dit pas un mot entre le moment où il voit le fusil et celui où mon père achève de le ligoter avec les cordons qu'il a arrachés aux stores vénitiens. Nous n'entrons pas dans la sémantique du bien et du mal, et de la fin qui justifie les moyens

« Parlez, dis-je.

– De quoi ?

– De ma fille. Où est-elle ?

– C'est ton fils, Jack ? demande Tyler en regardant mon père.

– Répondez à ma putain de question !

– Je ne sais rien sur votre fille, dit-il sans quitter mon père du regard. Ça fait un bail, Jack. L'uniforme de vigile ne te va pas.

– Pas si longtemps que ça, répond mon père. Pas pour moi. J'ai l'impression que c'était hier.

– Ça fait quatre ans, déclare Tyler.

– Où est ma fille ?

– De quoi il parle, Jack ? demande-t-il à mon père, qui reste silencieux.

– Mais qu'est-ce qui se passe ici ?

– J'ai très bien connu ton père, m'explique Tyler, si tu vois ce que je veux dire. Et un paquet de fois, si je ne m'abuse... même si je ne me souviens que des premières. Ça a été pareil pour toi, Jack ?

– Tyler a eu la gentillesse de me faire découvrir l'un des aspects les plus pénibles de la prison, déclare enfin mon père sans la moindre chaleur dans sa voix. Il était là quand on m'a envoyé derrière les barreaux. Le premier soir, il m'a cassé quatre doigts et deux molaires, et il m'a tellement déchiré le cul que je n'ai pas pu m'asseoir pendant un mois. J'étais à peine remis qu'il a recommencé. Et à chacun de ses séjours en prison il revenait me chercher.

– Et maintenant, c'est toi qui viens me chercher.

– Putain, papa ! Est-ce que ça a quelque chose à voir avec Jodie ou Sam ?

– Non, répond-il.

– Alors, pourquoi sommes-nous ici ?

– Si nous avions plus de temps... déclare mon père à l'intention de Tyler, ... je te découperais morceau par morceau. »

Tyler ne répond rien. Il a beau faire comme s'il s'en foutait, comme si c'était simplement une journée de plus dans la vie d'un vrai dur à cuire, la peur dans ses yeux me rappelle l'expression de ce chien qui, il y a vingt ans, mâchait un steak rempli de clous. Les muscles de ses bras se crispent.

« J'ai toujours su que ce serait dur en prison, reprend mon père. J'ai toujours su que ce serait l'un de ces endroits qui sont exactement aussi horribles que ce qu'on s'imagine avant d'y avoir mis les pieds. Seulement...

– Papa, dis-je, l'interrompant. Nous n'avons pas le temps pour ça. Sam est quelque part, nous devons la retrouver »

Il me transperce d'un regard noir. Après quelques secondes, il acquiesce.

« Tu as raison, fils. » Il tend la main. « Le fusil ?

– Non. Je ne t'ai pas libéré pour que tu tues des gens.

– Si.

– Pas des gens qui n'ont rien à voir avec ce qui s'est passé.

– Donne-moi le fusil, fils.

– Ne le lui donne pas », intervient Tyler.

Donne-le-lui. Laisse-le faire comme il veut. Nous perdons du temps, nous devons récupérer Sam.

« Cet homme est mauvais, fils. Si nous le laissons en vie, d'autres personnes souffriront. »

Donne-lui le fusil.

« Tu veux savoir combien de personnes il a fait souffrir ? Combien de femmes il a violées ? Des femmes comme Jodie ? Des adolescentes comme Sam dans quelques années ? »

Je lui tends le fusil.

51

Tout arrive trop vite. C'est un chaos absolu. Jack Hunter s'est fait la belle – aidé par Edward – mais Schroder n'a pas le temps de penser à ça, ce sera pour plus tard. À l'allure où vont les choses, il doute qu'il passera ne serait-ce que cinq minutes chez lui pour Noël. Sa femme va le détester, sa fille aussi peut-être. Dieu merci, son fils n'a que quelques mois, ça fera au moins une personne qui ne lui en voudra pas.

L'unité d'intervention ne comprend que la moitié de ses hommes, les autres étant soit en vacances, soit déjà trop soûls pour répondre aux appels de Schroder. Il se retrouve donc avec une équipe réduite, mais une équipe tout de même, et ce sont tous des hommes extrêmement capables. Schroder est déjà mort une fois ce soir, et il ne veut pas être le premier d'une longue série. Les hommes sillonnent la ville à la recherche de Hunter.

Son téléphone portable se met à sonner. C'est Anthony Watts, un inspecteur qui se trouve en ce moment chez les beaux-parents d'Edward Hunter.

« Ils ne reconnaissent aucune des photos que nous leur avons montrées, annonce Watts, enfin si, une, celle du type qui gît mort sur le sol de leur salon.

– OK. Retourne aux bureaux de probation. Si Bracken s'est donné tout ce mal après avoir découvert le corps de Kingsly, il a peut-être consulté le dossier de ce type aujourd'hui. Ça te donnera peut-être de nouvelles photos. »

Kelvin Johnson figure en haut de la liste qu'il a imprimée. Mais comme la moitié des autres types sont morts – dont Ryan

Hann, tué par un crayon –, Johnson avait une chance sur trois d'être le premier. Il a été incarcéré il y a neuf ans, suite au braquage d'une bijouterie au cours duquel il a grièvement blessé une vendeuse, et a été libéré il y a quatre ans. Après sa libération, il a été en contact avec son agent de probation une fois par semaine pendant deux ans, puis une fois par mois pendant un an. Et il y a un an, le système judiciaire a décrété que Kelvin Johnson était un citoyen modèle puisqu'il avait purgé sa peine et accompli sa période de liberté surveillée.

Johnson vit dans une zone de la ville qui semble attirer la violence comme les aliments pourris attirent les mouches. Pour le moment, les flics sont à quatre rues de chez lui. Ils ont installé un poste de commandement miniature.

«Deux choses, déclare Schroder, et les hommes de l'équipe l'écoutent attentivement. Premièrement, nous ne sommes pas certains que Johnson ait pris part au braquage.

«Deuxièmement, même s'il y a pris part, nous ne savons pas s'il est mêlé à l'enlèvement de Sam Hunter, ni si elle est ici. Ce qui signifie que nous devons être prudents; nous devons nous assurer qu'il n'y a pas de bavure, et nous devons le prendre en un seul morceau. Des questions?»

Il y a toujours des questions. Ils mettent dix minutes à les passer en revue. Lorsqu'ils sont prêts, deux camionnettes s'engagent dans la rue où vit Johnson, une de chaque côté. Un éclaireur qui est passé devant la maison il y a trois minutes a confirmé qu'il n'y avait aucune lumière allumée à l'intérieur ni aucun signe de vie. Deux agents attendent dans une voiture garée derrière la maison de Johnson, au cas où celui-ci déciderait d'escalader la clôture pour prendre la fuite.

L'unité d'intervention avance rapidement. Les hommes vêtus de noir se précipitent vers la maison, ils font sauter la porte, et s'ensuivent trente secondes de cris sans le moindre coup de feu. Schroder et Landry attendent dans la rue, et, une minute plus tard, Johnson apparaît au seuil de la porte, vêtu d'un pantalon de pyjama et menotté.

« Il n'y a personne d'autre, annonce l'agent Liam Marshall, le chef de l'unité. Aucun signe de la fille. La maison est sécurisée.

– Mettez-le dans la camionnette, répond Landry. Je vais essayer de le faire parler pendant que vous fouillez la maison.

– Peut-être qu'il ne sait pas où elle est.

– Peut-être, nous le saurons bientôt. »

Schroder met trois minutes à trouver l'argent. Il est dissimulé dans un faux plafond. Toujours la même planque, et Schroder songe que les voleurs manquent décidément d'imagination.

Il appelle Landry pour le prévenir.

« Il fait bien partie du gang, mais rien dans la maison n'indique qu'il a enlevé la fillette. S'il l'avait fait, il serait avec elle en ce moment.

– Pas s'il l'a déjà tuée, observe Landry.

– Je sais. Je sais, répond Schroder avant de raccrocher.

– Un de moins. Plus que deux, lance Marshall. Nous sommes prêts pour la prochaine intervention.

– Allons-y », dit Schroder, et il regagne sa voiture.

Il est à deux minutes de la maison de la deuxième personne sur sa liste lorsqu'on lui signale qu'un coup de feu a été entendu. L'adresse qu'on lui indique ne correspond pas à celles où il doit se rendre, et il se demande si le coup de feu est une coïncidence, ou s'il signifie que Hunter a retrouvé sa fille, ou du moins s'en est rapproché.

52

L es hurlements de Tyler cessent à peu près au moment où nous regagnons la voiture. La balle l'a transpercé avant de traverser le dossier de la chaise, et il s'est effondré parmi les éclats de bois. Ses parties génitales et le bas de ses intestins ont éclaboussé le sol. Les artères de sa cuisse sont déchirées et le sang gicle à travers la pièce.

Ça pourrait être le genre de quartier où personne n'appelle jamais la police, mais nous ne nous attardons pas pour faire un sondage. Nous atteignons la voiture, choisissons une direction et nous y tenons.

« Bordel, papa, tu viens de tuer un innocent.

– Non.

– Quoi ? Tu viens de...

– Tu as dit "innocent", Jack. Tyler était loin d'être innocent. Tu l'as vu tout de suite, pas vrai ? C'est pour ça que tu m'as donné le fusil.

– Je t'ai donné le fusil pour accélérer les choses, c'est tout. Sam est quelque part, et tu transformes ça en vengeance personnelle. Tu refuses d'abord de m'aider tant que je ne t'aurai pas fait sortir de l'hôpital. Et maintenant on va chez un type qui n'a rien à voir avec Sam. Tout ce que tu fais me prouve que nous ne nous ressemblons en rien.

– Il ne l'a pas volé, répond mon père. Et la noirceur... elle avait besoin d'être nourrie.

– D'être nourrie ? Il a dit qu'il ne t'avait pas vu depuis quatre ans. Comment savais-tu où aller ? Tu n'as pas pu suivre sa trace, pas à moins d'avoir eu l'intention de lui rendre visite. Comment as-tu su que tu en aurais l'opportunité ?

– Je ne le savais pas. Mais avant que tu arrives à l'hôpital, j'ai réussi à découvrir où il vivait.

– Comment ?

– Aucune importance.

– Mais pourquoi ? Pourquoi as-tu voulu le découvrir ?

– Tu viens de me faire un sermon sous prétexte que c'était une vengeance personnelle, mais, maintenant, c'est toi qui m'en parles. Je croyais que la seule chose qui comptait pour toi, c'était retrouver Sam.

– Et il est évident que ce n'est absolument pas ta priorité. Parce que tout ça ne colle pas.

– Tu veux mon aide, oui ou non ?

– Ça dépend. Est-ce que tu vas vraiment commencer à m'aider ? En fait, je crois que tu ne sais pas qui aller voir maintenant.

– OK, OK, fait-il. Bracken était l'agent de probation, exact ?

– Exact. Mais il a pris l'argent de Kingsly sans le dire aux autres. Tout le monde croit que c'est moi qui l'ai.

– Ce qui est vrai.

– Oui, je l'ai maintenant, mais je ne l'avais pas tout à l'heure, et maintenant je ne sais pas comment retrouver ces types.

– Peut-être que eux savent comment te retrouver. Tu as pris son téléphone, pas vrai ?

– Oui... mais personne n'a appelé.

– Il t'a donné quelque chose, quoi que ce soit ?

– Bracken ? Non. Rien.

– Tu as fouillé sa maison ?

– Oui. Et son bureau. Il y avait un numéro enregistré sur son portable, mais le téléphone a été coupé.

– Tu t'es rendu à son bureau ?

– Je n'ai pas trouvé grand-chose. Juste quelques dossiers qui ne m'ont mené nulle part.

– Où sont-ils ? »

Je désigne de la tête l'arrière de la voiture. Mon père saisit le sac et le soulève en grognant.

« Ils sont au-dessus, dis-je.

Quelques instants plus tard il a les dossiers entre les mains.

– Qui sont ces types ? demande-t-il en ouvrant les deux premiers.

– Personne. Juste des dossiers trouvés dans les tiroirs d'un agent de probation.

– Donc ce sont ses clients. Tu es allé à son bureau et tu as trouvé ses dossiers courants, et rien d'autre.

– Je n'ai pas eu le temps de continuer de chercher.

– Tu aurais dû prendre le temps. Ces dossiers sont inutiles. Certains de ces types n'ont même pas de casier pour vol à main armée. Ce que nous avons ici... dit-il en les feuilletant, ... c'est une demi-douzaine de hold-up, un incendie criminel, deux violeurs, deux trafiquants de drogue, un auteur d'enlèvement, un kleptomane... chacun d'entre eux pourrait être mêlé à cette histoire.

– Je le sais, papa, je le sais déjà. Deux hommes ont enlevé Sam ce soir, j'en ai tué un, et l'autre a Sam. Nat et Diana l'ont vu.

– Tu leur as montré les dossiers ?

– Je ne peux pas. La police est chez eux. Schroder allait leur montrer des photos.

– Donc ils ont peut-être déjà un nom. Peut-être que la police a déjà retrouvé Sam.

– Et peut-être que non.

– Appelle-les.

– Les flics ?

– Non, tes beaux-parents. Peut-être qu'ils ont identifié le type et qu'ils peuvent nous donner un nom.

– J'ai essayé.

– Eh bien, essaie encore. »

J'immobilise la voiture au bord de la rue. Après dix sonneries, je suis sur le point de raccrocher quand quelqu'un répond soudain.

« Allô ?

– Nat ?

– Bon Dieu, Eddie, tu es où ?

- En train de chercher Sam. Où veux-tu que je sois ?

– Avec ton père ? La police dit que tu l'as fait sortir.

– Il m'aide.

– C'est un monstre.

– Le type qui a enlevé Sam aussi. As-tu réussi à faire une identification ?

– Pas au début. Les flics savent qui sont les braqueurs, mais aucun d'eux n'a enlevé Sam. Les inspecteurs sont revenus avec de nouvelles photos. Nous l'avons reconnu tout de suite, Edward. La police sait qui a enlevé Sam.

– Ils ont un nom, mais ça ne veut pas dire qu'ils ont récupéré Sam, n'est-ce pas ?

– Eh bien, non.

– Alors, donne-moi le nom du type qui l'a enlevée.

– Je ne sais pas, Eddie. Je crois que la police est mieux équipée.

– S'ils retrouvent Sam, les flics mettront le type qui l'a enlevée en prison pendant quatre ou cinq ans, et puis ils le relâcheront. C'est ce que tu veux ? Tu te rappelles quand tu as dit que tu aimerais passer du temps seul avec les hommes qui ont tué Jodie ?

– Nous voulons seulement récupérer Sam.

– Donne-moi un nom. Je te promets, Nat, je ne ferai rien qui la mettrait en danger.

– Je ne sais pas...

– Je mérite de connaître le nom de l'homme qui a enlevé ma fille, Nat. Bon Dieu ! c'est ma fille. Ma fille !

– Oliver Church, dit-il enfin. C'est tout ce que je sais. Je n'ai pas d'adresse ni rien.

– Merci. »

Je raccroche, songeant que je connais ce nom.

« Tu vois, je savais qu'ils répondraient au téléphone, fait mon père. Je suis ton porte-bonheur.

– Passe-moi les dossiers. »

Il me les tend. Le quatrième est celui d'Oliver Church. De tous les criminels qui figurent dans les dossiers, Oliver Church est le seul à avoir été jugé pour enlèvement et homicide involontaire, mais il n'y a pas plus de détails sur ses crimes.

« L'adresse ne sera pas la bonne, déclare mon père, alors pas la peine d'aller chez lui, et même si c'est la bonne, tu peux être sûr qu'il n'a pas emmené Sam là-bas.

– Tu as déjà entendu parler de lui ?

– Jamais. Tes beaux-parents ne peuvent pas aller sur Internet et trouver des renseignements sur lui ?

– Ils savent à peine ce qu'est Internet.

– Eh bien, il doit y avoir quelqu'un à qui demander.

– Pas vraiment. Ce qu'il nous faut, c'est un ordinateur. »

Je regarde par la fenêtre, conscient qu'il y en a un dans neuf maisons sur dix. Je pense à toutes mes conversations avec Schroder, à mon père en prison, à l'ancien flic qui a filé un coup de main à Schroder.

L'ancien flic.

Comme Christchurch se raccroche au passé, il est encore possible de passer de temps à autre devant une cabine télé-phonique, et je reprends la direction du centre-ville pour en trouver une. Les Pages jaunes ont été arrachées, de même que le combiné, mais les Pages blanches sont toujours là et j'y trouve l'adresse que je cherche.

53

Toutes les lumières de la maison sont éteintes, comme dans toutes les autres maisons de la rue. La différence entre celle-ci et les autres, c'est que les autres ont des illuminations et des décorations de Noël aux fenêtres, elles dégagent une atmosphère de joie et de paix. Alors que cette maison-ci est froide et certainement vide, et, tandis que je brise la fenêtre et me glisse à l'intérieur, je ressens la même atmosphère de perte que chez moi.

Je me sers de la lueur du téléphone portable pour éclairer autour de moi, puis je décide que la nuit est tellement avancée qu'il faudrait vraiment que je n'aie pas de pot pour que quelqu'un remarque la lumière, alors je l'allume. J'ouvre la porte de derrière pour faire entrer mon père.

La maison comporte trois chambres, dont une aménagée pour accueillir une petite fille, peut-être du même âge que Sam. Ça fait longtemps que personne n'a dormi dedans, et elle est bien mieux rangée que n'importe quelle chambre de petite fille. La deuxième chambre a été convertie en un bureau dans lequel il n'y a pas grand-chose, hormis un ordinateur, et la dernière abrite un grand lit sur lequel sont posés des vêtements pliés.

« Qui habite ici ? demande mon père en regardant quelques photos. Tu connais ce type ?

– Pas vraiment.

– Sa tête me dit quelque chose.

– Peut-être que tu l'as croisé.

– Le seul endroit que j'aie fréquenté ces derniers temps, c'est la prison.

– Tu as ta réponse. »

La maison appartient à Theodore Tate – l'ancien agent de police dont Schroder m'a parlé à quelques reprises, l'homme qui a été arrêté pour conduite en état d'ivresse, le type qui a découvert qui a poignardé mon père. Il y a d'autres photos aux murs – une jolie femme et une fillette à peu près du même âge que Sam. Je me demande ce qui est arrivé à la famille Tate, et j'ai la sale impression que le virus les a atteints de la même manière qu'il a atteint ma famille. Peut-être que Tate a perdu sa femme et cherché à se venger tout en tentant de sauver sa fille. Peut-être qu'à sa sortie de prison il poursuivra sa quête.

Je me connecte à Internet et consulte rapidement les dernières nouvelles. Le nom de l'homme sur qui j'ai roulé cet après-midi a été communiqué à la presse – Adam Sinclair. Et on donne déjà de nombreux détails : il y a un an, aucun nom n'aurait été communiqué avant au moins une journée, et encore moins les faits, mais ces temps-ci on peut voir un cadavre en une du journal.

Les articles relatent les événements, de façon généralement imprécise. Ils disent que deux hommes ont essayé de me tuer, que l'un d'eux a été percuté par une voiture pendant que je m'enfuyais, et que le second l'a alors exécuté. Ils ne disent pas clairement pourquoi ces hommes me pourchassaient – mais ils laissent entendre que je suis impliqué dans le meurtre de Shane Kingsly. Le mot « vengeance » apparaît au moins cinq fois – ce serait, selon la presse, la raison pour laquelle j'aurais assassiné Shane Kingsly, et celle pour laquelle ces hommes auraient essayé de me tuer. C'est la première fois en vingt ans que les médias devinent correctement ce dont je suis capable.

Les morts de ce soir sont trop récentes pour que la presse donne le moindre détail à leur sujet, sans compter que c'est Noël et que la plupart des journalistes ont rendu service à la société en restant chez eux. Seul un vague compte-rendu affirme que l'une des victimes était un agent de police, sans cependant citer le moindre nom. Il est encore trop tôt pour que la mort de Bracken soit mentionnée.

Je tape le nom d'Oliver Church sur le clavier, et, une minute plus tard, nous avons son histoire.

Il y a neuf ans, Church a kidnappé un garçon de 6 ans et réclamé une rançon, mais il s'est fait choper en allant chercher l'argent. Il avait emmené l'enfant à un abattoir abandonné au nord de la ville. Quand il s'est fait prendre, il a refusé de dire où se trouvait l'enfant, et a cherché à négocier une réduction de peine. Les avocats s'en sont mêlés, et, quand le marché a été conclu, l'enfant était mort – de froid et de faim, et de tout ce qui peut arriver quand on abandonne un gamin ligoté dans un tel endroit. Au bout du compte, le pauvre môme est probablement mort de peur. C'est pour ça qu'il a été inculpé d'homicide involontaire et non de meurtre. Et grâce au marché qui avait été conclu, il n'a écopé que de six ans. Qu'importait que le garçon soit mort, le marché disait simplement qu'il devait dire où se trouvait l'enfant, et, comme il n'avait pas été spécifiquement stipulé qu'il devait être vivant, impossible de faire machine arrière.

« Tu crois qu'il a pu tuer l'enfant délibérément ?

– Ne t'y trompe pas, fils, me répond mon père. C'est ce qu'il a fait. Il a passé trois jours en garde à vue avant de dire où il était. Il savait que le gamin allait mourir et il n'a rien fait pour l'empêcher. Ce qui signifie qu'il peut recommencer. Il ne devrait être question que d'argent, mais ce type... merde, regarde ces articles. Les types qui ont braqué la banque, peut-être que ce sont tous des tueurs, ou peut-être seulement un ou deux, mais si Bracken a engagé ce type, ça signifie qu'aucun membre du gang n'était capable de tuer un enfant. Church, si.

– Oh ! bon Dieu, papa, qu'est-ce qu'on fait ? Qu'est-ce qu'on peut faire ?

– Il n'a pas emmené Sam dans un endroit qu'elle pourra dési gner à la police. Il est ailleurs. Pour le moment, il est simple-ment question d'argent.

– Mais il n'y a pas d'argent en jeu, ne comprends-tu pas ça ? Il n'y en a jamais eu ! Bracken savait que je ne l'avais pas, il jouait juste un jeu pour que les autres le croient.

– Alors, peut-être qu'Oliver Church le croit aussi, réplique mon père. Tu ferais bien d'espérer que c'est le cas.

– Ça ne nous dit toujours pas où il est.

– Les criminels retournent toujours à ce qu'ils connaissent le mieux. Ça, je le sais. Et l'abattoir est abandonné depuis longtemps.

– Tu crois qu'elle est là-bas ?

– À ce stade, nous n'avons rien d'autre. »

Le trajet prend normalement vingt-cinq minutes, mais je le parcours en douze, atteignant parfois des vitesses qui stupéfie-raient le Père Noël. Les décorations de Noël défilent à toute allure derrière la vitre et deviennent de simples traînées de couleur. Nous ne voyons pas une seule voiture sur la route. Je ralentis à l'approche des feux rouges avant de les griller. La banlieue prend fin et des champs la remplacent, comme tout autour de la ville – sauf à l'est ; pour rouler vers l'est dans cette ville, il faudrait une voiture flottante. J'essaie une fois de plus le numéro enregistré sur le téléphone portable de Bracken, mais le Père Noël a décidé de ne pas me faire de cadeau et ça ne donne rien.

Nous nous arrêtons juste avant la route qui mène à l'abattoir. Je laisse les trois téléphones – le mien, plus ceux de Kingsly et Bracken – dans la voiture, et nous descendons. Le sol est frais et humide, comme irrigué par le fantôme de milliers d'animaux. Je place le sac d'argent dans le coffre et saisis une lampe torche dans le kit d'urgence.

« Cette prostituée chez l'agent de probation, tu as son nom ? demande mon père.

– Quoi ? Pourquoi ?

– Simple curiosité.

– Non. Pas de nom. »

La route est si lézardée et défoncée par le poids des camions qui l'empruntaient autrefois qu'il y a de quoi se casser les chevilles. Nous marchons donc sur le bas-côté, où la terre est tassée. Comme nous sommes tous les deux en sale état, nous avançons lentement. Je suppose que la journée a été longue pour lui aussi.

Noël n'arrive pas jusqu'ici. Pas de guirlandes ni d'illuminations, juste un environnement désolé constellé d'ombres projetées par la lune et les étoiles.

« Alors, à quoi elle ressemblait ?

– Qui ça ?

– La prostituée. À quoi elle ressemblait ?

– J'en sais rien. À une prostituée.

– Elles sont toutes différentes, fils. Crois-moi. Il n'y a qu'à l'intérieur qu'elles se ressemblent. »

Je ne lui demande pas ce qu'il entend par là, et, Dieu merci, il n'entre pas dans les détails. Nous continuons de marcher.

« Tu ne vas pas réellement me ramener à l'hôpital après tout ça, n'est-ce pas, fils ? » demande-t-il.

Je ne réponds pas.

L'abattoir apparaît. Il semble surgir de terre à mesure que nous approchons, se dressant dans l'obscurité et nous écrasant. Les mots « Abattoir du nord » ont été peints en lettres de un mètre de haut, suffisamment grandes pour ressortir dans le noir. L'odeur flotte toujours dans l'air, même des années après la fermeture des lieux. Ou peut-être est-ce seulement mon imagination. Mais il y a assurément quelque chose, et je me demande à quel point ça puait ici à l'époque. L'abattoir n'a été en activité que pendant environ deux ans avant d'être fermé, victime d'une banlieue en expansion qui ne s'est finalement jamais développée. Il a été fermé avant même que la route qui y menait ait pu être achevée. Le terrain a été vendu, puis plus rien, jusqu'à ce que quelqu'un débarque avec quelques bombes de peinture et se mette à en peinturlurer les murs.

Il y a quinze ans, ce bâtiment a été le théâtre d'un double meurtre, et, il y a neuf ans, il a servi à cacher un enfant qui est mort de peur pendant qu'un homme tentait de rogner quelques années sur sa peine. Ce soir, il renferme peut-être ma fille.

Une voiture sombre est garée devant le bâtiment. Nous nous séparons ; mon père se dirige vers l'arrière, et moi, vers la voiture. Nous fonctionnons bien ensemble, nous n'avons pas besoin de parler, quelques gestes de la main suffisent, comme si nous avions déjà fait ça tous les deux. Je devine que mon père adore ça, et je l'en déteste encore plus. J'atteins la voiture et jette un coup d'œil à l'intérieur avant de continuer.

Les murs de l'abattoir sont principalement constitués de parpaings, avec quelques sections en tôle ondulée. Leur base est bordée d'une moisissure qui grimpe le long des parois et qui est plus sombre en bas, là où elle est plus épaisse. Tout un tas de mauvaises herbes jaillissent des fissures dans le sol. J'arrive à une fenêtre, mais je ne vois rien, strictement rien, à l'intérieur. La porte latérale qui donnait autrefois sur les bureaux gît au sol. Le gond supérieur a sauté, celui du bas est toujours fixé à la porte, mais tordu à un angle de 90 degrés. La température chute quand je pénètre à l'intérieur. Je me tiens immobile et tends l'oreille avant d'allumer la lampe torche. Il n'y a pas de mobilier, rien d'accroché aux murs, rien sur le sol de béton. La porte du couloir a été enlevée. Je m'y engage et, après une autre porte, j'arrive dans l'abattoir à proprement parler, une énorme pièce caverneuse qui sent la pourriture. L'air est froid comme une tombe, et l'obscurité semble adhérer à l'arrière de mes yeux. La lampe torche fend à peine les ténèbres, son mince faisceau est absorbé par le noir. Je sens de grands crochets suspendus au plafond quelque part devant moi, mais je ne les vois pas. Il y a des machines rongées par la rouille – des machines qui servaient à transformer des animaux vivants en produits de supermarché et en hamburgers. Pas étonnant qu'un petit garçon, ligoté et abandonné seul ici, soit mort.

Je retourne dans le couloir. Après avoir franchi un angle, j'aperçois devant moi un rai de lumière qui filtre sous une porte – l'une des rares à être encore debout. C'est une lourde porte en bois dont la base est sillonnée de rayures verticales, probablement des griffures de rats. Je m'approche, colle mon oreille au bois, mais je n'entends rien.

Je prends deux profondes inspirations, serre fermement le fusil, et j'ouvre la porte en grand.

54

L e deuxième nom sur la liste, Zach Everest, n'a rien
donné. L'unité d'intervention a fait irruption dans une
maison dans laquelle Everest n'a pas mis les pieds depuis
environ deux ans, et les nouveaux occupants n'ont pas été ravis
de cette intrusion – sans parler des gamins qui, ayant entendu
le raffut, ont été horriblement déçus de voir six hommes en
noir débarquer chez eux et non un gros barbu en rouge. Everest
n'a pas d'autre adresse connue, mais Schroder sait qu'ils ne
tarderont pas à lui mettre la main dessus – probablement avant
demain soir.

Les rapports sur la victime tuée par balle il y a une demi-
heure sont déjà arrivés. Tyler Layton a été ligoté à une chaise
et exécuté. Les témoins réveillés par la détonation parlent de
deux hommes fuyant les lieux à bord d'une berline quatre portes
qui n'appartient certainement pas à Edward Hunter puisque
sa voiture est en rade en ville, mais qui pourrait être celle de sa
femme. À ce stade, rien ne relie Hunter et son père au meurtre,
et rien ne relie Tyler Layton à aucun des hommes responsables
du braquage de la banque ou de l'enlèvement de Sam Hunter
– mais Schroder est persuadé qu'ils trouveront un lien quelque
part. Le casier de Layton est suffisamment long pour garantir
qu'il a à un moment ou à un autre fréquenté Jack Hunter ou les
braqueurs – et, vu la tournure qu'ont prise les événements cette
nuit, Hunter semble être au cœur de toute la violence.

Pour le moment, la cible la plus urgente, c'est Oliver Church.
Ce dernier a déjà enlevé et tué un enfant, mais il n'a écopé que

de six ans. Schroder sait que l'implication de Church signifie que Sam Hunter est sérieusement en danger. Bracken n'a pas simplement choisi quelqu'un qui planquerait la gamine pendant quelques heures avant de la relâcher quelque part, mais un type parfaitement capable de tuer un enfant.

Il redirige l'unité d'assaut vers l'adresse de Church, mais, vingt minutes plus tard, ils font chou blanc. L'adresse est la bonne – ils ont trouvé du courrier adressé à Church à l'intérieur, de la nourriture fraîche dans le réfrigérateur, un paquet de cigarettes à moitié vide sur la table, mais il n'y a aucun signe de Church.

De nouveaux inspecteurs arrivent, parmi lesquels l'inspecteur Watts, qui apporte avec lui le casier judiciaire de Church.

« Un prisonnier modèle, explique-t-il. D'après le dossier, il n'a pas manqué un seul rendez-vous avec son agent de probation.

– Il doit y avoir une autre adresse.

– La seule autre adresse qui figure ici, c'est celle de ses parents, répond Watts.

– Et nous y avons déjà envoyé des hommes. Il doit être avec la fillette, dans un endroit isolé.

– Des endroits isolés, il y en a des milliers.

– Ça ne m'aide pas vraiment, réplique sèchement Schroder. Écoutez, il ne peut pas y avoir trente-six possibilités. Il est probablement dans un lieu qu'il connaît, non ? » Il consulte de nouveau le dossier. « La dernière fois, il a emmené le gamin à l'abattoir du nord de la ville.

– Vous croyez que c'est là qu'il l'a emmenée ?

– Il n'y a qu'un moyen de le découvrir », répond Schroder. Il a besoin d'un café, il a besoin de faire une pause, il a besoin que tout ça finisse et que Sam soit saine et sauve. « Ce ne serait pas un mauvais endroit pour planquer une gamine. »

Il appelle Landry pour avoir les dernières nouvelles.

« Johnson ne sait rien, annonce celui-ci. Il a bien participé au braquage de la banque, mais il ne lâche rien de plus. Je crois qu'il savait que Sam Hunter allait être enlevée, mais je ne crois pas qu'il savait par qui, ni où elle allait être détenue. »

Liam Marshall approche.

« Nous sommes prêts pour la prochaine intervention, dit-il.

– Allons-y », répond Schroder.

En chemin, il passe un coup de fil au poste et demande qu'une voiture de patrouille soit dépêchée de toute urgence à l'abattoir du nord de la ville.

55

Tout semble normal. Sauf que je n'ai jamais vu l'homme qui est assis là, en train de jouer sur une console de jeux portative. Sauf que le sol est en béton, que les fenêtres sont condamnées, que les murs sont couverts de graffitis. Je n'ai qu'à ignorer l'air humide, ignorer l'odeur qui a imprégné les murs comme une tache obstinée, ignorer le fait que le matelas sur lequel ma fille repose doit avoir 100 ans, et tout est normal, juste une nuit ordinaire à la maison.

La lueur bleu pâle diffusée par une lanterne à piles n'arrange rien. Il y a quelques reliques ici – une vieille armoire de classement rouillée, une table en contreplaqué qui doit peser près de cinquante kilos, des câbles et des fils électriques qui pendouillent du plafond telles des toiles d'araignées. Church abaisse sa console de jeux. Elle continue d'émettre des bruits d'animaux en train de se battre. Il y a un téléphone portable posé sur la table à côté de lui et je me demande ce qu'il attend.

« Oh! merde, s'il vous plaît, ne me tuez pas », dit-il.

Je fais un effort extrême de volonté pour ne pas le descendre.

Il est aussi maigre et sordide que sur la photo de son dossier.

« Vous avez enlevé ma fille.

– Je sais, je sais, mais c'était juste un boulot.

– Et ça aussi, c'est un boulot, dis-je en armant le fusil.

– Attendez! Attendez! s'écrie-t-il en levant les mains. Nous pouvons conclure un marché.

– Un marché ?

– Je peux vous donner un nom.

– Ah oui ? Quel nom ? Austin Bracken ?

– Merde.

– Exactement.

– Attendez ! Attendez ! Je dois pouvoir vous donner quelque chose. »

Je m'approche de Sam tout en maintenant le fusil braqué sur Church. Lorsque j'atteins le matelas, je m'agenouille mais décide de ne pas la réveiller. Ma petite princesse rêve de temps plus heureux, sa petite bouche grande ouverte.

Mon père pénètre dans la pièce. Il a trouvé une barre d'acier d'environ cinquante centimètres de long à l'extrémité de laquelle est fixé un bloc de béton. Il regarde Church, puis moi, puis baisse les yeux vers Sam, et il lui sourit, traverse la pièce et s'accroupit à son tour. C'est la première fois qu'il la voit et il se laisse submerger par l'émotion. Je n'ai jamais vu ça jusqu'alors, mais mon père se met à pleurer.

« Donc c'est ma petite-fille, dit-il. Elle est magnifique.

– Elle est exactement comme sa mère. »

Maman est un fantôme.

Je caresse ses cheveux vers l'arrière.

« Il ne sait rien d'utile, dis-je en désignant Church de la tête.

– Tu es sûr ? demande mon père en essuyant ses larmes.

– S'il vous plaît, les gars, je peux vous aider.

– Je vais emmener Sam à la voiture, dis-je.

– Je crois que c'est ce qu'il y a de mieux, fils.

– Tu vas t'en sortir ici ?

– Ça fait vingt ans, fils. J'ai certains besoins. Tu ferais mieux de te dépêcher d'emmener ta fille hors d'ici. S'il sait quoi que ce soit d'autre, il va me le dire. Je te le promets. »

Je soulève Sam. Ses bras enlacent mon cou sans qu'elle se réveille.

« Que tu apprennes quelque chose ou non, j'en ai fini avec tout ça. La police peut faire le reste. Quoi que ce salaud ait à dire, nous leur communiquerons les informations.

– OK, fils. Je comprends. Laisse-moi le fusil, tu veux bien ?

– Attendez, laissez-moi vous aider. Tout ce que je sais, c'est que mon ancien agent de probation m'a appelé pour me dire que je devais lui donner un coup de main. Il a dit que si je ne le faisais pas, il me rendrait la vie difficile. Je ne sais rien d'autre. Vous n'avez pas besoin de faire ça. C'était un boulot, je le jure, juste un boulot.

– Ta gueule ! répond mon père, puis il se tourne vers moi. Le fusil, fils. »

Je pense à Jodie et à ses parents, puis je pense au flic qui était garé devant chez eux et au directeur de la banque, puis je pense à Gerald Painter. Je tends le fusil à mon père et sors, portant Sam dans mes bras.

56

L e ciel sombre s'éclaircit à l'horizon, une lueur pourpre
point à la lisière du monde. Je porte Sam par-dessus mon
épaule, elle est froide ; je me demande si sa couverture
est toujours dans la voiture de Jodie. Je marche en silence.
J'attends le coup de feu qui provoquera l'envol de centaines
d'oiseaux et fera sursauter Sam. Je l'installe à l'arrière de la
voiture, attache la ceinture de sécurité, puis je l'enveloppe dans
la couverture jusqu'au menton. Je m'assieds derrière le volant
et me demande ce que fait mon père, même si je n'ai aucune
envie d'aller voir. Je consulte les téléphones portables pour
tuer le temps pendant que mon père tue le temps à sa manière.
J'ai manqué deux appels de Schroder, mais je ne le rappelle
pas. J'éteins les téléphones. Je me fous désormais de tout, sauf
de Sam.

Après deux minutes, j'entends le vrombissement d'un
moteur, puis la lueur des phares apparaît tandis qu'une voiture
fonce vers nous, zigzaguant légèrement, comme si son conducteur n'avait pas conduit depuis vingt ans. Elle fait une embardée
devant nous, puis s'éloigne dans un nuage de fumée.

Je tente de démarrer, mais rien ne se passe. Je tourne la clé
deux fois de plus, avec le même résultat. J'ouvre le capot. Mon
père n'a rien endommagé. Il s'est contenté de débrancher les
bougies. Il me faut seulement une minute pour les remettre en
place, mais ça suffit à lui donner une bonne avance. J'ouvre le
coffre. Le sac d'argent n'est plus là. Les feux arrière de la voiture
dans laquelle mon père s'est enfui ont disparu ; il s'est fait la

belle avec un fusil, un sac rempli de liasses de billets et des désirs inassouvis depuis vingt ans.

Je ne prends pas la peine de le poursuivre car je ne le rattraperai jamais, à moins de conduire à une vitesse qui mettrait la vie de ma fille en danger. Ce que j'ai dit tout à l'heure à mon père tient toujours – j'en ai fini avec tout ça. La police peut terminer le travail – à l'heure qu'il est les braqueurs ont dû être identifiés. Mais au cas où ils ne se seraient pas encore fait prendre, je ne peux pas rentrer chez moi ni aller chez **mes** beaux-parents. Me rendre au poste de police n'est pas une **option** – les flics ont trop de raisons de m'arrêter. Ne serait-ce que parce que j'ai libéré mon père, qui lui aussi est recherché. Avant d'aller en prison, je veux au moins passer le jour de Noël avec ma fille.

La colère, la haine et la peur se mêlent dans ma tête, et je suis si fatigué que, au bout du compte, je décide que le plus simple est d'aller dans un motel. J'en trouve un suffisamment moderne pour avoir été construit cette année, à l'avant duquel une enseigne annonce qu'il reste des chambres à louer. J'immobilise la voiture devant le bureau, j'appuie sur la sonnette, et deux minutes plus tard un homme d'une cinquantaine d'années, à moitié endormi, apparaît et me loue une chambre. Je paie en espèces.

La chambre est aussi moderne que ce qui l'entoure, mais je ne prends pas vraiment le temps d'examiner les lieux. Je couche doucement Sam, lui ôtant seulement ses chaussures, puis je m'écroule sur le lit et je m'endors.

57

Ils en ont un sur quatre. Ils ont mis la main sur Kelvin Johnson, mais les deux autres braqueurs sont dans la nature, de même qu'Oliver Church – quoique la nouvelle de la découverte d'un nouveau corps puisse signifier que ce dernier a été retrouvé. L'aube est passée, et Schroder est un mort ambulant. Comme tous les autres. Ils ont tous l'impression d'être des zombies, ils ont des têtes de zombies, et c'est grâce à ce genre de nuit que les avocats spécialisés dans les divorces s'en mettent plein les poches.

Les hommes de l'unité d'intervention ont depuis longtemps rangé leurs armes et repris la direction de chez eux. Ils demeurent en alerte en cas de besoin, et on peut supposer que chacun d'eux est tenté d'éteindre son téléphone. Schroder crève d'envie d'éteindre le sien. Ils ont perquisitionné quatre maisons et malgré tous leurs efforts n'ont arrêté qu'un seul suspect.

Les agents de patrouille dépêchés à l'abattoir ont rapporté avoir découvert un cadavre, un homme à la tête si défoncée qu'ils n'ont pas pu l'identifier. Il n'y avait personne d'autre, juste quelques magazines, une petite console de jeu et une lanterne à piles, ce qui laisse penser que la personne qui se trouvait là y avait passé l'essentiel de la nuit.

Il lui faut vingt-cinq minutes pour se rendre à l'abattoir depuis la dernière maison qu'il a perquisitionnée. Il est trop fatigué pour rouler vite et a baissé sa vitre pour que l'air lui fouette le visage et le tienne éveillé. Il passe quelques coups de fil, histoire de mettre les choses en branle, organise la venue des techniciens de la police scientifique; la longue nuit est sur le point de se transformer en une longue matinée.

Le bâtiment des abattoirs est imposant dans la lueur du petit matin. Il est principalement fait de béton et pourrait sans doute résister à une bombe atomique. Une voiture de police est garée devant, deux agents sont assis à l'intérieur. L'air est plein du chant des oiseaux, seuls les pas de Schroder résonnent dans le silence. Les agents le mènent à l'intérieur et il ne cesse de bâiller en chemin. Il suppose qu'il est prêt à dormir vingt-quatre heures d'affilée, en supposant que sa femme l'autorise à rentrer chez lui; mais, à ce stade, il n'y mettrait pas sa main à couper.

Oliver Church baigne dans une mare de sang. Du moins, il pense qu'il s'agit d'Oliver Church. Les vêtements ne sont certainement pas ceux d'Edward Hunter ou de son père, et actuellement il ne voit pas tellement d'autres possibilités. La tête de Church est inclinée, une large entaille s'étire depuis le côté de sa tête jusqu'à l'avant de son visage, de sorte que la distance entre son œil gauche et sa bouche est bien plus grande que de l'autre côté. On dirait qu'il est tombé d'un endroit élevé, à tel point que l'espace d'un instant Schroder repense au Type aux ventouses. À côté du cadavre se trouve une barre d'acier rattachée à un bloc de ciment couvert de sang. Impossible de savoir pour le moment si Church a été torturé afin de lui soutirer plus d'informations, ou simplement parce qu'il a enlevé Sam Hunter.

«Pas d'autre voiture dehors? demande Schroder.

– Aucune.»

Jack Hunter a probablement pris la voiture de Church, ce qui signifie que le père et le fils se sont séparés. Il y a un vieux matelas par terre. Coincé entre le matelas et le mur, à peine visible, il y a un petit ours en peluche. L'ours n'est pas si vieux que ça, mais il semble avoir eu une vie difficile. Il parie que Sam Hunter l'a serré dans ses bras chaque soir de sa vie, et il se demande comment elle l'appelait. Sa propre fille a un ours avec lequel elle dort. Il s'imagine pendant une seconde que c'est elle qui était ici et non Sam, et l'image est si puissante qu'elle lui donne envie de pleurer. Bon Dieu ! – ce qu'il est fatigué.

Schroder décide alors d'appeler Landry.

« Tu crois qu'il l'a trouvée ? demande ce dernier.

– Je crois. Et je crois qu'Oliver Church a payé cher le fait de l'avoir enlevée.

– Il méritait ce qu'il a eu, répond Landry. Ça fait des années qu'il le méritait.

– Je sais. Mais maintenant je vais devoir arrêter Edward Hunter. Ce n'était pas à lui de retrouver Church, ce n'était pas à lui de récupérer sa fille.

– Ah non ? »

Même si c'est Jack Hunter qui a défoncé la tête de Church, ça retombera sur Edward, vu que c'est lui qui a libéré son père. Edward va devoir aller en prison, et qu'adviendra-t-il alors de Sam ? Avec un peu de chance, peut-être qu'il réussira à obtenir une peine avec sursis – s'il parvient à prouver qu'il n'a pas tué les autres. Peut-être.

Schroder se baisse et ramasse l'ours en peluche. Jack Hunter est dans la nature, et il y a déjà une équipe spéciale à sa recherche – mais ça ne le regarde pas, son boulot, c'est de retrouver les hommes qui ont dévalisé la banque, et ce boulot est presque achevé.

« Nous ne pouvons plus rien faire pour le moment, dit Landry. La fille était là, et elle n'y est plus. Edward Hunter l'a récupérée, c'est forcément lui. Il l'a emmenée dans un endroit sûr, et il va la garder à l'abri jusqu'à ce que tout soit terminé. Nous allons attraper le reste des braqueurs aujourd'hui, tu le sais. Demain au plus tard. »

Schroder raccroche et passe devant les deux agents.

« Appelez-moi s'il y a du neuf », leur dit-il.

Et sur ce, il regagne sa voiture et prend la direction de chez lui, espérant qu'il aura droit à deux heures de sommeil et à un peu de temps en famille avant de reprendre les choses où il les a laissées.

58

Je me réveille en début d'après-midi, Sam lovée contre moi. Je la laisse dormir pendant que je prépare du café et achève de me réveiller. J'allume la télé mais ne trouve d'informations sur aucune chaîne, comme si cette ville en avait sa claque des informations. Les programmes sont typiques des périodes de vacances : un film de *fantasy* sur une chaîne, un film d'action sur une autre, des drames partout ailleurs, et je me demande ce que les types d'Hollywood diraient si on leur envoyait une histoire de Christchurch – trouveraient-ils ça trop sombre ou trop réel pour en faire un film qui cartonnerait à Noël ? Je soulève Sam et l'adosse face à l'un des films, et elle regarde en silence, sans rire ni sourire, sans même prononcer un mot. Sa mère lui manque, son ours en peluche lui manque, et elle ne comprend pas pourquoi elle passe Noël dans un motel et non à la maison, ou avec ses grands-parents.

J'emmène Sam au cimetière pour qu'elle puisse passer un peu de temps avec sa mère. Après tout ce qui s'est passé, je suppose que c'est la dernière fois que nous sommes tous les trois réunis avant quelque temps. Je porte Sam hors de la voiture et l'assieds à côté de la tombe de sa mère, et nous nous tenons la main tandis que je lui répète encore et encore que ça va aller. Il y a beaucoup de monde dans le cimetière, des gens qui, comme moi, sont venus passer du temps avec les morts ; Noël est jour de fête, quel que soit le monde dans lequel vous vous trouvez. Lorsque je retourne vers la voiture avec Sam, les gens nous dévisagent, et, bien que j'y sois habitué, ce matin ça me gêne plus que d'ordinaire. J'abrite Sam de leurs regards et je retourne au motel. Elle dort encore lorsque nous arrivons, et je l'étends sur le lit. Je vais voir comment elle se porte toutes les cinq ou dix minutes, lui tenant parfois la main, ne sachant trop que faire. Je laisse la télé allumée et zappe de chaîne en chaîne, mais je ne tombe sur rien d'intéressant. Dehors, l'après-midi de Noël semble torride ; seulement quelques nuages dans le ciel, le soleil qui cogne sur la ville. Ma voiture est la seule garée devant le motel. Je suppose que tout le monde a une famille ou mieux à faire que rester dans ce motel.

Je m'assieds à la fenêtre et regarde dehors, songeant à ce que ce jour aurait pu représenter, aux cadeaux que nous n'avons pas eu l'occasion de nous faire, au temps en famille que nous n'avons pas pu passer, au déjeuner de Noël, au barbecue du soir, à l'atmosphère de fête. Je songe à mon père, je me demande où il est maintenant, je me demande ce qu'il cherche. Je songe à la noirceur qu'il essaie de satisfaire. Mon monstre à moi est désormais silencieux, et peut-être qu'il restera ainsi.

Mes pensées s'orientent vers Schroder tandis que sa voiture pénètre dans le parking du motel. Deux voitures de patrouille s'immobilisent à côté de la sienne, mais Schroder est le seul à sortir. Une quatrième voiture, un break sombre, arrive à son tour. Je vois Schroder se rendre à la réception ; il disparaît à l'intérieur pendant environ soixante secondes, puis il en ressort. C'est Noël et je suppose qu'il préférerait être n'importe où sauf ici, et moi aussi – sauf qu'il y a encore quelques endroits pires que celui-ci pour moi. La prison, notamment. Ou encore l'abattoir.

En passant devant la fenêtre, il jette un coup d'œil à l'intérieur et me voit, mais il ne s'arrête pas. Il va direct à la porte et frappe

« Allez, Eddie », dit-il. Il me donne du Eddie plutôt que du Edward, estimant sans doute que ça le rend plus sympathique. « Ouvrez.

– Laissez-nous tranquilles.

– Eddie...

– C'est Noël.

– Vous ne pouvez pas la garder ici.

– Quoi ?

– Vous ne pouvez pas garder votre fille ici. Ce n'est pas bien.

– Il y a plein d'autres choses qui ne sont pas bien.

– Je le sais, Eddie.

– Vous aviez tort.

– À propos de quoi ?

– À propos de beaucoup de choses. Mais principalement quand vous avez dit que cette ville était au bord du précipice. Elle est déjà tombée, vous ne le voyez pas ?

– Ouvrez la porte, Eddie. »

Je me lève et ouvre la porte. Je n'ai nulle part où aller, et nul besoin de fuir. Tout est fini. J'ai récupéré ma fille et les flics peuvent s'occuper du reste, ils peuvent retrouver mon père, ils peuvent retrouver les assassins de ma femme. Schroder a l'air de ne pas avoir dormi. Il entre, tenant à la main un sac en papier marron.

« Ne l'emmenez pas tout de suite, dis-je.

– Eddie...

– S'il vous plaît, c'est Noël.

– Je sais. Ce n'est pas juste. Mais c'est... c'est comme ça. »

Je fais un pas en arrière. Schroder regarde en direction des autres voitures et du break, puis il se tourne de nouveau vers la chambre. Il s'approche du lit et baisse les yeux vers Sam, qui n'a même pas conscience de sa présence.

« Une si belle enfant, dit-il.

– Je sais.

– J'ai moi aussi une fille. Et un fils.

– Et ?

– Et je ne sais pas, je suppose que je voulais que vous le sachiez. Peut-être que ce que vous avez dit à propos de cette ville... peut-être que je devrais suivre votre conseil et m'en aller d'ici.

– Qui la protégera alors ? »

Deux hommes descendent du break et ouvrent la portière à l'arrière. Ils en tirent un brancard et un drap.

« Laissez-moi l'emmener, dis-je.

– Ça ne se passe pas comme ça.

– Je vous en prie...

– Je suis désolé, Eddie, je suis vraiment, vraiment désolé. »

Je me tiens tout d'abord en retrait tandis que les deux hommes pénètrent dans la chambre, mais Schroder est forcé de me retenir lorsqu'ils posent Sam sur le brancard. Ils déplient un drap, l'étalent au-dessus d'elle, et ils l'emmènent. Schroder ouvre le sac qu'il tient à la main, et il en sort l'ours en peluche de ma fille. Il soulève le drap et coince la peluche entre le bras et le flanc de Sam.

« Nous allons prendre soin d'elle », déclare-t-il.

J'essaie de répondre quelque chose, mais n'y parviens pas. C'est comme si Schroder m'avait enfoncé son poing dans la gorge. Mes larmes se mettent à couler, et à cet instant Schroder me prend dans ses bras et je me laisse aller complètement, pleurant sur son épaule tandis que les deux hommes emmènent ma fille hors du motel et hors de ma vie.

59

Edward est assis à la place du passager, il ne prononce pas un mot de tout le trajet jusqu'au poste de police. Lorsqu'ils arrivent, Schroder le mène à une salle d'interrogatoire, puis il va chercher deux cafés et laisse à Hunter le temps de se ressaisir. Le commissariat n'a jamais connu une telle effervescence un jour de Noël ; l'unité spéciale chargée de retrouver Jack Hunter travaille sans relâche, de même que les agents à la recherche des derniers braqueurs. C'est désormais juste une question de temps – mais, naturellement, tout est toujours une question de temps.

Voir la fillette morte lui a fichu un coup. Une fois encore, il s'est imaginé qu'il s'agissait de sa propre fille et, une fois encore, il s'est retrouvé au bord des larmes. Et lorsqu'il a pris Edward dans ses bras, il a été le premier surpris. Il ne s'attendait pas à l'impact que ça aurait sur lui. Hunter pleurant sur son épaule, tout son corps agité par des convulsions, et ils sont restés ainsi pendant ce qui lui a semblé une éternité avant que Hunter ne s'écarte.

Il était presque 7 heures du matin quand Schroder est rentré chez lui. Toute la famille était debout. On ne l'avait pas attendu – sa fille s'était levée tôt parce que c'est ce qu'on fait à Noël, du moins quand on est enfant. Sa femme l'avait seulement autorisée à ouvrir un cadeau ; elle attendait qu'il rentre pour ouvrir le reste. Il était parvenu à passer une heure avec sa famille avant d'aller se coucher et de dormir pendant près de quatre heures, jusqu'à ce que sa femme vienne le réveiller en lui tendant son téléphone portable. Il ne voulait pas répondre, mais il était bien forcé. Des témoins avaient vu Edward Hunter ce matin au cimetière où sa femme était enterrée. Ils avaient appelé la police parce que Edward portait sa fille, et que de toute évidence elle n'était pas simplement endormie Et il y avait aussi du neuf – un autre corps avait été découvert.

Il y a une semaine, Edward Hunter avait tout – une femme, un enfant, un travail, il avait des rêves, Noël approchait, la famille avait un avenir. Schroder est malade à l'idée qu'à n'importe quel moment tout peut changer.

Il retourne vers la salle d'interrogatoire, saisit la poignée de la porte, les deux gobelets de café en équilibre dans son autre main, lorsque son téléphone portable se met à sonner. Il recule et manque de foutre les cafés par terre en essayant de le tirer de sa poche.

« Schroder.

– Salut, Carl, dit Tate. J'ai entendu dire que la nuit avait été longue.

– Tu as quelque chose pour moi ?

– Oui. Je sais qui a demandé à Roger Harwick de poignarder Jack Hunter.

– Qui ça ?

– Tu ne vas pas le croire », répond Tate.

Mais il se trompe, car Schroder le croit. Après tout, les dernières vingt-quatre heures ont été tout sauf croyables.

60

J'ai su que Sam était morte à l'instant où je l'ai vue à l'abattoir. Je l'ai su avant même de pénétrer complètement dans la pièce. Je pourrais même dire que je l'ai senti, pour autant que ce soit possible. Je l'ai su, je l'ai senti, je l'ai vu – puis je l'ai ignoré. Je me suis ôté cette idée de la tête aussi longtemps que j'ai pu, jusqu'à ce que quelqu'un – en l'occurrence Schroder – vienne me mettre la réalité sous le nez.

Les larmes de mon père lorsqu'il l'a vue n'étaient pas des larmes de joie, c'étaient des larmes de douleur. Sam ressemblait plus à sa mère que jamais, car maman est un fantôme, et Sam aussi désormais. C'était le matin de Noël, et j'ai emmené ma fille morte voir sa mère morte au cimetière, et les gens alentour nous observaient sans comprendre, se demandant ce qui se passait.

Schroder ne me fait pas attendre longtemps dans la salle d'interrogatoire – peut-être cinq minutes en tout, ce qui me semble un beau geste de sa part. Il revient avec un classeur sous le bras et deux cafés posés sur un petit plateau en carton. Il s'assied face à moi et pousse l'un des cafés vers moi.

« Vous en avez besoin, dit-il.

– Ce dont j'ai besoin, c'est d'être avec Sam.

– Écoutez, Eddie, c'est difficile... Dieu sait que personne ne mérite de vivre ce que vous venez de vivre, mais... »

Soudain les mots lui manquent. Comme si quelqu'un avait remonté son mécanisme il y a dix minutes et que le ressort qui l'animait était arrivé en bout de course.

«Je veux être avec Sam.

– Je sais. Je sais que c'est ce que vous voulez.

– S'il vous plaît.

– Bientôt. D'accord? Nous... nous devons juste régler quelques détails d'abord. Et après je vous emmènerai la voir. D'accord?»

J'acquiesce.

«Dites-moi ce qui est arrivé. Savez-vous où est votre père?

– Pas la moindre idée.»

Je lui raconte alors ce qui s'est passé, comment nous avons trouvé Oliver Church à l'abattoir, comment mon père l'a tué, et je répète que je n'ai aucune idée de l'endroit où il se trouve en ce moment.

«Écoutez, Eddie, nous sommes déjà au courant pour l'abattoir. Vous êtes arrivés là-bas peu de temps avant nous. La vérité, c'est que vous risquez de passer un bon bout de temps en prison. Les cadavres s'accumulent, et à chaque fois vous êtes au cœur des événements.

– Je n'ai tué personne, sauf le type qui m'a forcé à vous noyer, et le type sur qui j'ai roulé – mais c'était un accident. Ce n'est même pas moi qui ai tué Bracken. C'était cette femme.

– Nous le savons. Nous avons vérifié les empreintes sur le couteau. Il y avait du sang dessus, mais les empreintes sous le sang indiquaient que c'était elle qui tenait le couteau quand il a été utilisé. Vous êtes tranquille pour celui-là, et peut-être aussi pour celui de Church, si vous pouvez prouver l'autodéfense, ajoute-t-il, si vous voyez ce que je veux dire. Vous ou votre père avez dû vous défendre contre lui. Mais, bon sang, Eddie! vous avez aidé un tueur en série à s'échapper. On ne peut pas faire une croix là-dessus.

– En tuant Bracken, la femme nous a ôté toute chance de retrouver Sam vivante.

– Alors, nous devons la retrouver avant votre père, dit Schroder. Il y a autre chose, Eddie. Votre père. Il s'avère que c'est lui qui a demandé à Harwick de le poignarder.

– Quoi ? Qu'est-ce que vous dites ?

– C'était un coup monté. Il a demandé à Harwick de le poignarder, pour qu'il le blesse suffisamment pour l'envoyer à l'hôpital, mais pas au point de finir à la morgue. Il savait que vous viendriez le chercher. Il a berné tout le monde. Vous y compris. »

Je me demande à quel moment mon père a décidé d'utiliser la mort de sa belle-fille à son profit, s'il a immédiatement su qu'il pourrait utiliser cette tragédie pour s'échapper. Je me demande même s'il avait quoi que ce soit à foutre de ce qui est arrivé à Jodie. J'aimerais croire qu'il lui a fallu quelques jours avant d'envisager ce plan, mais, pour une raison ou pour une autre, je n'y crois pas. Je crois que dès qu'il a appris la nouvelle du braquage il a su qu'il me manipulerait ; qu'il me parlerait de sa noirceur et de mon monstre, et me pousserait à devenir comme lui ; que la seule chose qui se tenait entre lui et la liberté, c'était un innocent coup de couteau qui éviterait tous les organes vitaux, mais l'enverrait dans un hôpital avec un personnel si réduit que je n'y verrais qu'une seule infirmière.

« Je suis désolé, Eddie.

– Vous avez attrapé le reste des braqueurs ?

– Nous avons leurs noms. L'un d'eux est en garde à vue, et nous cherchons toujours l'autre.

– Et le troisième ?

– Le troisième a été découvert il y a quelques heures. Il était dans un tellement sale état que nous avons eu de la chance de l'identifier. Nous avons retrouvé les empreintes de votre père sur place. »

Je le dévisage sans dire un mot Mon père a tué l'un des assassins de Jodie. Je ne sais pas quoi penser de ça. Je suis engourdi, trop engourdi, tout ce qu'il me reste, c'est la douleur provoquée par l'absence de Sam.

« Avez-vous demandé à votre père de tuer ces hommes ?

– Non.

– Mais vous êtes content qu'il le fasse, exact ?

– Oui.

– Comment a-t-il obtenu le nom ?

– Je... je ne sais pas. Peut-être de la bouche de Church. Peut-être qu'il savait dès le début.

– Peut-être.

– Qu'est-ce qui m'attend ?

– Pour le moment ? Rien. Nous ne pouvons vous relier à aucun meurtre avec préméditation. Les résultats sanguins sont arrivés et vous êtes hors de cause pour le meurtre de Kingsly. Désolé de ne pas vous avoir cru plus tôt – c'est juste que, eh bien, j'étais certain que vous l'aviez tué.

– Le sang m'a innocenté ?

– Nous l'avons comparé à celui de votre père et aucun des marqueurs ne correspondait, c'est un type de sang totalement différent, donc la personne qui a tué Kingsly n'est pas apparentée à votre père.

– Ça ne correspondait pas ?

– Vous semblez surpris.

– Quoi ? Non. Non, bien sûr que non. »

J'essaie de comprendre ce qu'il vient de dire. Qu'est-ce que ça signifie ? Qu'est-ce que ça signifie ?

« Vous avez libéré votre père, et à cause de ça nous devrions vous placer en état d'arrestation, Edward, mais, vu la tournure des événements, les personnes en charge de ce genre de décisions ont décidé de vous laisser rentrer chez vous. Tout du moins pour le moment. Vous devrez en répondre – et pas devant moi, devant un juge. Si votre père ne s'en prend pas à des innocents et si nous le retrouvons bientôt, je ferai tout ce que je peux pour vous aider. Mais naturellement, il y a d'autres facteurs à prendre en compte, comme... »

Il continue de parler, mais je ne l'écoute plus. Je ne pense qu'à une chose, cette histoire de sang. Si Schroder faisait effectuer un prélèvement de sang sur moi et le comparait au sang retrouvé chez Kingsly, il correspondrait, seulement il n'a aucune raison de le faire. Pour la simple et bonne raison qu'il ne me soupçonne plus. Il n'a aucune raison de faire analyser le sang retrouvé dans le bureau de Bracken parce qu'il sait que c'est le mien. Mais si on me faisait une prise de sang maintenant et qu'on le comparait à celui de mon père...

Il ne correspondrait pas, dit le monstre, sortant soudain de son long silence.

Comment est-ce possible ?

Allez, Eddie. Tu peux le comprendre tout seul. Et Jack – il n'en sait rien. Pauvre, pauvre Jack. Toi et ton père n'avez rien en commun, ce qui signifie que je suis ta propre création.

« Edward ? Hé, Edward ? Vous m'écoutez ?

– Hein ? » Je me concentre de nouveau sur Schroder. « Quoi ?

– Je vous dis qu'il y a d'autres choses à prendre en considération. Nat et Diana connaissent toute l'histoire. Ils savent que vous n'êtes pas à l'origine de cette... guerre. Mais... Edward, c'est difficile à dire, mais ils ne veulent plus jamais vous revoir. À part lors de... l'enterrement. Sinon, ils ne veulent plus avoir affaire à vous. Plus jamais.

– Est-ce que je peux y aller maintenant ?

– Je suppose.

– Alors, je veux aller voir Sam », dis-je, et Schroder me conduit à la morgue.

61

« C'est parfaitement inhabituel, dit-il.

– La situation est inhabituelle.

– Eh bien, certes, je suppose qu'elle l'est, mais c'est Noël, inspecteur, et je ne veux pas voir de patients le jour de Noël. Je veux le passer avec mes enfants. Ils étaient chez mon ex-femme l'année dernière, et, cette année, c'est mon tour.

– Ça ne prendra pas longtemps », insiste Schroder.

Benson Barlow pousse un soupir.

« Alors, vous feriez bien de venir », répond-il.

À voir la maison, on devine que la psychiatrie rapporte. Elle doit comporter cinq ou six chambres, a été construite il y a deux ans au plus, et si Barlow y vit seul, sauf quand il est autorisé à voir ses enfants, alors il doit y éprouver une grande solitude. Barlow le mène à un bureau où les livres sont rangés par taille et par couleur. Le bow-window donne sur le genre de piscine entourée d'une barrière que s'offrent les personnes angoissées. Le soleil cogne dessus. Il entend deux enfants rire quelque part dans la maison, et une télé allumée. Barlow semble différent de l'autre jour, il ressemble plus à une personne réelle, moins à une caricature. Il porte un short avec une douzaine de poches et un polo, ses membres et son crâne sont rougis par le soleil.

« Asseyez-vous », dit le psychiatre, et Schroder s'imagine que son cabinet en ville doit être arrangé exactement comme cette pièce.

Barlow s'assied derrière le bureau et se penche en arrière sur son fauteuil en cuir. Il saisit un carnet et un stylo, semble s'apercevoir de son erreur et les repose. Il croise les doigts sur ses genoux. Schroder s'assied face à lui dans un autre fauteuil en cuir – heureusement pas sur un divan. Quelques diplômes et des œuvres d'art manifestement onéreuses sont accrochés au mur. Une machine à écrire mécanique est posée au milieu d'un bureau en chêne, tous deux datant probablement des années 1950. Il y a un ordinateur portable fermé sur une étagère derrière Barlow, et un petit cactus à côté.

« Il doit s'agir d'Edward Hunter ? demande Barlow.

– Vous avez écouté les informations.

– Oui. J'ai entendu ce qui s'est passé. Il a aidé son père à s'enfuir de l'hôpital, même si je ne vois pas pourquoi il ferait une telle chose. Edward méprisait son père.

– Sa fille a été enlevée par les hommes qui ont tué sa femme.

– Oh ! mon Dieu ! dit Barlow. Oh ! non, la pauvre enfant. Et Hunter a aidé son père à s'échapper parce qu'il croyait qu'il pourrait l'aider à la retrouver ?

– Oui.

– Et l'ont-ils retrouvée ?

– Oui, mais il était déjà trop tard, répond Schroder.

– Trop tard ? Oh !... vous voulez dire... »

Il n'achève pas sa phrase.

« Elle a été étouffée.

– Vous avez retrouvé les hommes qui ont fait ça ?

– Jack Hunter l'a retrouvé avant nous. Il a agi seul.

– Et Jack Hunter l'a tué.

– Oui. Mais il a commencé par tuer un homme qui avait abusé de lui en prison, et maintenant il cherche les autres. Nous avons retrouvé Edward ce matin. Il avait sa fille avec lui. Il l'avait emmenée voir sa femme au cimetière, et il la gardait dans un motel pour la protéger. Il agissait... eh bien, il agissait comme si...

– Comme si elle était toujours vivante ?

– Oui. Je crois.

– Vous avez une idée de l'endroit où se trouve Jack Hunter ?

– Non. C'est pourquoi je suis ici. Je sais que vous avez eu affaire à lui il y a longtemps. Dites-moi, où croyez-vous qu'il a pu aller ?

– Je crois qu'il va retrouver les hommes qui ont causé la mort de sa petite-fille.

– Et après ?

– Je ne sais pas.

– Il a cessé de prendre son traitement.

– Quoi ?

– En fouillant sa cellule, nous avons retrouvé ses médicaments. Ça fait des jours qu'il ne les prend plus.

– Alors, s'il ne retrouve pas les hommes qu'il cherche, il fera ce qu'il fait le mieux – tuer des prostituées. Il a passé beaucoup de temps en prison, inspecteur, il va avoir des pulsions. La maladie qui l'habite – elle va engendrer des pulsions. Le problème, c'est qu'il y a vingt ans il vivait deux vies, et, pour protéger l'une de ces vies, il ne tuait que des femmes dont il estimait que personne ne remarquerait leur disparition. Maintenant, il n'a plus de famille à retrouver ou à qui cacher ses actes. Il cherchera peut-être des prostituées, mais je doute qu'il s'en tienne à elles. N'importe qui est désormais une proie pour lui, inspecteur, parce qu'il est en cavale et qu'il sait que sa liberté est temporaire. Bon sang, pourquoi a-t-il cessé de prendre son traitement ?

– Il a arrêté quand Jodie a été abattue.

– Oui, oui, je suppose que c'est logique. Inspecteur, ne doutez pas que Jack Hunter entende des voix, et qu'il a été assez intelligent pour le cacher et s'en accommoder. Il savait qu'il était malade, et il savait que s'il cessait de prendre son traitement, cette maladie, cette pulsion, se réveillerait. Vous feriez bien de vous intéresser à l'homme qui a poignardé Hunter en prison, vous risquez de découvrir que c'est Hunter qui a tout organisé. Probablement le jour même. Il s'est probablement dit qu'il pourrait se servir de son fils pour s'échapper.

– Je vérifierai, répond Schroder, qui n'est pas d'humeur à caresser le psy dans le sens du poil en lui disant que c'est exactement ce qui s'est produit.

– Hunter est un homme intelligent, inspecteur, et il demeure intelligent même s'il ne prend pas ses médicaments – la différence, c'est que, quand il les prend, on peut le contrôler. Mais en ce moment... eh bien, en ce moment il pourrait être n'importe où à faire n'importe quoi. Maintenant que vous avez arrêté Edward, je vous conseille vivement de m'autoriser à le voir. Je vous avais dit qu'il représentait un danger, et la nuit dernière l'a prouvé. Il faudrait que je le voie immédiatement. Je peux l'aider.

– Il n'est pas en état d'arrestation.

– Comment ça ? Vous avez dit que vous l'aviez retrouvé ce matin avec sa fille.

– Et nous l'avons laissé repartir. Il a perdu sa fille, il a été trahi par son père, nous ne pouvions pas le garder après ce qui lui est arrivé. Rien de tout ça n'est de sa faute.

– Vous devez l'arrêter.

– Pourquoi ?

– Dans quel état était-il quand vous l'avez relâché ?

– C'était un homme vaincu. Nous l'avons déposé chez lui. Il ne va aller nulle part. À vrai dire, je suis tenté de le placer sous surveillance juste pour être sûr qu'il ne va pas se suicider.

– Il est certainement candidat au suicide, mais il est aussi capable d'autres choses. Edward Hunter est un homme qui garde des rancœurs, inspecteur, et il justifie ces rancœurs de diverses manières. Il a peut-être décidé de ne pas s'en prendre aux hommes qui ont tué sa femme, mais les autres ?

– Quels autres ?

– Ceux de la banque. Les employés, le vigile, les médias, la police, même – tous ceux qui lui ont fait faux bond pourraient devenir une cible.

– Il est allé chez le vigile.

– Quoi ? Quand ?

– Mardi soir. Il était soûl et il est allé là-bas, mais il ne s'est rien passé.

– Et ça ne vous a pas semblé assez important pour m'en parler ?

– Je vous en parle maintenant. »

Barlow ôte les mains de ses genoux et se penche en avant.

« Écoutez-moi très attentivement, inspecteur. Vous devez l'arrêter. Il ne s'est peut-être rien passé quand il est allé chez ce vigile, mais sa fille était alors encore en vie. Cet homme est une bombe à retardement. Croyez-moi, inspecteur, s'il y a une chose que je connais, ce sont les bombes à retardement, et celle-ci est sur le point d'exploser. »

62

C'est le soir lorsque je rentre chez moi. Des enfants jouent dans la rue avec leurs nouveaux vélos et leurs nouveaux skate-boards, ils crient et ils hurlent, et tout va bien dans leur monde, tout n'est que bonheur, et j'envie chacun d'entre eux.

Rien n'a changé dans la maison. Elle ressemble plus à une tombe que jamais. J'erre de pièce en pièce, touchant les objets, les murs, les meubles, passant les doigts sur tout ce qui se trouve sur mon chemin. Je m'assieds un moment sur le lit de Sam, puis je m'assieds un moment sur mon lit, puis je m'assieds un moment dans le salon. Tout est comme la semaine dernière, mais en pire. La chose inimaginable qui n'aurait jamais dû se produire s'est produite – encore une fois. Je n'arrive même pas à pleurer. Je reste dans le salon avec une bouteille de bière, mais je ne l'ouvre pas. Je regarde fixement la télé, mais je ne l'allume pas. Je tire un fil sur un coussin jusqu'à ce qu'il se détache. Les enfants font moins de bruit. Il commence à faire sombre et ils rentrent chez eux, certains déjà lassés de leurs cadeaux. Je me lève pour allumer la lumière, et au même instant quelqu'un frappe à la porte. Je me dirige vers l'entrée. Dans un sens, je n'ai pas envie d'ouvrir, mais j'espère aussi que ce sera le dernier braqueur, j'espère qu'il est venu armé et m'aidera à rejoindre ma femme et ma fille.

Je ne le reconnais pas. Il a été passé à tabac, et, comme il tient à peine sur ses jambes, il est forcé de s'appuyer contre le mur. Mon père se tient derrière lui, fusil en main. Il porte toujours les

·ˑêtements du vigile de l'hôpital, mais ceux-ci sont désormais maculés de grosses taches de sang, sèches pour l'essentiel.

« Je t'ai apporté un cadeau de Noël », dit-il, et il pousse l'homme en avant.

Je regarde mon cadeau de Noël, le sang qui le recouvre, l'emballage en lambeaux, et sa vue me rend malade. J'éprouve la même chose en regardant mon père.

« S'il te plaît, papa, va-t'en. Ça n'a plus d'importance. Tout est fini. J'ai tout perdu et ils vont me mettre en prison parce que je t'ai libéré, et la vérité, la vérité... c'est que je veux juste que ce soit fini. Je veux que tout soit fini.

– C'est l'homme qui a abattu Jodie. L'homme à cause de qui tout est arrivé. »

Je ferme les yeux quelques secondes et exhale bruyamment, penchant la tête en arrière, me concentrant sur la mort de Jodie et de Sam. Je revois Jodie tomber en avant, son visage avant le coup de feu, quand elle croyait que le pire qui lui arriverait, ce serait d'avoir les mains et les genoux éraflés. Je sens toujours le poids de Sam entre mes bras, lorsque je l'ai soulevée dans l'abattoir et portée dehors.

Puis je me concentre sur l'homme que mon père a amené. Un type quelconque auquel je n'aurais jamais prêté attention par le passé, peut-être un employé de station-service ou un cordonnier, tout sauf l'homme qu'il est vraiment. Il a le visage gonflé, l'œil droit injecté de sang. Les bords de la toile adhésive qui lui couvre la bouche sont tachés de sang. Mon père le pousse de nouveau et il tombe à genoux dans le couloir. Il a les mains ligotées dans le dos, ses liens sont si serrés qu'elles ont viré au violet. Mon père entre et referme la porte.

« Je m'en fous, dis-je.

– Non, tu ne t'en fous pas. »

Non. Tu ne t'en fous pas.

« Je sais, dis-je.

– J'ai buté un des autres, explique mon père. Je l'ai fait souffrir. Et lui aussi, je l'ai fait souffrir. J'allais le tuer quand, tout d'un coup, j'ai compris combien ce serait égoïste. Je suis désolé pour ce qui est arrivé à Sam, fils, vraiment – et à Jodie.

– Et ça va y changer quelque chose ? Le tuer va la faire revenir ?

– Il ne s'agit pas de faire revenir qui que ce soit, fils.

– Alors, il s'agit de nourrir le monstre ?

– C'est de ça qu'il a toujours s'agi.

– Pour toi, peut-être. Mais pas pour moi.

– C'est l'homme qui a tué Jodie ! Bon Dieu, fils, tu ne comprends pas ? C'est l'homme qui a tué ta femme. Et à cause de lui, ta fille a été assassinée. Ma petite-fille. » Il fait un pas en arrière pour se placer hors de portée de l'homme, tire de sa ceinture un couteau long comme la moitié de son avant-bras, et il me le tend. « Maintenant, fais quelque chose ! »

L'homme à genoux ne bouge même pas. Il y a un fusil et deux paires d'yeux braqués sur lui, et tout ce qu'il a la force de faire, c'est baisser les yeux.

Fais-le ! ordonne le monstre.

« Non.

– Ça te fera du bien », dit mon père.

Écoute-le.

« Écoute le monstre », poursuit mon père, peinant à pointer le fusil devant lui tout en tenant le couteau. Il commence à l'abaisser. « Le monstre te dit quoi faire, n'est-ce pas ?

– Ça n'est pas comme ça que les choses sont censées se passer. C'est Noël. Je vais passer la journée avec Sam et Jodie.

– Fils...

– Voilà comment c'est censé se passer. Toi, lui, le monstre, aucun de vous n'est censé être ici. »

Je passe devant lui et sors. Il n'y a plus d'enfants dans la rue. Personne pour nous observer. Les illuminations de Noël clignotent derrière les fenêtres et sur les toits, les voitures sont remisées dans les garages ou stationnées sur les allées, et chacun se prépare à aller se coucher, fatigué d'avoir trop mangé, trop pris le soleil, trop passé de temps à courir ici et là entre la famille et les gamins. Mon père se tourne vers moi. Je me demande ce que font Nat et Diana ce soir, je me demande si leur journée a été ponctuée de petits moments routiniers durant lesquels, l'espace d'une ou deux secondes, ils ont oublié ce qui est arrivé à Jodie et à Sam, avant que ça ne leur revienne en pleine figure.

« Nous avons ça dans le sang, dit mon père. Tu ne le sens pas ? Nous sommes pareils, fils. Des hommes de sang !

– Je te l'ai déjà dit mille fois, papa, nous n'avons rien en commun. Encore moins que tu ne l'imagines.

– Tu te trompes. Écoute la voix, Edward, dit-il, et c'est la première fois qu'il m'appelle ainsi. Prends le couteau. Laisse la voix te guider. »

Je saisis le couteau. Je pourrais tuer l'homme dans le couloir, mais ce n'est pas ça qui me ramènera ma famille.

Il y a un autre moyen.

63

Il n'est pas certain que placer Edward Hunter en état d'arrestation soit la bonne chose à faire, mais il n'est pas sûr non plus que le laisser seul soit une bonne idée. Barlow l'a averti il y a quelques jours, et même s'il n'a pas complètement ignoré son avertissement, il aurait sans doute pu en tenir un peu plus compte. Il est clair qu'il est en partie responsable de tout ce qui s'est produit depuis leur rencontre, de toutes les morts. Mais c'est fini – il va arrêter Hunter et, même si ça ne lui fait vraiment pas plaisir, il ne se laissera pas dominer par ses émotions. C'est Noël, et il est sur le point d'arrêter un homme qui a perdu sa femme et sa fille parce qu'un psychiatre avec une mèche en travers du crâne, une ex-femme et une jolie piscine lui a dit de le faire.

« Bon Dieu ! » marmonne-t-il.

Il doit y avoir un autre moyen. Barlow a accepté de venir parler à Hunter ce soir, quand il aura été arrêté, pour essayer d'évaluer son état psychologique. En revanche, Barlow n'avait aucune idée de l'endroit où avait pu aller son père.

« Envisagez ça non pas comme une arrestation... a déclaré Barlow tandis qu'il le ramenait à la porte, .. mais comme une thérapie forcée. Accordez-moi deux heures avec lui et je vous donnerai quelques options. L'autre alternative est de compatir avec lui et de ne rien faire, et s'il se suicide ou s'il tue quelqu'un ce soir, vous aurez ça sur la conscience. »

Schroder ne veut même pas envisager cette éventualité, et il file *illico* chez Hunter. Ce n'est pas exactement le Noël qu'il avait prévu. Heureusement, sa femme a pris ça bien. Elle est du genre à mettre les choses en perspective – et ne pas passer Noël avec son mari n'est pas grand-chose comparé à ce qu'Edward Hunter a perdu.

Il y a moins de circulation qu'hier soir, mais toujours suffisamment pour le ralentir lorsqu'il traverse le centre-ville. Les jeunes errent à la recherche de bars ou de boîtes de nuit. Les rues brillent de néons et de lumières fluorescentes, et pour rien au monde Schroder ne voudrait avoir de nouveau 19 ans.

Il arrive devant la maison d'Edward. Elle n'a rien de particulier – pas de voitures garées dans l'allée, pas de fenêtres cassées, pas de portes ouvertes – et pourtant il éprouve une impression bizarre. Trente secondes plus tard, son impression est confirmée lorsqu'il descend de voiture et voit du sang dans l'allée. Deux traînées distinctes qui mènent à la porte. Il appelle des renforts. Ces derniers temps, il a eu de mauvaises surprises chaque fois qu'il est entré chez quelqu'un, mais il pénètre tout de même dans la maison.

64

« Ma photo est parue pour la première fois dans la presse quand j'avais 9 ans. Chaque journal local du pays l'a publiée, dans la plupart des cas en première page. J'ai même fait la presse internationale. C'était une photo noir et blanc, un peu floue, mon visage était tourné vers le torse de mon père, il y avait des gens autour de nous. Après ça, on m'a vu à la télé, dans des magazines, dans d'autres journaux encore, toujours la même photo. Je n'avais jamais voulu ça, j'essayais de l'éviter, mais je ne pouvais rien y faire. »

Je lui raconte ça, mais elle ne semble pas intéressée. Je lui parle de ma mère et de ma sœur, mais les mots lui entrent par une oreille et ressortent par l'autre. Ses yeux sont fermés, elle est couverte de sang. Il y a vingt minutes, sa vie était bien différente. Il y a vingt minutes, elle se préparait à passer une soirée tranquille, avec une pile de DVD posée sur la table basse et un sapin de Noël plein de guirlandes étincelantes. Je roule vers le centre-ville, la circulation est fluide, toutes les boutiques sont fermées. Je porte une fois de plus les vêtements que je portais à la banque, ceux qui sont tachés du sang de Jodie. Je les ai récupérés en route. Je comprends désormais que c'est pour ça que je les ai gardés. Pour ce moment.

« J'avais 10 ans quand le procès a commencé. C'était un cirque. Ma mère était toujours en vie, mais ma sœur et moi en bavions. Ma mère passait son temps à nous hurler dessus quand elle était sobre et, quand elle était soûle, elle pleurait, et, dans un cas comme dans l'autre, nous n'étions pas à la fête. Les cachets et l'alcool n'ont pas tardé à la déglinguer, mais pas assez vite à son goût, et, pour accélérer les choses, elle s'est achevée avec une lame de rasoir. Je ne sais pas combien de temps elle a mis à se vider de son sang. Elle était peut-être toujours vivante quand nous l'avons découverte. J'ai serré la main de ma sœur et nous avons regardé son corps pâle. Il n'y avait plus ni hurlements ni pleurs. »

La femme est suffisamment consciente pour pleurer, ses larmes se mêlant à son sang. Il y a beaucoup de sang, mais ses blessures ne sont pas si terribles. Le problème avec les blessures à la tête, c'est qu'elles saignent. Beaucoup. Le sang a imprégné le siège, et la femme a pissé dans sa culotte, ce qui donne l'impression qu'il y a beaucoup plus de sang par terre qu'il n'y en a vraiment. Je lui parle de Belinda, je lui raconte comment ma sœur est devenue junkie et est morte à 19 ans.

« J'étais le seul survivant de ma famille, dis-je. Le monstre de mon père avait emporté tous les autres. »

Je roule à une allure constante, respectant les limitations de vitesse ; Edward Hunter était autrefois un citoyen respectueux des lois qui ne faisait rien de mal, mais, maintenant, il va redresser les torts. Nous atteignons le centre-ville. La dernière fois que je suis venu ici, je fuyais la police.

« Il est des gens qui croient que je suis moi aussi un homme de sang, dis-je. Ils croient que c'est le même sang qui coule dans nos veines. Mais ils se trompent. »

Jack Hunter n'était même pas mon père.

Et pourtant je suis là, ton monstre bien à toi.

La voiture dans laquelle nous nous trouvons appartenait à Oliver Church. J'accélère, fonce droit devant nous, et je percute la paroi de verre, qui vole en éclats autour de nous, écorchant la voiture. Le monde s'emplit de hurlements, la voiture se soulève puis elle retombe, et j'enfonce violemment la pédale de frein, mais pas avant d'avoir écrasé deux bureaux contre le guichet.

L'alarme retentit aussitôt. Les deux pneus avant explosent. L'avant de la voiture se froisse et le moteur cale. Aucun airbag ne se gonfle, mais les ceintures nous empêchent de nous envoler. Je me tourne en direction de ma passagère, il y a plus de sang et plus de larmes sur son visage, et nous savons l'un comme l'autre que les choses ne vont faire qu'empirer pour elle.

65

« **I**l est parti, annonce Schroder.
– Peut-être que...
– Et il a tué, ajoute-t-il.
– Tué qui ? » demande Barlow.

Schroder retourne dehors.

« Avez-vous une idée de l'endroit où il pourrait aller ? »

Il y a un silence de quelques secondes au bout du fil.

« Le cimetière. Ce serait parfaitement logique. Il voudra être avec sa femme. Qui a-t-il tué, inspecteur ?

– Je vous rappelle. »

Schroder appelle le commissariat. Il s'arrange pour qu'une voiture de patrouille passe chez Gerald Painter, chez les employés de la banque, et même chez Dean Wellington. Puis il passe un coup de fil à Landry pour le mettre au courant de la situation.

« Tu crois que Jack Hunter savait depuis le début quel employé de la banque était dans le coup ?

– Peut-être, répond Schroder. Nous devons le découvrir. »

L'interrogatoire que Schroder a mené hier avec l'employée de banque a été achevé par un autre inspecteur. À cause de tout ce qui s'est passé hier soir, personne n'a eu le temps de comparer les détails de chaque entretien. De plus, d'autres entretiens ont été menés au cours des six dernières heures, vu qu'il était difficile de mettre la main sur tous les employés le jour de Noël, sans compter qu'ils étaient plutôt réticents à coopérer et préféraient passer la journée en famille.

Le problème, c'est qu'aucun d'eux ne se rappelle qui a mis les liasses piégées dans les sacs.

Schroder allume sa sirène et fonce vers le centre-ville, les maisons et les voitures défilant de façon indistincte derrière la vitre. Il croise d'autres voitures de police, qui se rendent chez Hunter. Lorsqu'il atteint le commissariat, il court jusqu'à la salle d'interrogatoire dans laquelle Kelvin Johnson a été escorté dix minutes plus tôt.

«Vous avez une chance d'arranger votre cas», déclare Schroder.

Johnson, le seul braqueur à avoir été arrêté – et le dernier à être toujours en vie –, continue de fixer la table sans même lever les yeux.

«Vous savez que tous les autres sont morts, n'est-ce pas? Nous avons retrouvé Zach Everest il y a quelques heures, et je viens de voir le corps massacré de Doyle, explique-t-il, Doyle étant le dernier nom sur la liste. C'était une vraie boucherie, Kelvin, une vraie boucherie.»

Kelvin ne répond rien.

«Et nous savons qu'un membre du personnel de la banque était de mèche.

– Vous ne savez rien.

– En fait, si. Je sais que vous allez en prison. Je sais que vous savez que Jack Hunter a dézingué vos copains. Vous savez qu'il sera lui aussi bientôt en prison, avec vous, ajoute Schroder, ce qui n'est pas tout à fait vrai. Vous savez que Jack Hunter a des relations là-bas – il y a passé vingt ans, alors il sait comment ça se passe. Vous savez que sa belle-fille et sa petite-fille sont mortes à cause de ce que vous avez fait, et vous savez que ça fait de vous une cible. Je sais que vous allez finir dans une cellule juste à côté de la sienne, et je sais que vos jours là-bas sont comptés. Donc nous savons tous les deux que si vous voulez vivre assez longtemps pour en sortir un jour, vous allez devoir parler. Dites-moi qui était votre complice parmi le personnel de la banque, et vous passerez vos années de prison loin de Jack ou Edward Hunter.

– C'est des conneries, répond Johnson.

– Non. C'est un fait. Un fait à 100 %. Donc ce que je vais faire, c'est que je vais vous accorder trente secondes de réflexion. Vous vous dites probablement que vous êtes un dur et que vous pouvez prendre soin de vous en prison, vu que vous l'avez déjà fait, mais ce à quoi vous devriez penser, c'est à l'idée qu'il y a en ce moment deux hommes qui ne souhaitent rien de plus que vous voir mort – des hommes qui ne seront peut-être pas en mesure de vous faire la peau eux-mêmes, mais au moins un des deux a les moyens de payer quelqu'un pour le faire à sa place. Trente secondes, répète Schroder. C'est parti.

– Marcy Croft, répond Johnson alors qu'il lui reste vingt-huit secondes. Bracken l'a payée. C'était une cible facile. Elle avait besoin de fric, elle était nouvelle à l'agence, et le plan était de la buter de toute manière. Bracken voulait qu'elle soit descendue dans la rue, mais à la place nous avons descendu l'autre femme.

– Marcy Croft », répète Schroder.

Il se représente l'employée de banque. C'est elle qui s'est retrouvée sous la menace d'un fusil. C'est pour elle que Jodie est morte.

« Est-ce qu'elle savait que des gens allaient mourir ?

– Elle croyait que ce serait simple. On entrait, on prenait le fric et on repartait. On lui avait dit qu'on ne ferait de mal à personne, et d'ailleurs c'est ce que je croyais aussi.

– Alors, pourquoi personne n'a-t-il essayé de la tuer après le braquage ?

– On ne pouvait pas courir le risque. Si on l'avait touchée après le braquage, vous vous seriez posé des questions. Vous auriez fait le lien.

– Vous n'aviez pas peur qu'elle parle à la police ?

– Non. Bracken l'a appelée sur son téléphone portable environ dix minutes après le coup. Il lui a dit que si elle parlait aux flics, il la descendrait, elle et tous ses proches.

– Est-ce que c'est Bracken qui a abattu Jodie Hunter ?

– Non. Bracken n'a même pas prononcé un mot dans la banque.

– C'est vous ?

– Non. C'est Doyle.

– OK. C'est bien, Kelvin. Très bien. Vous pourrez expliquer ça à Hunter quand vous le verrez.

– Quoi ? Vous avez dit...

– Je mentais.

– Espèce de salaud ! » lance-t-il, mais Schroder, qui est déjà en train de refermer la porte de la salle d'interrogatoire derrière lui, l'entend à peine.

Il vérifie les messages sur son téléphone. Le cimetière a été ratissé, et aucun signe de Hunter. Aucun signe de lui chez le vigile non plus. Ni chez aucun des employés de banque. Ni chez Marcy Croft.

Il grimpe dans sa voiture et décide de se rendre chez Croft. Il appelle les inspecteurs qui lui ont parlé plus tôt dans la journée, et ceux-ci expliquent qu'elle semblait nerveuse, mais qu'ils ont attribué ça aux événements de la semaine dernière. Il y a une voiture de patrouille postée devant chez elle.

« Personne dans la maison, annonce l'agent. Nos ordres sont d'attendre jusqu'à ce qu'elle revienne. »

Schroder frappe tout de même à la porte. Il sait que quand il la retrouvera il y a peu de risques qu'elle oppose la moindre résistance ou qu'elle fasse un scandale. Au mieux, elle fondra en larmes et implorera un pardon qu'il ne lui reviendra pas d'accorder. Il tourne la poignée. La porte n'est pas verrouillée. Il entre.

Marcy Croft vit dans un petit trois pièces. Le salon est encombré par une télé à écran plat et un sapin de Noël, il y a des traces de sang sur la moquette, et des meubles renversés. Schroder appelle aussitôt Barlow.

« Il la tient, annonce-t-il. L'employée de banque.

– Expliquez-moi ce qui se passe », répond Barlow.

Schroder lui explique.

« Hunter sait-il que l'employée de banque était dans le coup ? demande Barlow.

– Peut-être. Je ne sais pas. C'est possible. Jack Hunter savait peut-être. Il avait certainement d'autres noms.

– Ça n'a aucun sens. Si Edward savait qu'elle était de mèche, il l'aurait déjà tuée. Vous dites qu'il l'a enlevée chez elle ?

– Il y a des signes de lutte et du sang sur la moquette. Pas beaucoup, ajoute-t-il.

– OK. Supposons qu'il ne l'ait pas tuée. Supposons qu'il l'ait enlevée. Pourquoi ? S'il estimait que cette employée était en partie responsable de la mort de sa femme et de sa fille, il l'aurait déjà tuée. Il n'avait aucune raison de l'enlever.

– Pourtant c'est ce qu'il a fait. Aucun doute là-dessus.

– Oui, mais pourquoi ? Laissez-moi réfléchir... Êtes-vous sûr que Jack Hunter était au courant pour cette femme ?

– Je n'ai jamais dit que j'en étais sûr. C'est possible.

– Intéressant », observe Barlow sans expliquer le fond de sa pensée. Schroder entend presque la mécanique de son cerveau tandis qu'il réfléchit. « Cette femme, il a pu l'enlever pour une autre raison.

– Quelle autre raison y a-t-il ?

– Tout a commencé avec elle. C'est pour la sauver qu'Edward est intervenu. Vous ne comprenez pas ? En la sauvant, il a condamné sa femme à mort. Il la juge responsable, inspecteur, et s'il est psychologiquement aussi fragile que je l'imagine, il la considère comme le catalyseur de toutes ses pertes. Peut-être... oui, oui, peut-être qu'il pense pouvoir réparer tout ce qui s'est produit depuis.

– Réparer ? Vous voulez dire qu'il croit qu'en la tuant il pourra revenir en arrière et sauver sa famille ?

– C'est possible. Et si c'est le cas, alors il l'a emmenée à...

– ...la banque, achève Schroder, qui est déjà en train de courir vers sa voiture.

– Exactement.

– Bon sang ! », murmure-t-il, et il met sa sirène en route et fonce vers le centre-ville.

66

Je descends et fais le tour de la voiture. J'ouvre la portière et traîne la femme à l'extérieur. Elle est confuse. Effrayée. Ça n'est pas une nouveauté pour elle – elle a déjà été confuse et effrayée. D'ailleurs, c'était ici même.

Elle trébuche, tombe, se coupe les genoux sur le verre. Elle tente de me parler mais je ne l'entends pas à cause de l'alarme. Je distingue juste quelques mots et parviens à combler les vides tout seul. Elle me rabâche encore et encore qu'elle est désolée, mais ça n'a aucune importance, plus maintenant. Le fait qu'elle soit désolée n'arrangera rien. Je la soulève et la traîne jusqu'à l'endroit où elle a failli mourir la dernière fois. L'alarme de la banque continue de retentir, et je me demande si les choses auraient tourné différemment la semaine dernière si l'alarme s'était déclenchée comme ça quand les hommes sont entrés dans la banque. Je la traîne jusqu'à l'endroit exact où elle se tenait, mais, quand je la lâche, elle s'écroule comme une masse. Tout est comme la dernière fois, sauf que nous sommes seuls. Mêmes affiches annonçant des taux d'intérêt avantageux, mêmes photos de personnes heureuses de rembourser des prêts sur vingt-cinq ans ou d'emprunter de l'argent pour s'acheter un bateau. Le trou dans le plafond a été rebouché, la vitre brisée a été remplacée, les impacts de balle dans le mur ont été plâtrés et repeints, tout le sang a été nettoyé. Pas de vigile, pas de porte vitrée, personne avec un fusil. Personne pour intervenir, pour empêcher cette femme de se faire tuer, pour placer sa famille dans la ligne de feu, personne pour filmer avec un téléphone portable des images qui se retrouveront aux informations.

« Essayez de vous lever », dis-je.

Mais elle reste par terre. Je suppose que ce n'est pas un problème. Je ne peux pas tout reproduire exactement. Ce n'est pas comme si j'avais un fusil de chasse. Juste un couteau. Ça fera tout aussi bien l'affaire. Cette femme pour Jodie. Pour Sam. Elle pleure, est agitée par de violents sanglots.

« C'est le seul moyen », dis-je.

Fais-le. Sens-le. Nourris la pulsion.

Je me penche sur elle, serrant fermement le couteau.

Vas-y. Finis-en.

Des bruits de pas retentissent sur le verre brisé, suffisamment sonores pour être audibles par-dessus l'alarme. L'inspecteur Schroder s'approche à quelques mètres de nous, les paumes tournées vers moi. Il observe la femme avant de se concentrer sur le couteau dans ma main.

« Posez ce couteau, Edward ! »

Il doit hurler pour se faire entendre.

Je me poste derrière elle et lui place le couteau sous la gorge. Elle tremble, son corps est chaud, et tout sera bientôt fini, tout redeviendra normal.

Je hurle à mon tour :

« Je ne peux pas !

– S'il vous plaît, s'il vous plaît, aidez-moi, implore la femme, mais sa voix est basse et je ne crois pas que Schroder l'entende.

– Edward, posez ce couteau !

– Pourquoi êtes-vous ici ? Vous n'étiez pas ici la dernière fois.

– Je suis ici parce que je ne veux pas que quelqu'un d'autre meure.

– Comment ça se fait que vous soyez arrivé si vite ? La semaine dernière, personne n'est arrivé avant cinq minutes, et aujourd'hui vous êtes ici en quelques secondes. Ce n'est pas juste.

– Je sais ce que vous essayez de faire, reprend Schroder. Mais vous ne pouvez pas réparer le passé, Edward. Je sais que vous êtes intervenu pour sauver cette femme, et elle a vécu alors que Jodie et Sam sont mortes, mais vous ne pouvez pas les faire revenir.

– Tout ce que j'ai à faire, c'est m'assurer que ça ne s'est jamais produit. Tout ce que j'ai à faire, c'est ne pas intervenir.

– On ne peut pas récupérer ce qu'on a perdu, Edward. Il n'y a pas de retour en arrière.

– Quand j'aurai fait ça, tout redeviendra normal.

– J'aimerais que ce soit si simple, Eddie, j'aimerais vraiment. La vie serait tellement plus facile. Mais ce n'est pas le cas, et la tuer ne fera revenir ni Jodie ni Sam.

– Il ne s'agit pas de les faire revenir. Il s'agit qu'on ne leur fasse pas de mal.

– Écoutez-vous. »

Écoute-moi. Tue-la. C'est dans ta nature. Tu es comme ça.

« C'est ce que vous voulez ? continue Schroder. Devenir comme votre père ? »

Papa est un fantôme.

« Je ne lui ressemble en rien.

– Vous n'arrêtez pas de dire que vous détestez ce qu'il est, que vous nous détestez tous parce que nous croyons que vous deviendrez comme lui.

– Je ne lui ressemble en rien, dis-je une fois de plus.

– Regardez-vous.

– Il ne s'agit pas de ça. Il ne s'agit pas de ce qu'était mon père.

– Vous avez raison, Edward, vous avez absolument raison. Ce qui se passe maintenant... il s'agit de vous. Il s'agit de ce que vous faites, de ce que vous avez déjà fait. Vous croyez ne ressembler en rien à votre père, mais regardez ce que vous avez fait ce soir. L'homme qui a tué Jodie, vous l'avez eu, Edward. Vous ne l'avez vraiment pas loupé.

– Je suis content de l'avoir tué. »

Et c'est la vérité. Une mort contre une autre.

« Et votre père ? Êtes-vous heureux de l'avoir tué lui aussi ?

– Il m'a trahi, dis-je de cet homme qui n'a jamais été mon père de toute manière, certainement pas au cours des vingt dernières années, et certainement pas maintenant. Il s'est servi de moi. Il s'est servi de Jodie. Ma souffrance a été un outil pour lui. Alors, oui, il le méritait aussi. »

Je sens toujours le couteau s'enfonçant dans sa poitrine, je revois l'expression sur son visage. Je sens toujours le bras de Belinda autour de moi tandis que nous étions assis sur le sol de la salle de bains, regardant ma mère dans la baignoire, il y a si longtemps. Des bulles de sang ont jailli de la bouche de mon père au lieu de mots, et j'ai cru entendre le sifflement de l'air qui s'échappait de sa poitrine tandis qu'il titubait en arrière dans le couloir. Il est tombé, et la noirceur avec laquelle mon père avait passé sa vie l'a finalement enveloppé. L'homme qu'il m'avait amené a levé les yeux, et un espoir est apparu dans son regard, un espoir intense qui a scintillé comme un diamant et a disparu tout aussi vite quand je l'ai frappé avec le couteau qui m'avait servi à tuer mon père. Je l'ai poignardé encore et encore, et, quand j'ai voulu m'arrêter, je n'ai pas pu, pas tout de suite.

« C'est fini, Edward. Vous devez la laisser partir et nous accompagner.

– Je peux tout réparer, dis-je, et l'image de Schroder se trouble à l'instant où je m'aperçois que je pleure. Je peux tout réparer.

– Non. Vous ne pouvez pas. »

Si, tu peux, Eddie. Égorge-la vite fait, bien fait et tout ira mieux, beaucoup mieux.

« Ne soyez pas comme votre père, dit-il. Posez ce couteau. Laissez-la partir. Elle ne vous a rien fait. Vous lui avez sauvé la vie, vous avez fait ce que personne d'autre n'a eu le courage de faire, et rien de ce qui s'est passé après n'est de votre faute. Vous n'avez pas tué Jodie, vous n'avez pas tué Kingsly, vous n'êtes pour rien dans la mort de Sam. Vous êtes un homme bon qui essaie de faire de son mieux dans un monde qui lui a tout pris. Ne lui prenez pas tout, ajoute-t-il en désignant de la tête l'employée de banque. Est-ce que c'est ce que Jodie attendrait de vous ? »

Mon corps se crispe et je serre fort les yeux, juste une seconde, suffisamment longtemps pour me représenter ma femme tombant en avant dans la rue. Dans cette même seconde, je m'imagine notre vie ensemble, avant et après, la vie que nous avons vécue ensemble et celle que nous étions censés vivre. Je m'imagine Sam.

« Je ne sais vraiment pas, dis-je.

– Moi, je ne crois pas, réplique Schroder. Je doute sincèrement qu'elle aurait voulu que vous tuiez en son nom, surtout quelqu'un qui ne vous a jamais fait de mal. Je crois qu'elle voudrait ce qu'elle a toujours voulu – que vous ne soyez en rien comme votre père. »

J'abaisse le couteau et j'ouvre la main.

Qu'est-ce que tu fabriques ?

Je n'en suis pas sûr. La lame heurte le sol, creuse une entaille dans le linoléum et retombe sur le côté. Je m'écarte de la femme. Elle n'avait plus de force tout à l'heure, mais elle en retrouve soudain et déguerpit en rampant aussi vite que possible. Deux agents surgissent de nulle part, ils la soulèvent et l'emmènent dehors. Deux autres agents entrent juste derrière Schroder, braquant leur arme sur moi. Il y a dehors des voitures de patrouille que je n'ai même pas vues arriver.

Il y a un autre moyen de retrouver Sam et Jodie. Ramasse le couteau.

« Quoi ?

– Hein ? » fait Schroder.

Ramasse-le et jette-toi sur eux. Force-les à ouvrir le feu. Tu retrouveras Sam et Jodie. Tout ira mieux. Si tu dois être une mauviette toute ta vie et ignorer tout ce que je veux, alors abrège nos souffrances. Attrape ce couteau.

Je baisse les yeux vers le couteau, mais Schroder remarque mon geste et il s'approche.

« Pas question, dit-il, et il l'éloigne d'un coup de pied. Ce serait trop facile. Vous croyez que c'est ce que Jodie et Sam voudraient ? »

Je n'ai pas de réponse. Il me fait pivoter sur moi-même et me passe les menottes, et une minute plus tard je suis à l'arrière d'une voiture de patrouille, en route vers mon avenir. Bon sang ! peut-être que c'était mon destin. Edward le Chasseur. Je pense aux hommes qui m'ont sifflé à la prison hier, je songe que je vais revoir le Boucher de Christchurch, rencontrer Theodore Tate. Ce qui reste du comptable en moi tente de calculer combien de temps je vais passer en prison, mais en vain. La ville devrait récompenser mon monstre pour ce qu'il a fait, pas l'enfermer. Je regarde la banque devenir plus petite derrière moi, conscient que je ne suis en rien comme mon père, conscient que j'ai mon monstre à moi, un monstre qui croît à l'intérieur, et je me demande ce qu'il attendra de moi quand je serai de nouveau libre.

DÉJÀ PARU

Août 2011

Charles T. Powers
En mémoire de la forêt

Traduit de l'anglais (États-Unis) par Clément Baude

Élu meilleur thriller de l'année par le New York Times

« *Un roman d'une rare intensité, d'une puissance ahurissante, aussi bien sur le fond que sur la forme. Ce livre extraordinaire restera hélas, mille fois hélas, le seul ouvrage de son auteur, mais c'est un chef-d'œuvre, et, en tant que tel, je suis sûr qu'il marquera durablement l'esprit de ses lecteurs. Il le mérite.* » R. J. Ellory

En Pologne, quelques années après la chute du communisme. Lorsqu'on retrouve le cadavre d'un homme dans la forêt qui entoure le petit bourg de Jadowia, Leszek, un ami de la famille du disparu, décide de faire la lumière sur cette affaire. Il comprend vite que cet assassinat est lié à l'histoire trouble du village. Mais, dans cette petite communauté soudée par le silence, beaucoup ont intérêt à avoir la mémoire courte et sont prêts à tout pour ne pas réveiller les fantômes du passé. L'ère communiste a en effet laissé derrière elle bien des séquelles et personne n'a rien à gagner à évoquer cette période où la dénonciation était encouragée, où la paranoïa et la corruption étaient omniprésentes, les comportements souvent veules. Sans parler de secrets plus profondément enfouis encore, datant de la Seconde Guerre mondiale, lors de la disparition brutale des Juifs établis à Jadowia depuis plusieurs générations. Leszek va devoir mettre sa vie en jeu pour venir à bout de cette chape de silence et faire surgir une vérité bien plus inattendue encore que tout ce qu'il avait imaginé.

Avec ce thriller hors norme, au style d'une beauté et d'une puissance rares, Charles T. Powers aborde avec un art magistral de l'intrigue et du suspense des thèmes aussi universels que la culpabilité collective et individuelle, la mémoire et l'oubli – et les répercussions de l'histoire dans la vie de chacun. Ce « roman exceptionnel », selon le *New York Times*, est un véritable chef-d'œuvre du genre.

Né en 1943 dans le Missouri, Charles T. Powers a dirigé de Varsovie le département Europe de l'Est du Los Angeles Times. *Il est décédé brutalement en 1996 après avoir remis le manuscrit de son unique roman,* En mémoire de la forêt, *à son éditeur.*

Septembre 2011

James Keene, Hillel Levine
Avec le diable

Traduit de l'anglais (États-Unis) par Fabrice Pointeau

Vous aimez les thrillers ? Oubliez les fictions : la réalité les dépasse toutes.

1990 : James Keene, fils d'une famille influente de Chicago, vient d'être jugé pour trafic de drogue et condamné à dix ans de prison. Désespéré, il reçoit dans sa cellule une visite inattendue, celle de l'assistant du procureur à l'origine de sa détention. Conquis par l'intelligence et l'habileté de James, celui-ci vient lui proposer un incroyable deal: sa peine sera annulée s'il aide le FBI à piéger un serial killer, Larry Hall. Suspecté d'une vingtaine d'assassinats, Hall a été inculpé pour un seul d'entre eux lors d'un procès qui risque d'être bientôt révisé en appel, faute d'éléments suffisants. Keene devra amener le tueur à se confesser et réunir assez de preuves contre lui pour le faire tomber définitivement. Tâche ardue, qui ne peut être confiée à un agent du FBI du fait du flair légendaire de Hall. Après quelques hésitations, Keene accepte de relever le défi. Il est alors transféré à Springfield, dans l'unité psychiatrique de la prison de haute sécurité dévolue aux criminels les plus dangereux, où Hall est détenu. Seuls le directeur et le psychiatre en chef sont au courant de sa mission. Là, au milieu des psychopathes, il va devoir gagner la confiance du plus redoutable d'entre eux pour lui faire avouer où il a caché les corps de ses victimes.

Cet incroyable scénario n'a rien d'une fiction. Avec un sens de l'intrigue et du suspense digne des plus grands romanciers, le journaliste Hillel Levin, en collaboration avec James Keene, nous livre un document incroyable, qui va ravir tous les amateurs de thrillers. Les droits d'adaptation cinématographique du livre ont été achetés par la Paramount ; William Monahan *(Les Infiltrés, Mensonges d'État)* en écrit actuellement le scénario.

Novembre 2011

Lewis Shiner
Les Péchés de nos pères

Traduit de l'anglais (États-Unis) par Fabrice Pointeau

Élu meilleur livre de l'année par le Los Angeles Times

À la manière de Chinatown, *Lewis Shiner outrepasse ici les limites du thriller pour nous offrir une véritable fresque sociale et humaine, construite autour d'un épisode honteux et bien réel de l'histoire des États-Unis.*

Lorsque Michael Cooper arrive à Durham, en Caroline du Nord, pour accompagner son père mourant, il ne connaît que très peu de choses de la ville. C'est pourtant le berceau de sa famille, ses parents y ont vécu jusqu'à ce qu'il vienne au monde, avant de s'installer au Texas. Et c'est à Durham qu'il va faire une étrange découverte : non seulement sa naissance n'a jamais été notifiée dans les registres de la ville, mais il semblerait qu'il soit né en 1970 et non en 1969, comme il l'a toujours cru.

Ce n'est qu'un des nombreux secrets et non-dits familiaux, qui tous semblent liés à la destruction, à la fin des sixties, du quartier noir de la ville. Bientôt, il découvre qu'à l'époque, celle de la lutte pour les droits civiques, ce haut lieu de la culture afro-américaine, symbole de liberté dans une région très conservatrice, a été endeuillé par un meurtre jamais élucidé.

L'assassinat d'un homme, la mort d'un quartier, d'une culture, Michael n'aura d'autre choix que de faire toute la lumière sur ces événements afin de lever le voile sombre qui recouvre son identité. Il est loin de se douter qu'il va ainsi réveiller de vieux fantômes, initier de nouvelles tragédies et mettre sa vie en péril. C'est pourtant le début d'une course contre la montre, aux multiples retournements, à l'issue incertaine.

Comment l'histoire d'un pays influe sur l'histoire individuelle, comment les fils doivent affronter les péchés de leurs pères, tels sont quelques-uns des thèmes évoqués dans ce roman à l'intrigue palpitante, qui est aussi un chant d'amour à la culture noire et une évocation enflammée des luttes sociales des années 1960.

Lewis Shiner est né en 1950. Il a été ouvrier dans le bâtiment, musicien de rock et informaticien avant de se consacrer à l'écriture. Après Fugues, *(Denoël, 2000) et* En des cités désertes *(Denoël, 2001),* Les Péchés de nos pères *est son troisième roman publié en France.*

Mis en pages par DV Arts Graphiques à La Rochelle
Imprimé en France par CPI Bussière
à Saint-Amand-Montrond (Cher).
N° d'édition : 071. — N° d'impression : 114137/4.
Dépôt légal : juin 2011.
ISBN 978-2-35584-071-5